Крис Кроули
доктор медицины Генри Лодж
с предисловием Гейл Шихи, автора «Беззвучного перехода»
(The Silent Passage)

Следующие 50 лет

Как обмануть старость

by Chris Crowley &
Henry S. Lodge, M.D.

Younger Next Year

for Women

Workman Publishing • New York

Крис Кроули
доктор медицины Генри Лодж
с предисловием Гейл Шихи, автора «Беззвучного перехода»
(The Silent Passage)

Следующие 50 лет

Как обмануть старость

Перевод с английского

Москва
2011

УДК 615.89+612.67
ББК 53.57
К83

Переводчик Мария Кульнева

Предисловие Гейл Шихи

Кроули К.

К83 Следующие 50 лет: Как обмануть старость / Крис Кроули, Генри Лодж. — М.: Альпина нон-фикшн, 2011. — 416 с.

ISBN 978-5-91671-127-1

Для сегодняшней женщины 50 лет и старше — возраст расцвета. Ей предстоят еще долгие годы, которые могут оказаться лучшими в ее жизни. Ведь мир современницы отличается от условий, в которых жили наши мамы и бабушки, а достижения медицины открывают фантастические возможности. Опираясь на строго научные данные, авторы показывают, что организм человека запрограммирован на два варианта: рост или распад. Одиночество и стресс запускают распад; любовь и радость — рост. Остается решить для себя: деградировать, предаваясь праздности и скуке, или научиться омоложению и жить долго и счастливо. Эта книга — практическое руководство для тех, кто сделал правильный выбор, и стимул для тех, кто стоит на распутье.

УДК 615.89+612.67
ББК 53.57

ISBN 978-5-91671-127-1 (рус.)
ISBN 978-0-7611-4073-3 (англ.)

Оглавление

Часть 2
ВАША ЖИЗНЬ — ВАША ОТВЕТСТВЕННОСТЬ

Моим сестрам — Рэйни, Китти и Пти. Благодаря им мой мир с самого начала был добрым… и продолжает таким оставаться.

Крис Кроули

Моим дочерям Мэделайн и Саманте, которых я люблю всем сердцем.

Генри Лодж

Благодарности

Первым делом, конечно, благодарю Гарри, великолепного и крайне разумного партнера и хорошего друга. Говорят, с соавторами такое случается редко.

Очень многие помогали нам в работе над этой книгой, но некоторые из них заслуживают отдельного упоминания. Мой список хочу начать с Александры Пенни, которая сразу сказала, что мы с Гарри должны написать эту книгу, и придала мне решимости не отступать от задуманного. Также благодарю за все сделанное для оформления, производства и выхода в свет нашей книги Лауру Йорк и Кэрол Мэнн из Агентства Кэрол Мэнн. Помимо этого, Лаура стала нашим неофициальным редактором, близкой подругой и сообщницей. Но, конечно, основной редакторский груз лег на плечи Сьюзан Болотин, также быстро вставшей на нашу сторону, проявив к книге подлинный интерес и так много сделав для нас и для нее. Также не могу не назвать имя Линн Стронг, редактора рукописи и еще одной нашей последовательницы, исключительной женщины, безупречное чувство юмора которой не раз спасало и поддерживало нас. И, наконец, отдельное спасибо незаменимой сотруднице издательства Workman Меган Николай, являющейся, помимо всего прочего, автором уникальных графиков «Здоровье… Смерть!»

Еще раз благодарю всех, кто помогал нам в работе над первой книгой, и тех, кто включился в работу на новом этапе: Лоис Смит Брейди, Бобо Дивенс, Тину Макдермотт, Полли Гат, Тьюки Кофенд, Илену и Майкла Паттерсонов, Рэйни Пирс, Марни Пиллбери, Мэри Росс, Тона Тона Рассела, Хелен Уорд, Вуди и Присциллу Вудсов.

И самые-самые искренние слова благодарности моей супруге, Хилари Купер, которая фактически была здесь моим соавтором. Ее постоянная поддержка, неподдельная заинтересованность и объективные оценки всегда со мной. Короче говоря, своей новой жизнью я в первую очередь обязан ей. — *К.К.*

Я никогда не перестану испытывать глубочайшую благодарность к Крису за идею наших книг, за то, что втянул меня в это дело, и за то, что в процессе этого стал моим самым близким и дорогим другом. Также спасибо и его супруге Хилари, которая всегда поддерживала нас и в писательстве и в жизни. Прекрасную работу выполнили наши агенты Лаура Йорк и Кэрол Мэнн, спасибо им за то, что смогли разглядеть потенциал нашего труда. Спасибо исключительному редактору Сьюзан Болотин, не пожалевшей на нас времени и сил.

Многие помогали нам в процессе работы, но особо я хочу отметить моих родителей и других членов моей семьи, которые были и остаются для меня всем и кого я никогда не перестану любить и уважать. Спасибо Тери Гоэтц, за то, что она такая чудесная мать. Спасибо моим коллегам из медицинского центра Колумбийского университета и Нью-Йоркского терапевтического общества, лучше которых просто не бывает. Очень помогли мне советами Эллен Рэндалл и моя сестра Фелисити. Особую благодарность хочу выразить Эшли Муи и Марии Камачо за высочайшую квалификацию, терпение и чувство юмора, с которым они встречали все мои требования.

Наконец, как и в первой книге, я хочу высказать глубочайшую признательность моим пациентам, которые обогатили мою жизнь и научили меня тому, что такое на самом деле смелость, сострадание, оптимизм, сила духа, и, главное, милосердие. — *Г.Л.*

От нас обоих отдельная благодарность издательству Workman Publishing. Это чудесное место, где силен истинный командный дух, и где целое всегда больше, чем сумма составных частей. Все, с кем нам пришлось там работать, показались нам талантливыми, трудолюбивыми, увлеченными и небезразличными людьми. Мы хотели назвать их поименно, но потом поняли, что успех книги обеспечили и многие другие, с кем мы не встречались лично. Короче говоря, эта история связала нас с целой компанией, и мы хотим выразить признательность абсолютно всем, кто принимал участие в работе над книгой, за их мастерство. Спасибо вам всем!

Крис и Гарри

Предисловие

Когда я впервые встретилась с Гарри и Крисом, авторами этой исключительной книги, я решила, что произведу на них впечатление, упомянув о том, что собираюсь отправиться в пятидневный велопробег по Мэну. Крис выразил мне горячее одобрение. Он сам оказался замечательным велосипедистом, который зимой греется, разъезжая по горам. Они с женой собирались летом отправиться в Европу, по маршрутам Ланса Армстронга.

«Что мне нужно для подготовки к пробегу?» — спросила я.

«А сколько у вас времени?»

«Я только что закончила работу над книгой. Через три дня еду».

Он скривился.

«На этот раз у вас ничего не получится. Зато в следующий можете получить настоящее удовольствие».

В пробег по Мэну отправилась очень маленькая группа — всего лишь трое, включая меня. Моими спутниками были Крис Хеджес, знакомый писатель и суровый военный корреспондент, и его молодая и очень высокая супруга Ким. Двое наших руководителей, Норман и Рэй, были мускулистыми местными жителями. Первые мысли, пришедшие мне в голову, были такими: «Они все сумасшедшие. Мне надо найти путь эвакуации по побережью — там, наверное, ровно; или я просто встану посреди подъема, слезу с велосипеда и начну звать такси!»

Но оказалось, что Кристофер и Ким, так же как и я, больше любят книги, чем велосипеды. Так что наша поездка превратилась в литературный клуб на колесах; мы не напрягаясь делали по двадцать миль в день и любовались пейзажами Национального парка «Акадия» и берегами фьордов острова Шудик. Я вернулась из поездки в добром здравии, не перетрудив ни одной мышцы.

Но вернувшись, я сдуру посчитала себя крутой спортсменкой и записалась в тренировочный лагерь аэробики. В первый же день я растянула бедро и колено, и мне казалось, что между ребер мне постоянно втыкается что-то острое. Я вновь обратилась к книге Криса и Гарри.

«Мы призываем вас *не* начинать постепенно, — читала я у них. — Вы можете отправиться в своеобразное турне в честь открытия новой жизни — путешествие, где вашим основным занятием и целью будет именно физкультура». Они даже приводили в качестве примера такого путешествия велопробег по Новой Англии. Ну ладно, это мы сделали, а что теперь? «Гораздо лучше порвать с прошлым резко, полностью отдавшись будущему, — прочла я. — Полностью окунитесь в это на всю оставшуюся жизнь». Ах, так вот в чем дело! «На всю оставшуюся жизнь». То есть не обращайте внимания на первые несколько дней боли, постепенно все станет проще и приятнее.

Я читала рукопись этой книги в то же время, как заканчивала свою, и мне показалось, что мою книгу и «Следующие 50 лет» можно продавать в комплекте. Моя книга, «Секс в жизни зрелой женщины» (Sex and the Seasoned Woman), посвящена сексуальной жизни, любви, отношениям полов в целом и новым мечтам в жизни женщины старше сорока пяти лет. Основой для нее послужили беседы более чем с двумя сотнями женщин, которые принадлежат к поколению чувственных, раскрепощенных дочерей «бэби-бума». Часть из них замужем, часть — нет, но все они не желают мириться со стереотипным взглядом на женщин среднего возраста и их роль в обществе. Сегодняшние женщины в возрасте 45–60 лет, и даже старше, — это женщины действительно в самом расцвете. Все они постоянно говорили мне, что сейчас более счастливы и деятельны, чем когда-либо. Среди тех моих собеседниц, которым было от семидесяти до девяноста с лишним, мне также встретились многие, превосходящие своих среднестатистических ровесниц по молодости ума и тела. Были даже такие, кто и в этих преклонных годах оставались роскошными и соблазнительными.

Именно зрелая женщина лучше всего знает, как правильно управлять своей сексуальностью. К счастью, Крис и Гарри отмечают то, что регулярные занятия физкультурой — основа для правильной биохимии мозга, а это, в свою очередь, прямо приводит к сжиганию жира, повышению эффективности работы иммунной системы, улучшению сна и сексуальных реакций организма. Мне кажется, это весьма привлекательный рецепт, стоящий того, чтобы воспользоваться им и развеять хандру, овладевшую вами с наступлением менопаузы.

Да, вы можете спросить: откуда двум мужчинам известно что-то о менопаузе? Я тоже вначале задавалась этим вопросом.

Так вот. Крис Кроули — цветущий мужчина, здоровый и бодрый не по годам. Он — убедительный пример действенности методики омоложения. Сейчас он чувствует себя гораздо лучше, чем в то время, когда вышел на пенсию и неожиданно вместе с профессиональным статусом лишился опоры в жизни. Тогда он уже начал скатываться в стандартную пропасть ожирения и отупения, но вовремя спохватился и сменил направление. Я не преувеличиваю: он действительно выглядит сейчас не старше пятидесяти.

Доктор Гарри Лодж гораздо моложе, ему всего сорок семь. Это твердый, прямой человек с типично «профессорским» взглядом на вещи. Он производит такое же приятное и заразительное впечатление, как и Крис, но за его словами всегда чувствуется глубокая научная база. Он рассказывает читателям, что после пятидесяти лет в организме начинается распад. Да, *распад*. Если только мы не начнем сигнализировать собственному телу о возобновлении роста, занимаясь физкультурой шесть дней в неделю (да-да, целых *шесть дней*), то после пятидесяти лет наше тело начинает катиться по наклонной. Именно физические упражнения подают нашим клеткам сигнал к восстановлению и омоложению и заставляют мозг производить вещества, повышающие наше настроение. Не знаю, как вам нравятся такие рекомендации, но вы сами понимаете, что они верны.

Вы сами все о себе знаете.

Доктор Гарри предлагает строгие научные данные и занимательные описания биологических процессов, доказывающие два основных положения этой книги: семьдесят процентов признаков старения в возрасте старше пятидесяти обусловлены исключительно образом жизни; а половины болезней и серьезных несчастных случаев в этот период можно избежать, если научиться омоложению. О том же самом говорю и я в своей книге, иллюстрируя это десятками жизненных историй.

У нас с авторами «Следующие 50 лет» один взгляд на то, какой должна быть жизнь женщины после наступления менопаузы. Я называю этот период Второй Зрелостью. Гарри и Крис называют его Последней Третью жизни. Они заявляют, что после менопаузы остается еще «тридцать лет жизни, которые могут стать одними из самых лучших». Мы расходимся только в цифрах.

Почему всего тридцать лет?

В американском населении возрастная группа, доля которой растет сейчас быстрее всего — это люди старше ста лет. И она будет продолжать расти. Ведь через некоторое время в преклонные годы вступят дети «бэби-бума», которым повезло получить в жизни хорошее образование, хороший доход, хорошие привычки и представления о здоровом образе жизни и доступ к последним достижениям медицины. Согласно прогнозам Фонда Макартура, из семидесяти миллионов людей, родившихся в период с 1946 по 1964 годы, около 3 миллионов проживут сто и более лет.

Будете ли вы в их числе?

Это возможно, если вы с должным уважением будете относиться к «помещению», в котором живете, — к вашему телу. Как сказала мне как-то восьмидесятипятилетняя участница марафонских забегов: «Мы все — как улитки, мы таскаем свои дома на себе». Наше тело обладает удивительной способностью к самовосстановлению и обновлению, нужно только немного ему в этом помочь. С возрастом мы должны сосредоточиться на трех главных пунктах — семье, друзьях и радостях жизни, — и не давать своему мозгу и телу скучать; и тогда современное поколение женщин может прожить очень и очень долго.

Моя собственная профессия весьма располагает к физической деградации. Писатель часами сидит за клавиатурой в неподвижной и напряженной позе: зад становится плоским, кишечник закручивается, как садовый шланг, легкие провисают, как сдувшиеся шарики. Все мы просиживаем слишком долго за компьютерами, и на работе, и дома. Да, мы обещаем сами себе и нашим врачам, что каждый час будем обязательно вставать и делать упражнения. Но если честно, насколько часто мы выполняем это обещание?

После пятидесяти я выработала у себя полезную привычку: когда я заканчиваю работу над книгой (то есть каждые два или три года), я отправляюсь на свое любимое ранчо, где расположился оздоровительный лагерь. Но после того, как я закончила писать страшную книгу «Миддлтаун, Америка» (Middletown, America), посвященную семьям жертв трагедии 11 сентября, я никуда не поехала. Это было большой ошибкой. Тогда мне больше, чем когда-либо, было необходимо обновление, как душевное, так и физическое, как всегда бывает после периода большого эмоционального напряжения. Но вместо этого дела у меня пошли чем дальше, тем хуже. Я обратилась к целительнице, которая собственными руками «слушала» энергетические потоки моего организма. Обследовав меня, она помрачнела.

«Вы недавно перенесли травму?»

«Нет», — ответила я, в тот момент еще не понимая, что действительно перенесла заместительную психологическую травму.

Она объяснила мне, что потоки в моем теле, которые должны циркулировать между верхней и нижней точками, «выглядят» мутными и вялыми, что свидетельствует о неполадках в иммунной системе. Мой муж тогда спросил меня: «Почему ты не поехала на ранчо?»

И я поехала. Была зима, но в Мексике, где находится ранчо «Ла Пуэрта», всегда тепло. Там расположен фитнес-лагерь, основанный еще в сороковых годах. На ранчо строго взирают горы, считающиеся у местных жителей священными. Мне всегда нравилось уходить в горы до рассвета, ходить по дорожкам лагеря, купаясь в головокружительных ароматах трав. Но в этот приезд, попытавшись втянуться в свой старый режим, я столкнулась с неприятным сюрпризом. Ужин закончился в семь тридцать, и я отправилась в свой домик, до которого было около полумили. Но где-то на полпути я почувствовала, будто из меня окончательно выпустили воздух.

Я всерьез подумывала о том, чтобы лечь на землю и заснуть прямо здесь. Я испытала шок. Но этот шок оказался полезным.

После этого я решила, что обязательно буду приезжать на ранчо раз в год, чтобы получать необходимый толчок и духовное обновление, которого я сама себя лишила после книги об 11 сентября. Мои ежегодные поездки должны обновлять все полезные для тела и души привычки, которые я приобрела на ранчо за все эти годы. Здесь я смогла испытать все положительные эффекты ежедневных занятий аэробикой и поняла, что мышечные нагрузки, ранний подъем и ранний отход ко сну — лучшие средства от депрессии. И они же могут служить прекрасным стимулом к тому, чтобы сделать жизнь более эмоционально насыщенной.

Так что на этот раз, закончив новую книгу, а потом совершив велопробег и неудачно приступив к занятиям аэробикой, я решила последовать ценнейшему совету книги «Следующие 50 лет». Я поехала на ранчо «Ла Пуэрта» на неделю и окунулась с головой в программу аэробики, которой намерена продолжать следовать в годы своей Второй Зрелости.

Мой багаж не прибыл. Мне пришлось сидеть в аэропорту Сан-Диего пять часов в ожидании. Когда я наконец добралась до ранчо, ноги у меня затекли от отсутствия движения. Так что я отправилась прогуляться на две мили в окрестностях ранчо, потом сорвала несколько пурпурных виноградин с лозы, немного почитала на террасе, съела банан, выпила стакан воды и в конце концов легла спать в восемь вечера, думая, что лишь немного вздремну. Но проспала, как убитая, до четырех утра. Это было чудесно.

После этих восьми часов освежающего сна я ворвалась в новый день со стремлением как можно больше двигаться. Совершив прогулку в три с половиной мили по горам, я отправилась на силовую тренировку в спортзал, потом — на гимнастику, потом — на йогу, где в течение семидесяти пяти минут занималась дыханием и растяжкой. К обеденному часу я чувствовала себя сильной и довольной, однако — как ни странно — не голодной! Так что я отказалась от супа и съела лишь немного ямсового салата и фаршированный перец. А потом меня ждала тай-чи и послеобеденный отдых у бассейна.

Вечером я выступала с лекцией, и у меня еще осталось достаточно бодрости для того, чтобы до одиннадцати вечера читать книгу. Я обнаружила поразительную вещь: чем больше калорий я сжигала, тем меньше мне как будто бы требовалось. Если вы обеспечиваете «мотору» своего организма новые «свечи зажигания», его аккумуляторы заряжаются легко и быстро, и вы остаетесь бодрой, спокойной и довольной жизнью. В таком состоянии легко заниматься физкультурой и правильно питаться. Если вы знаете, что будете спать столько, сколько нужно, и никто не будет вас подгонять что-то сделать, вы легко будете обходиться без лишней чашки кофе, стакана вина или шоколадного пирожного.

На следующий день я задумчиво занималась тай-чи, покачиваясь с пятки на пятку, и тут услышала, что в соседнем помещении происходит что-то явно более примитивное. Женщины, которые после занятия появились из той комнаты, громко хохотали и издавали звуки, словно пытались копировать Рокси Харт из мюзикла «Чикаго»: «АААГГХггхххххммммммм…»

«Чем вы там занимаетесь?» — поинтересовалась я у одной из них.

«Стрип-пластикой».

На следующий день я решила оставить группу тай-чи парить в высоких сферах без меня; мне хотелось присоединиться к стриптизершам. Тренером в этой группе был темнокожий молодой человек с озорной улыбкой по имени Деметриус. Первое, что он сказал нам: «Освободитесь от своей привычной личности. Откиньте ее. Придумайте, кем вы будете сегодня. Может, хотите побыть Бейонсе? Или Джипси Роуз Ли? Кем угодно… — Тут он натянул на себя парик. — А меня можете звать просто Джинджер».

Деметриус выдал нам стул, с которым надо было заниматься любовью. Он предложил каждой выбрать прозрачное одеяние и принять соблазнительную позу позади складного металлического стула. Потом включил запись музыки из фильма «Мулен Руж» и начал учить нас тем движениям, которые все мы видели тысячу раз.

С моими пятью с небольшим футами и в возрасте, который позволяет ходить в кино по пенсионной скидке, я никогда не собиралась копировать движения Николь Кидман. И вы, наверное, тоже.

Но в данном случае это абсолютно ничего не значило. В группе были женщины за семьдесят и за восемьдесят, а были и красавицы, едва достигшие пятидесятилетнего юбилея. И на нас никто не смотрел со стороны — там были только мы и Деметриус.

Положив одну руку на спинку стула, мы слушали счет Деметриуса. «Пять-шесть-семь-восемь...» — и мы кружили вокруг стула походкой Джанет Джексон, потом вешались на спинку, прижимались бедрами к металлическим ножкам то с одной, то с другой стороны и бессильно сползали на пол.

И абсолютно все в зале начали раскачиваться, призывно выставлять вперед свои прелести и трясти головами в едином танце любви, ласкаясь к своим стульям так, словно на каждом сидело по Брэду Питту. И не успели мы сами ничего сообразить, как уже валялись на полу, размахивая ногами, и издавали долгие эротические стоны — да, тот самый «АААГГХггхххххмммммм...» Никогда вы не видели нигде столько женщин средних лет, играющих в откровенное соблазнение. Обмотавшись саронгами, мы бесстыдно вскидывали руки, оглаживали себя и постанывали не хуже Мерилин Монро.

Дамы, внутри каждой из нас сидит стриптизерша. Так почему бы иногда не выпустить ее на волю?

Деметриус сказал, что стриптиз помогает высвободить скрытую в каждой из нас богиню. Я бы скорее сказала, что это высвобождение скрытой в каждой из нас шлюхи. И это гораздо веселее, чем «качаться» в тренажерном зале.

Предложите своему мужу посмотреть на ваш танец со стулом. Гарантирую, что вы почувствуете себя помолодевшей. И он тоже это почувствует.

Так что читайте, принимайте к сведению и ищите свой собственный путь к новой молодости. (Я вот уже нашла!) Только не превращайте эту замечательную книгу в очередной сборник упражнений, покрывающийся на верхней полке пылью и осадком чувства вины. Пусть лучше она станет вашей Библией, чтобы вы постоянно перечитывали отдельные страницы и вспоминали о главном: вы должны полностью окунуться в это на всю оставшуюся жизнь.

Гейл Шихи,
Ист-Хэмптон, Нью-Йорк

ЧАСТЬ 1

Ваш организм – ваша ответственность

ГЛАВА 1

Еще сорок лет

Ну что ж, вы — чудесная женщина, может быть, вам под пятьдесят, может быть, за шестьдесят, и жизнь ваша идет прекрасно. Вы энергичны, талантливы, и как раз сейчас перед вами открываются довольно-таки заманчивые перспективы. Дети выросли и живут или собираются жить самостоятельно. Старина Фред, если он рядом, уже привык заботиться о себе сам, и в ваших отношениях стало побольше спокойствия. Вам вдруг пришло в голову — может, из-за менопаузы, а может, по какой-то другой причине, — что пришло время заняться собой и своими делами. Время сосредоточиться на собственных замыслах, собственной жизни, собственных мечтах, взять все это в свои руки и наконец *сделать что-то*. Может быть даже, что-то масштабное.

Замечательно сказала когда-то Айзек Динесен (баронесса фон Бликсен): «Если женщина в том возрасте, когда ей уже не нужно быть женщиной, даст себе волю, она может стать самым влиятельным существом в мире».

Может быть, вам кажется, что вы никогда не достигнете стадии, когда вам будет «уже не нужно быть женщиной» — не исключено, что вам этого совершенно не хочется, — но вы же понимаете, что она имела в виду, и понимаете, что это действительно так. И вам это нравится. Очень даже.

Мы с Гарри — его полное имя Генри Лодж, он мой врач, мой соавтор и мой близкий друг — занимаемся этим проектом вот уже несколько лет, и за это время нам довелось беседовать с огромным количеством женщин вашего возраста и старше. И мы поняли, как справедливо высказывание Айзек Динесен. В отличие от мужчин, которые нередко начинают дрожать от страха в преддверии шестидесятилетнего юбилея и выхода на пенсию, многие женщины в этом возрасте, напротив, начинают чувствовать себя более независимыми, более жизнерадостными, более *сильными.* Освобождаясь от многих забот, может быть, некой девичьей рисовки и всего прочего, что, вероятно, имела в виду Динесен, они становятся способны взглянуть на жизнь шире. Они обращают внимание на себя — не из самолюбования и эгоизма, а из *интереса.* Нет, конечно, они не собираются выкидывать из лодки старину Фреда, но вместе с тем они и не желают больше отклоняться от собственного курса. Я много общаюсь с женщинами — особенно с талантливыми и амбициозными женщинами — и я *постоянно* слышу от них об этом. Это потрясающе, это удивительно, и это очень отличается от того, что постоянно слышишь от мужчин.

Мужчин, даже тех, кто достиг реальных высот в карьере и положении, практически все время мучает вопрос, что будет с ними дальше, когда им исполнится шестьдесят, когда они выйдут на пенсию. Как они смогут жить без защитной брони собственного Кабинета. Они не представляют, как можно жить комфортно, спокойно и уверенно без Работы и Положения. Они начинают с опаской задумываться о том, а что же они реально представляют собой без всего этого? Кем они станут в Последней Трети жизни, когда волей-неволей придется передать эти регалии кому-то другому?

Обобщения — неблагодарное дело, но все-таки выходит, что женщины в большинстве своем видят ситуацию иначе. Во-первых, среди них немного таких, которым всю жизнь пришлось играть *одну и ту же* роль. Они с большей легкостью меняют амплуа, в любом оставаясь на высоте и считая каждое одинаково важным.

Мало кому из них хватает времени на нарциссизм, слишком уж много в их жизни Важных Вещей и Неотложных Дел. И поэтому, какие бы ловушки ни подкидывала жизнь женщине, она, как правило, не склонна терзать себя типично мужскими вопросами типа «Что будет дальше?». Если выдернуть из контекста слова Фолкнера, женщина не просто «выживает», она «побеждает в конкурентной борьбе». Именно благодаря этому женщины гораздо адекватнее, чем их супруги и спутники, воспринимают любые перемены, какими бы они ни были. Так о чем вы? Что дальше? Ну-ка, давайте поподробнее про Последнюю Треть! И про то, как становиться моложе с каждым годом. Это что, правда? А мне это подойдет? И что мне нужно делать?

Да, именно об этом вся наша книга (и конечно же, это правда… и всенепременно, это для вас). Но прежде чем перейти к этому, давайте уделим минутку тому, что вы сами думаете о процессе старения, что за картину вы держите у себя в голове. Вероятно, она не слишком привлекательна. Вы об этом читали и слышали, и куда бы вы ни взглянули, кругом вьются жуткие проблемы, словно хищные птицы вокруг сада, где идет бурная вечеринка. Вы знаете, что, скорее всего, проживете долгую жизнь, но не похоже, чтобы она была очень веселой. Прогрессирующий остеопороз после менопаузы. Рак груди. Настоящая эпидемия сердечно-сосудистых заболеваний и инсультов. Разрушение всех планов, которые вы строили на пенсионные годы, и высокие шансы умереть в нищете. Разрушающийся брак, одиночество и полное отсутствие сексуальной жизни после шестидесяти. Черт, да даже после сорока! И прочие, неведомые раньше неприятности, типа *недержания*, прости господи! Я видел по телевизору Джун Эллисон (которая была так молода, и которую я так *отчаянно* любил, когда мне было десять лет), которая говорила о недержании! Ужас! Вы представляете себя в старости, согнутой каргой с клюкой, где-нибудь в богом и людьми забытом месте… глядящей на мир, как та ведьма из пряничного домика с бородавкой на носу. Или нью-йоркской старухой-мешочницей, постоянно таскающей за собой горы мусора и бормочущей под нос какие-то неразборчивые проклятия. Замечательно!

А теперь подумайте, нужны ли вам хорошие новости? Нужны? Тогда вот они, пожалуйста: ничего этого с вами не произойдет. Даже ничего похожего. Да, сейчас с пожилыми женщинами в Америке случаются малоприятные вещи. Разрушение костной ткани — огромная проблема. Инфаркты и инсульты *действительно* убивают очень многих. Женщины чаще, чем мужчины, умирают в нищете (женщины же чаще, чем мужчины, умирают богатыми, однако это другая проблема). Но все эти страшные вещи, скорее всего, вам не грозят. Потому что, оказывается, все самое худшее происходит исключительно по вашему желанию. Вы не обязаны идти по этому пути. И не надо.

Вот вам две удивительные цифры: 70% возрастных негативных изменений, как для женщин, так и для мужчин, совершенно не обязательны. Вы не обязаны их иметь. К тому же вы можете избежать половины всех заболеваний и серьезных травм, которые подразумеваются для пожилых людей в возрасте старше пятидесяти. Избавьтесь от них. Совсем. Позже Гарри объяснит вам детали, но пока просто запомните эти цифры. Вы должны *жить* в соответствии с ними, и они абсолютно реальны.

В действительности, Последняя Треть вашей жизни — а мы здесь говорим как раз об этом — может быть абсолютно великолепной. Вместо того чтобы становиться старой, толстой и нелепой в те тридцать или сорок лет после наступления менопаузы, вы можете остаться точно такой же, как сегодня. И даже лучше. Выслушайте то, что расскажет вам Гарри, потом проделайте те не совсем простые действия, которые, тем не менее, покажутся после этого естественными, и большинство из вас действительно сможет в функциональном смысле *молодеть с каждым годом* еще очень долго.

Не сочтите это жестокой шуткой или рекламным трюком. Это чистая правда. Необратимы лишь некоторые процессы старения. Например, с каждым годом у вас неизбежно будет наблюдаться снижение частоты пульса и изменение волос и кожи. Так что вы будете *выглядеть* старше. Неприятно… но чего вы ждали? Однако не менее семидесяти процентов того, что вам представляется печальными, но неизбежными атрибутами пожилого возраста, на самом деле приобретается исключительно по вашей воле. Вы все еще не верите? Скоро вы сами убедитесь, что в моих словах нет ни грамма преувеличения. Ваше право — играть по новым правилам. К этой игре допускается практически любой. Дело за малым — всего лишь выучить эти правила.

Вот что вам известно сегодня: после того как вам стукнет шестьдесят, вы покатитесь по наклонной плоскости к старости, беспомощности и смерти. С каждым годом вы будете становится тяжелее, медлительнее, слабее, беспомощнее. Вы оглохнете и ослепнете. У вас будет непрерывно ломить поясницу. И колени. У вас вырастет «вдовий горб», потому что ваши кости начнут превращаться в мел. Вы будете или ворчать, или яростно орать на окружающих. Потом вам изменит рассудок, и вы станете называть чужих людей «милочка». У вас не останется денег, а ваши мышцы превратятся в тряпки. Вы сломаете бедро. Вас перевезут в дом престарелых. И вот вам график:

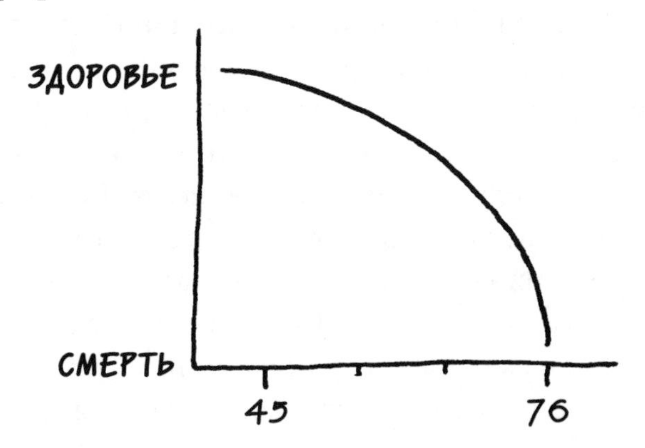

Все это весьма вероятно. Именно так происходит в нашей стране с очень многими людьми. Но это лишь один из *вариантов*, а отнюдь не приговор свыше. И повлиять на это вы можете прямо сейчас. Никто не мешает вам пойти другим путем: твердо решить сохранить свой организм таким, каким он был в пятьдесят лет, и научить его тому, что для этого требуется. Если вы сознательно дадите себе такую установку, наклонная плоскость вам не грозит. Вы будете пребывать на спокойном плато до восьмидесяти и дальше. Намного дальше. Я видел собственными глазами женщин, которые катались на горных лыжах, когда им было уже под девяносто. И таких, которые разъезжали на горных байках в окрестностях Барселоны, по трассам, на которых тренируется Ланс Армстронг. Нет, не пытались ковылять там, где путь попроще, как свойственно «нормальным» старушкам, а делали *реальные вещи. И радовались жизни, как в юности.* Можете мне поверить, на них очень приятно было смотреть. Я сам часто провожу время подобным образом и вижу там такое *постоянно.* Честное слово.

Видел я и других женщин в годах — тех, кто никогда особенно не увлекался спортом, но кто, тем не менее, остается в форме и делает свою старость энергичной и осмысленной. Итак, вот какой урок я хочу преподать вам: то, что вы считаете неизбежным, на самом деле не обязано с вами случаться. Вы можете еще много лет наслаждаться вашими любимыми занятиями: велоспортом, лыжами, сексом. Чувствами! Практически с той же энергией и тем же удовольствием, что и раньше. Даже если вы несколько сдали за последнее время, вы сможете за следующие несколько лет добиться существенного *улучшения* своего самочувствия, а в дальнейшем поддерживать его на достойном уровне. Еще раз повторяю — это не розыгрыш и не рекламные обещания. Если я и преувеличиваю что-нибудь, совсем чуть-чуть, чтобы поднять вам настроение, то Гарри это точно не свойственно. Если уж он говорит, что все это реально, значит, так оно и есть. Мне принадлежит изрядная часть текста в этой книге, однако основу заложил Гарри. Я просто рассказываю вам всякие байки. А Гарри рассказывает научную истину. Увидите сами.

В самом худшем случае картина, которая вас ожидает, примерно такова:

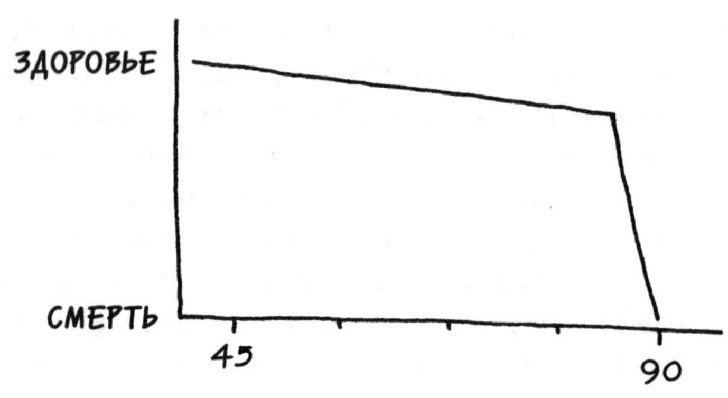

А для 95 процентов из вас она выглядит и вовсе так:

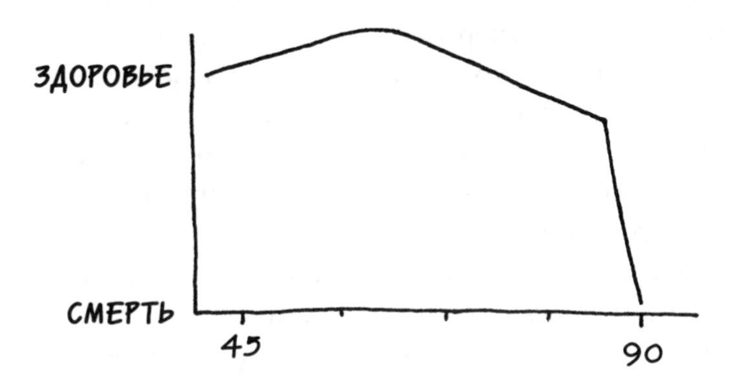

Если вы не знакомы с нашим образом жизни, вы, вероятно, даже и не сможете представить, насколько значительна разница между любой из этих двух кривых и той, что изображена на странице 27, поскольку, вероятно, вам неведомо, как ужасно «обычное старение» в этой стране. Да, ужасно, поверьте мне на слово, и разница между этими графиками огромна. Мы — я и Гарри — *умоляем*, заклинаем вас не вступать на наклонную плоскость! И тогда последняя треть вашей жизни будет совсем иной!

Старость неизбежна, но *гнить заживо* вы не обязаны

Мы с Гарри очень старались, чтобы книга получилась не скучной. Нам хотелось, чтобы она увлекла вас раньше, чем до вас дойдет, насколько серьезно все то, что в ней изложено. Но, если уж начистоту, здесь все серьезней некуда, и мы рассказали вам об этом откровенно и беспристрастно. Слишком высока ставка в той игре, правилам которой мы хотим вас обучить: изменение в корне той части жизни, которая у вас впереди — а эта часть, поверьте, не такая уж маленькая. Задумайтесь хотя бы ненадолго над такими данными: Гарри утверждает, что, изменив свой образ жизни в соответствии с рекомендациями нашей книги, вы *никогда* не столкнетесь более чем с половиной «типичных» для последней трети жизни заболеваний и травм. Не отсрочите их появление, а избегнете полностью! И кстати, семьдесят процентов преждевременных смертей связано с образом жизни (например, смерть после перелома бедра). «Преждевременная смерть» — это смерть в возрасте моложе 85–90 лет, а если сейчас вам еще нет пятидесяти, то рамки можно еще раздвинуть.

А еще вот что: около семидесяти процентов проблем, связанных со старением — в том числе общий упадок сил, поражения суставов, нарушения вестибулярного аппарата и рассудка, — так вот, около семидесяти процентов всего этого ужаса может никогда не наступить в вашей жизни или настигнуть вас лишь в самом ее конце. *Это огромный переворот в том, как вы будете жить и что из себя представлять.* Я сам успел столкнуться с первыми вестниками старения — когда у меня начались такие боли в суставах, что ходьба превратилась в пытку, а приподнять ногу на три дюйма, чтобы перешагнуть бордюр, отделяющий проезжую часть от тротуара, я нередко вообще не мог. Задумайтесь об этом. Задумайтесь о том, что когда-нибудь вы будете выпадать из кресла от малейшего толчка. *Да, так бывает, и нередко. Так было со мной. И будет и с вами. Обязательно. Однако так быть не должно.*

Несмотря на всю революционность этих положений, Гарри — который в данных вопросах чрезвычайно компетентен — может дать им блестящее научное обоснование. Вы еще об этом прочтете. От осознания возможностей, которые реально есть у каждого из нас, вполне способна закружиться голова. Я же буду рассказывать вам просто о жизни. Может, я и не настолько подходящая модель для женщин, как для мужчин, но на самом деле мужчины и женщины обычно оказываются вместе в этой лодке. Мои истории — о горнолыжных спусках, которые я предпринимал в семидесятилетнем возрасте, о трудных велокроссах и обо всем прочем — вполне могли бы быть рассказаны и женщиной. Множество женщин в моем возрасте делают то же самое. Большинству моих товарок по велогруппе больше шестидесяти лет, и в горах — что в Австрии, что в США — я постоянно встречаю женщин такого же возраста. На моем месте вполне могла бы быть женщина, и она говорила бы вам то же самое: рассказывала, как можно в эти годы быть *функционально* моложе, чем десять лет назад. Так что проявите способность к небольшой экстраполяции, и поверьте, что это не бред выжившего из ума старикашки, а пролог к вашей собственной истории.

Мой вклад в копилку: вести с передовой

Что ж, давайте разберемся, как устроена эта книга. Моя роль во всем этом очень проста: я жил, мне некоторое время назад стукнуло шестьдесят, я был уже на пенсии. К тому моменту, когда мне исполнилось семьдесят, я научился тому, о чем повествует эта книга, и выполнял ее рекомендации на протяжении ряда лет. Теперь я готов рассказать вам всю правду о том, как это было. Моя обязанность: знакомить вас со сводками из района активных боевых действий. Думаете, я слишком оптимистичен? Если и так, я в любом случае не кривлю душой и строго придерживаюсь фактов. Пусть мой опыт и принадлежит мужчине, он имеет к вам почти столь же непосредственное отношение, поскольку, как я уже говорил, в этой лодке мы с вами вместе. У нас одинаковые суставы, почти одинаковые внутренности, одинаковая апатия, одинаково мутнеющие мозги. До тех пор, пока мы не начнем делать то, о чем мне посчастливилось узнать.

Для начала — хорошие новости. Я чувствую себя вполне пристойно. Да, скажу прямо, не идеально — мне ведь все-таки не тридцать восемь. Но гораздо лучше, чем я мог себе представить: функционально мое состояние — это состояние на удивление здорового пятидесятилетнего человека. И это невзирая на то, что — не будем скрывать и этого — я всегда был равнодушен к спорту. Я всегда потакал своим прихотям (однажды это привело к тому, что я поправился на сорок фунтов). Я едва ли не каждый день пью спиртное и не могу отказать себе в некоторых других удовольствиях. Но мне не потребовалось много времени и раздумий, чтобы понять, каковы ставки и каков, особенно в сравнении с затратами, будет выигрыш. Я сделал все это своей работой. Вам в жизни приходилось делать работой очень многие вещи. Попробуйте и на этот раз. Вероятно, это будет самая важная работа в вашей жизни. Вы всю жизнь, как жонглер, не давали упасть самым разным мячикам — добавьте к ним еще один. Научитесь управляться с ним тоже, и вы не превратитесь в жалкую старую даму.

И еще кое-что приятное: сам *процесс* оказывается вовсе не таким уж мерзким. (И, кстати, увлечение и интерес к нему не зависит от пола.) Может быть, кое-что — например, часть, касающаяся физических упражнений, — покажется вам неприятным, и вы подумаете, что мы над вами издеваемся. Но все это не так, у нас и в мыслях нет ничего подобного. Я не стал бы проделывать все это и несколько месяцев, не говоря уже о годах, если бы это не оказалось весело, но, к счастью, я обнаружил, что это именно так. Честно говоря, это становится привычкой, от которой уже так просто не избавишься. Скоро вы все поймете. Поймете, почему не самые простые действия могут быть приятными, и почему наши правила действуют. Ну что, нравится?

Вклад Гарри: научная истина

Гарри, как говорится, «настоящий Маккой». Этот сорокашестилетний терапевт (и геронтолог) неоднократно назывался в общенациональных обзорах одним из лучших американских врачей. Он возглавляет передовую клинику на Манхэттене, где вместе с ним работает еще двадцать три специалиста, а также клинический факультет Медицинского Колледжа при Колумбийском Университете. Он уделяет большое внимание новейшим достижениям клеточной и эволюционной биологии. В этой книге он познакомит вас с основами этих наук, которые пока еще не освещаются широко медицинской прессой, и в ближайшем будущем, вероятно, этого можно не ждать. Он расскажет о собственной практике работы с пожилыми пациентами, результаты которой скрупулезно собирает и анализирует на протяжении последних пятнадцати лет. Не пугайтесь заумных научных теорий — Гарри умеет излагать их понятно и внешне просто. Ну, может быть, почти просто. Но прочитав его главы, вы обязательно признаете логичность — и непосредственное отношение к вашей жизни — его выводов.

Непременно нужно отметить, что научные интересы Гарри лежат в настолько новой и малоизученной области, что он со свойственной ему осторожностью всегда предупреждает о том, что какие-то из его выводов могут быть опровергнуты дальнейшими исследованиями. Однако это не относится к основополагающим принципам. Революция, о которой он говорит, уже происходит среди нас; наука, которая дает ей толчок, — отнюдь не шарлатанство. Гарри ясно дает вам понять, что организм каждого человека на самом фундаментальном, клеточном, уровне является хранилищем уникальных ресурсов, от которых зависит как разрушение его, так и восстановление. Вы узнаете, что пресловутое учение Дарвина — да-да, то самое, про естественный отбор и сохранение наследственных признаков — имеет к вам и вашей жизни самое прямое и непосредственное отношение. В своих главах (мы старались выступать по очереди) он расскажет вам об этих внутренних движущих силах организма и принципах их действия. Он покажет вам, как можно управлять ими наиболее выгодным для вас образом. Как добиться желаемого — на долгие годы сохранить здоровье и интерес к жизни. Не полное и не навсегда, конечно, — чудес все-таки не бывает — но тем не менее на гораздо больший срок, чем вы можете представить себе сейчас.

То, о чем мы вам расскажем, на самом деле уже частично известно вам: жизнь человека подчинена течениям, которые могут увлекать его вперед или назад. В детстве прибой поддерживает вас, уверенно толкая вперед, помогая в любом деле. Ребенок растет, год от года становясь сильнее, внимательнее, целеустремленнее... Понятливее и способнее. Но в определенный момент этот внутренний прилив останавливается, и теперь, чтобы выгрести самостоятельно, вам требуется все больше и больше сил. А потом, в один миг, силы природы оборачиваются против вас. Вы слабеете, теряете ориентацию, даже ваша главная опора — собственный скелет — становится хрупким и ненадежным. У вас все вылетает из головы. И вы убеждаетесь, что еще совсем немного — и течение окончательно возьмет над вами верх. И выбросит вас на скалы. А там уже поджидают чайки. И крабы. Им не терпится отведать ваших жирных внутренностей. И выклевать ваши глаза. И повыдергать волосы себе на гнезда. Словом, сожрать вас с потрохами.

Простите. Я, кажется, увлекся... Но самое-то интересное вот в чем — оказывается, течение не так уж непреодолимо. Оно только кажется таким, потому что оно тащит вас непреклонно и беспощадно. Однако на самом деле с ним вполне реально совладать и снова обратить в своего помощника. Так же поступает мореход, который, используя тот самый ветер, который грозит разрушить его корабль, входит в тихую гавань. Главы Гарри достаточно строги и конкретны, а в голове у него вовсе не ветер, а исключительный ум, и его теории достойны самого пристального внимания. Все, к чему он стремится, — изменить к лучшему жизнь каждого из нас. Окончательно и бесповоротно. Он очень обо всех беспокоится. Да мы оба, на самом деле. Мы очень хотим, чтобы Следующая Треть вашей жизни оказалась замечательной. Внимательно читайте нашу книгу, и, может быть, вы тоже захотите того же самого.

Встреча с Гарри и перемены

Я пришел к Гарри по рекомендации одной рыжеволосой дамы — пластического хирурга (назовем ее Дезирэ). Она только что отхватила мне под местным наркозом полноса, и я еще не успел прийти в себя, и от обезболивания, и от нее самой. Я только что переехал обратно в Нью-Йорк после двух лет пребывания на пенсии, которые я провел в Колорадо, где со всей страстью отдавался лыжному спорту. (В юности я оказался лишен этого, так как женился в девятнадцать лет и обзавелся тремя детьми еще до окончания юридического факультета.) В общем, я спросил Дезирэ, не согласится ли она быть моим личным врачом, и она отказалась, но взамен посоветовала другого доктора — по ее словам, умнейшего, достойнейшего, словом, исключительного во всех смыслах человека. Стопроцентный белый американец, но ничуть не тугодум. Я очень скоро смог убедиться в этом сам. Дезирэ познакомилась с ним в медицинском колледже, где он преподавал, и, по ее словам, он должен был обязательно мне понравиться.

Так я и оказался в приемной у Гарри, ощетинившийся, как кошка, увидевшая чужого в своем доме. Я вообще всю жизнь недолюбливал докторов. Меня всегда возмущало, как они говорят: «Привет, Крис. Меня зовут доктор Смит». (Ага, так значит, я — просто «Крис», а он — «доктор Смит»? И что это означает? И почему для того, чтобы подвергнуться этому унижению, я должен еще и ждать целый час? Адвокаты себя так не ведут. Но врачи — совсем другая порода! Не буду даже говорить обо всех отвратительных вещах, которые они с вами проделывают, — вы и сами все знаете.)

У Гарри оказались на удивление приличные манеры, и кажется, он всемерно старался оправдать определение «достойнейшего человека». Но я не терял бдительности. Я выдержал все разновидности пыток — из меня выкачали галлоны крови, с подозрением заглянули в мои уши и горло и задали массу мерзких вопросов, которые всегда задают доктора пациентам. И даже залезли мне в задний проход. После чего я услышал коронную фразу врачей всех времен: «Пожалуйста, оставьте пока ваши вещи здесь и пройдите ко мне в кабинет. Я не задержу вас надолго».

Вы наверняка знаете, что обычно следует за этим: «Хм-м, понимаете, у вас в заднице небольшая опухоль… ну, этак с гранат размером. Может быть, это неопасно, но может начаться гангрена, так что вам надо лечь в больницу и…» Когда я проследовал в его кабинет, впрочем, оказалось, что гранатов пока не обнаружено. Более того, мне было сказано, что я в отличной форме. Немного избыточный вес, но ничего ужасного. Я правильно делаю, что регулярно тренируюсь.

Гарри был высоким и до странности скромным для такого преуспевающего врача. Говоря с вами, он то и дело сверялся с данными в компьютере. Он был в некотором роде привлекателен внешне, может быть, я назвал бы его… женственным, но он не производил впечатления человека с нетрадиционной ориентацией. В колледже он занимался греблей — это было заметно до сих пор. Но одевался и держался он так, что я думал: «Вот типичный новоанглийский зануда». Что, конечно, было нелепо с моей стороны, поскольку сам я производил точно такое же впечатление. Моя секретарша однажды сказала: «Крис, вы носите свою одежду так, как будто отчаянно ее ненавидите». Мы с Гарри были вылеплены из одного и того же пресного теста в одной и той же части мировой кухни — на Северном Берегу Бостона, — только с разницей в двадцать пять лет. Пока я все это думал, он продолжал что-то бубнить себе под нос. Цифры, параметры. Бла-бла-бла.

Потом я спросил (потому что собирался предложить ему стать моим личным врачом, а это дело ответственное): «А скажите мне, пожалуйста, что вам больше всего нравится в медицинской практике?» Он запнулся, но всего на мгновение, как будто был готов к разговору об этом. «Мне больше всего нравится поддерживать длительные отношения с пациентами и сохранять их здоровье. Не просто лечить их в случае болезни, а помогать им вообще не болеть, — это совершенно иная задача. Мне хочется улучшить их жизнь в целом, а не просто лечить то одно, то другое». Бинго! «Это вы о чем?» — невинно поинтересовался я. «Ну, знаете, меня всегда интересовала не только общая терапия, но и проблемы старения. У меня сертификаты по обеим специальностям, правда, сам я не очень понимаю, как отделить геронтологию от общей терапии».

Потом он поднял на меня глаза и беззвучно уронил заготовленную бомбу: «Мне ясно одно — нас ждет подлинная революция в процессах человеческого старения. — Он помолчал, очевидно, раздумывая, с чего начать свое объяснение. — Раньше… — И он пустился в описание и сравнение привычного угасания от пятидесяти и до конца с одной стороны — и ранее невиданного состояния «плато» в пожилом возрасте с другой. Он так увлекся, что чертил перед собой пальцем в воздухе эти графики. — И если хотите, вы можете стать одним из первопроходцев этого революционного пути», — заключил он.

«Я?»

«Да. С вашими данными… — Он покопался в файлах компьютера. — Да, они действительно очень неплохи. Гм, вы не курите, и вообще ваши показатели вполне позволят вам сохранить свое состояние здоровья неизменным лет до… скажем, восьмидесяти. Нужно только увеличить физические нагрузки. А может, и до девяноста. Я скажу вам больше — еще некоторые дополнительные усилия, и вы сможете даже помолодеть в функциональном смысле. Вы в лучшей форме, чем большинство мужчин, которые впервые приходят ко мне, и я заявляю вам с полной ответственностью: для вас омоложение реально».

Я поднялся и подошел вплотную к его столу: «Вы не шутите?»

«Нет. Вы любите горные лыжи — значит, вы будете продолжать на них кататься лет до восьмидесяти. Потом, конечно, все-таки придется сменить ваше хобби на что-нибудь менее экстремальное: вы перестанете носиться по горам и займетесь, скажем, обыкновенным кроссом. Велоспорт… Ну, этим можно заниматься до бесконечности. Да, некоторый физиологический спад все же неизбежен, однако вы в целом будете чувствовать себя таким же сильным, энергичным и здравомыслящим человеком в восемьдесят, каким вы были в пятьдесят. А первые пять или даже больше лет вы будете, повторяю, функционально омолаживаться».

«И что я должен для этого делать?»

«Сложно ответить коротко, однако вот три главные момента. — Вы замечали, что в любом деле главных моментов всегда три? — Да, три момента, — сказал он. — Первый — физические упражнения; второй — питание; и третий — интерес к жизни.

Самое серьезное — и наименее приятное для большинства — это физические нагрузки. В них — ключ к крепкому здоровью. Вам потребуется упорно заниматься практически каждый день — ну, скажем, не менее шести дней в неделю. И постепенно увеличивать нагрузки. Два дня из шести поднимать тяжести. Физические нагрузки — важный инструмент влияния на старение. Эта нисходящая кривая… — Он снова изобразил в воздухе стремящийся к нулю график. — …может с легкостью стать прямой. И некоторое время даже идти вверх. И вы останетесь собой до конца жизни».

У меня было сотни четыре всяких вопросов, но я непривычным для себя образом придержал их при себе, и пока просто сидел и ждал, чем это кончится. Гарри продолжал свою лекцию:

«Питание тоже очень важно. Вы должны начать выполнять всем известные правила здорового питания, которые, однако, мало кто реально выполняет. Если не будет никаких препятствий к этому с вашей стороны, вы вернетесь к своему оптимальному весу. Сейчас вы весите… — Взгляд в экран. — …сто девяносто четыре фунта[1]. А должны… сколько? Какой ваш оптимальный вес? Сто семьдесят пять?[2]»

«Скорее, сто шестьдесят пять[3]. Может, даже поменьше. В колледже я немного занимался греблей в категории сто пятьдесят пять и оставался примерно в тех же пределах лет до сорока с чем-то».

«Что ж, если вам удастся когда-нибудь достичь отметки в сто семьдесят, это будет превосходно. Впрочем, не гонитесь за этим. Гораздо важнее заниматься, сколько бы вы ни весили, а также научиться правильно питаться. Перестаньте употреблять в пищу то, что доподлинно вредно. Например, фастфуд, излишние жиры и простые углеводы. И вообще ешьте всего поменьше». — Он сказал, что диеты глупы и бесполезны, но если я буду регулярно заниматься и перестану есть неправильную пищу, я обязательно постепенно сброшу вес.

«А как же наследственность? — наконец решился спросить я. — Я-то был уверен, что все предопределено еще до рождения и остается только сидеть и ждать неизбежного».

«Нет, — горячо возразил Гарри. — Это страшная ошибка и жалкая “отмазка” для трусов. Генетика здесь определяет, может быть, процентов двадцать. Все остальное — исключительно в вашей власти».

«А что с алкоголем?»

Он снова посмотрел на монитор.

«Выпиваете умеренно, — процитировал он из моей анкеты. — По паре бокалов за вечер». — Тут он мог бы нагнуться ко мне через стол и заорать мне в лицо: «ЛЖЕЦ!!!» Однако хорошие манеры возобладали, и он просто заметил какую-то банальность о том, что один-два стакана вина скорее полезны, чем вредны. Но большее количество, естественно, уже однозначно вредно. Ну само собой.

«А занятость… — Он пожал плечами, как бы давая понять, что последний фактор сложнее объяснить в словах. — Я хочу сказать — вы должны контактировать с людьми и чем-то интересоваться. Должны иметь какие-то цели. Благотворительность… Общество…

---

[1] Около 88 кг. — *Здесь и далее прим. переводчика.*

[2] Около 80 кг.

[3] Около 75 кг.

Семья… Работа… Хобби… Особенно это актуально после выхода на пенсию — если не найти себе какое-нибудь занятие, все может обернуться неважно. — Он замолчал и некоторое время явно собирался с духом, чтобы продолжить. — Это должно быть такое дело, которое действительно небезразлично вам. Это очень трудно сформулировать, но, понимаете, у вас должен быть кто-то или что-то, о чем вы будете заботиться и переживать. И в общем-то неважно, что именно это будет. Не имеет значение, какую пользу обществу приносит ваша деятельность, или насколько она выгодна финансово. Главное — чтобы это было серьезно и интересно для вас. У вас должен быть кто-то, о ком вы думаете и к кому испытываете близость, чтобы вам было ради чего и ради кого жить. Если этого не будет… — Едва заметная улыбка. — …вы умрете».

«И это все?» — поинтересовался я.

«В общих чертах — да», — кивнул он.

«О'кей. — Я встал, чтобы попрощаться. — А сколько нужно заниматься? И что есть?»

Но об этом — дальше в книге. Вам должно это понравиться. Потому что это спасет вашу жизнь.

ГЛАВА 2

Обед с Капитаном Полночь

Прежде чем в разговор вступит Гарри и все станет серьезней некуда, я хотел бы задать вам пару странных, на первый взгляд, вопросов… и еще подкинуть кое-какие идеи, чтобы они потихоньку тикали у вас в подсознании, пока мы будем обсуждать другие вещи. Нас ждет много глав, посвященных физическим упражнениям, их влиянию на тело и разум и их роли в омоложении. Все это совершенно ново, сложно и крайне важно; фактически, это главная тема книги. Главная, но все же не *единственная.*

Гарри расскажет вам кое-что удивительное о том, как и почему млекопитающие приспособлены к существованию парами и группами. О том, какие структуры мозга в этом задействованы. Я, например, до встречи с Гарри понятия не имел о том, что у моего мозга имеется лимбическая система, но оказалось, что есть и всегда была. А также оказалось, что ее наличие страшно важно. Она есть, конечно же, и у вас. Именно из-за сигналов этой системы вам может стать хорошо от чьего-то прикосновения, благодаря ей вы можете любить и быть любимыми. Можете испытывать привязанность к людям… или к собакам. Собаки, между прочим, — замечательные друзья. И именно эта система может вас убить, если вы останетесь в одиночестве. Потому что люди — стайные животные, и им природой не предназначено жить поодиночке. Но пока не будем углубляться в детали. Пока — парочка неуместных вопросов.

Например: как поживает ваш супруг? Или любимый, или просто лучший друг... неважно, кто у вас там есть. И у кого есть вы. Как он (или она) относится к вашему возрасту? А к своему? А к выходу на пенсию? Жизнеутверждающая ли у него позиция или ему уже все надоело? Любит ли он вас? Любите ли вы его? И вообще, что вы думаете друг о друге теперь, когда вы уже не молоды? И главное: достаточно ли крепок ваш союз для того, чтобы стать основанием для той совершенно иной жизни, которая надвигается на вас со скоростью курьерского поезда? Сможете ли вы использовать для конструкции этого фундамента старые кирпичи, старые балки, старую любовь? Будете ли вы заниматься этой постройкой вместе?

Почему я об этом спрашиваю? Да потому, что чертовски трудно прожить Последнюю Треть жизни одной. И в данном случае брак может иметь очень большое значение. Если, конечно, он еще фактически не развалился ко всем чертям, тогда туда ему и дорога. Но даже относительно счастливая семейная жизнь может оказаться для вас значительным плюсом перед лицом приближающихся трудностей. Пусть и не единственным: в принципе, место брака могут занять отношения с близкими друзьями и родными. И это хорошо, потому что 25% американских женщин в пожилом возрасте оказываются незамужними. И большинству из них суждено остаться в этом положении до конца жизни. Но это еще не повод не останавливаться особо на супружеских отношениях при обсуждении социальных связей в Последней Трети. Все-таки брак в данном контексте — явление во многом уникальное.

В процессе написания этой книги мы узнали немало интересного: например, что огромное число разводов происходит между супругами старше шестидесяти лет, причем в двух третях случаях инициаторами выступают женщины. Если поразмыслить, это оказывается вполне объяснимо. Очень многие женщины именно в этом возрасте начинают чувствовать, что с них достаточно заботы о других. Они хотят сосредоточиться на своей вновь обретенной уверенности в себе, на своих новых *возможностях*, собственных интересах и замыслах. И для многих оказывается, что это подразумевает расставание со стариной Фредом.

Они внезапно обнаруживают, что старина Фред (постепенно теряющий свой тестостерон) отнюдь не центр Вселенной. Вот он выходит на пенсию… и что? Теперь он будет обедать дома? И как это будет выглядеть? Приспособится ли он к новой жизни? Будет ли смотреть на вещи реально? Найдет ли себе новые занятия? Или будет просто внезапно появляться к обеду, а потом так же внезапно исчезать, как какой-нибудь Капитан Полночь, в полной уверенности, что вы должны захлебываться от благодарности по отношению к нему? За то, что он снизошел до того, чтобы с вами пообедать?

Вы вполне можете это себе представить, правда? Он погружается в тупую скуку, страшно боится нового положения вещей и, однако, все равно продолжает петушиться и указывать вам, что делать. Возможно, причина в том, что какое-то время он играл роль главного добытчика в семье и по сей день продолжает считать себя Крутым Парнем. Или в том, что, понимаете ли, он всю жизнь проработал в *офисе*, а вы сидели дома, занимаясь бог знает чем. Он-то думает, вы только и делали, что жевали печенье и пялились на водопроводный кран. Или в том, что за всю свою жизнь он так и не удосужился поинтересоваться, а чем же *вы* занимались все эти годы в *вашем* офисе. Поэтому сейчас он искренне убежден, что настало время перевалить все свои заботы на вас, но при этом не собирается отказываться от привилегии давать вам советы и «ценные» указания по любому поводу. Вы готовы это терпеть? Не исключено, что нет. Может быть, действительно, имеет смысл послать все к черту.

Но притормозите пока. *Гораздо* легче встречать старость вместе. Да, вы и одна справитесь, возможно, вам придется это сделать так или иначе. Но пока торопиться некуда. И на это есть веские причины.

Лично я — оптимист. И советую следовать моему примеру. Это наилучший из возможных подходов к жизни. Но необходимо говорить начистоту обо всем — в том числе и о том, что рубеж седьмого десятка может оказаться кошмаром. Почти наверняка вас ждут перемены в финансовом положении семьи. Не исключено, что вас настигнут болезни, несчастный случай… Некоторые люди действительно *умирают* в этом возрасте. Не погибают в автомобильных авариях, а просто умирают, от наполовину естественных причин. Например, от сердечной недостаточности и различных типов рака. Несомненно, конкретно *ваши* шансы умереть невелики, не думайте, что я сгущаю краски. В особенности, если вы будете следовать нашим с Гарри рекомендациям. Однако смерть все же бродит где-то. Вас преследует отдаленный рокот водопада, и вы постоянно ловите себя на мысли: а что это за шум? И ведь вам это прекрасно известно. Но вы боитесь. Еще как боитесь! А в компании многое оказывается легче. Особенно в компании кого-то, с кем вы давно и хорошо знакомы. Когда вас-таки затянет в водопад, вы останетесь одна, но пока есть такая возможность, сохраняйте близкие человеческие отношения с кем-то. Когда вы не одиноки, забыть о вечном страхе перед водопадом проще. Мы — стайные животные. Так что присоединяйтесь!

Джессика в одиночестве

Давайте на секундочку отвлечемся от разговора о браке и вспомним, что на самом деле женщины обычно прекрасно умеют справляться со всем в одиночку. Вот вам пример. Одна наша хорошая знакомая — назовем ее Джессикой — жила «одна» последние сорок лет своей жизни. То есть ее брак распался, а дети выросли и разлетелись кто куда. В прошлом году эта поразительно молодая в свои восемьдесят с чем-то лет женщина умерла (это был классический пример «граната в тканях мозга», а в остальном она была в прекрасной форме). С моей точки зрения, эта хрупкая дама всю свою жизнь была просто-таки гением лимбических взаимодействий.

Итак, чему можно у нее научиться. Во-первых, у нее всегда было в жизни, чем заняться. Она работала, отчасти потому, что была вынуждена сама себя обеспечивать. Какое-то время она была редактором, потом долгие годы держала магазинчик, где продавала всякие забавные одежки и мексиканские «фенечки». Она вела еженедельное шоу на телеканале своего городка. В нем были местные новости, сплетни и, по некоторым причинам, собаки. Она постоянно устраивала вечеринки, несмотря на то что готовила из рук вон плохо. Но она настолько не придавала значения собственным несовершенствам, что прямо перед смертью успела издать кулинарную книгу. В общем, она постоянно была чем-то занята, а чем — уже не так важно.

Во-вторых, она уделяла огромное внимание подпитке и росту своего дружеского круга. Она могла просто встретить человека на улице, и не успевал он моргнуть глазом, как уже был приглашен на обед. Одна из самых больших опасностей в жизни — остаться без друзей. Джессика делала все для того, чтобы этого не случилось.

В-третьих (не забывайте, это все уроки для вас), она очень серьезно работала над поддержанием формы. До последних дней она сохранила стройность и подтянутость. Большую часть жизни она активно тренировалась, каталась на лыжах, занималась йогой. Как-то на вечеринке, когда ей было уже под восемьдесят, она шокировала новых знакомых тем, что начала предлагать пощупать себя за бедро. Она просто хотела, чтобы все поняли, в какой она форме. Она очень этим гордилась и имела на это все права.

Затем, она всегда излучала огромный энтузиазм, бесстрашие и добросердечие. В молодости ей не слишком повезло в жизни, прямо скажем, очень не повезло. Но она нашла в себе силы не зацикливаться на своем горе и идти дальше. Она продолжала жить в обстоятельствах, в которых кто-то послабее ее сломался бы и остаток жизни провел в настоящем одиночестве на своей кухне.

И наконец, по ее виду и словам складывалось впечатление, что ей удалось до весьма преклонных лет сохранить если не сексуальность, то уж, по крайней мере, подлинную чувственность. Это не есть обязательный элемент прекрасной жизни, но если вам повезло быть такой, лишним это тоже не будет. Джессика не была «из молодых да ранних». Она часто говорила, что во время Второй мировой войны, когда она в составе Красного Креста попала на фронт, она оказалась там единственной девственницей. Но со временем, говорила она, это перестало быть правдой… то ли потому, что на фронт стало попадать больше девственниц, то ли по иным, так и оставшимся тайной, причинам. Позже она жаловалась, что на земле почти не осталось приличных мужчин, но все же утверждала, что они еще не вымерли окончательно. Я вспоминаю, как однажды, когда ей было уже за семьдесят, в городок, где она жила, заехал знаменитый фотограф журнала Life (они уже были знакомы некоторое время). На пару дней Джессика куда-то исчезла. Что там было и было ли что-нибудь, не знаю. Но это была настоящая неунывающая и неувядающая проказница!..

Всю свою жизнь она с чем-то боролась, соревновалась и побеждала. И жизнь ее удалась. И в этом повезло не только ей, но и нам. Мы можем у нее учиться. Так что давайте определимся окончательно: брак — это прекрасно, но это не единственный путь.

Домашнее хозяйство: брак в Следующей Трети

Однако путь весьма приятный и полезный. И если до сих пор понятие брак не вызывало у вас особо положительных эмоций, вспомните о том, что в Последней Трети ситуация наверняка будет сильно отличаться от всего, с чем вы сталкивались ранее. Как правило, брак в этот период жизни становится более приемлемым для обоих, и уж точно значение его возрастает многократно. Если вы обладаете таким благословенным даром, как способные выдержать определенный груз отношения, — или если в ваших силах преобразовать их так, чтобы они смогли его выдержать, — тогда, скорее всего, именно вы станете друг для друга главным источником сил на весьма и весьма длительный период (велика вероятность, что действительно на всю жизнь). Вы будете для своего партнера — так же, как и он для вас, — главным товарищем, главным соратником, главным движущим фактором или тормозным элементом. Огромное множество людей в нашей стране вынуждено ограничивать такими взаимоотношениями свою социальную активность. Но не стоит поддаваться этому искушению. Нужно, естественно, сохранять более широкий круг общения. Супружеские отношения наиболее важны для вас, и тем не менее они не должны подменять собой то, что вы получаете от окружающих вас людей в профессиональной сфере. Это другая крайность, столь же бессмысленная. Нужно лишь сознавать, что в подавляющем большинстве случаев именно на отношениях в семейной паре строится фундамент благополучного существования во всех сферах и на всех этапах жизни. Поэтому необходимо загодя подготавливать для них эмоциональную почву, меняя то, что необходимо изменить ради того, чтобы стать равноправными партнерами. Со всей откровенностью вы должны обсудить между собой, в чем состоят интересы каждого в свете меняющихся обстоятельств жизни и кто какую ношу может и хочет взять на себя. В этот новый этап вы должны войти вместе. Для примера представьте жуткую программу физических упражнений, которой мы с Гарри посвятим немало времени в будущем. Проделывать ее совместно не только веселее, но и существенно проще.

Объясню это на примере, который мне, как говорится, «ближе к телу». Когда мы познакомились с Хилари, она не ходила никуда дальше клуба и носила исключительно черное. Но стоило нам переехать в Колорадо, и она сбросила это обличье, как Супермен, переодевающийся в телефонной будке. Я опомниться не успел, как она начала кататься на горных лыжах, ходить в походы, ездить на велосипеде и так далее, и так далее. Нет, конечно, это не был большой спорт. Я и сам никогда не достигал такого уровня. Однако она реально делала все это. А когда мы снова вернулись на восточное побережье и я начал постигать «Правила Гарри», она поначалу не желала об этом слышать. Но спустя некоторое время все же заинтересовалась, и с тех пор мы во всем были рядом. Ну, пусть порой не абсолютно вровень, так как я все же более легок на подъем и чуть сильнее физически, чем она, несмотря на ее небольшое преимущество в возрасте, однако большую часть пути она не отстает от меня. Даже пара дней совместных занятий в неделю невероятно облегчают и украшают весь процесс.

Представьте: утро, шесть часов, на улице темно… а вам пора тащиться в чертов спортзал. Можете вообразить, *насколько* это проще, если вы просыпаетесь вместе и вместе делаете все, что запланировано на этот день, чтобы потом так же вместе наслаждаться заслуженным отдыхом. В этом случае вы взаимно поддерживаете и поощряете друг друга к большим достижениям. Чудесно.

Еще вспоминаю прошедшее лето и поездку на одно озеро в Нью-Гемпшире, где я каждый год занимаюсь греблей. В этом году Хилари неожиданно тоже решила присоединиться ко мне. Мы отчаливали от берега вместе, борт к борту. Как правило, на утренней зорьке, пока не стало жарко, по тихой воде со смеющимися над нами гагарами. Часто я проделывал более длинный, чем Хилари, путь, но не всегда. Большую часть этих упражнений мы выполняли вместе, и вы представить себе не можете, насколько прекрасно это было! Точно так же, как и совместные велосипедные маршруты. Десять лет назад никто и предполагать не мог, что так будет.

Задумайтесь над этим всерьез. Такой вариант одинаково полезен как для вашей физической подготовки, так и для вашего брака. И если у вас получится убедить Фреда так же серьезно отнестись к здоровой жизни, вполне возможно, что в будущем вас ждет существенно меньше лет, проведенных в одиночестве. Или, на худой конец, меньше лет, на протяжении которых он станет окончательно выжившим из ума стариком, а вам придется подтирать ему сопли.

Не сочтите это слишком большой грубостью, потому что так бывает, и лучшее, что вы можете сделать (если не брать в расчет ваше расставание), — постараться воздействовать на него прямо сейчас. Вам же наверняка не хочется испытывать на себе это долгое и мучительное скольжение в старость, картину которого я рисовал вам в первой главе. Вам нужна долгая, счастливая жизнь… а потом — водопад. *Бух!* Быстро и безболезненно. Так что заставьте его что-нибудь *делать.*

Надежда есть. В каком-то смысле семейная жизнь в Последней Трети оказывается проще, чем в молодости. Это можно сравнить с жизнью крестьянской пары в старые времена: разводы и ссоры случаются нечасто, потому что оба супруга связаны определенными хозяйственными обязанностями, и для того, чтобы на ферме все шло, как положено, необходимо участие их обоих. То же самое и у нас: на этом этапе оба партнера занимают крайне важное для общего благополучия положение, поэтому начинают относиться друг к другу с большим уважением, большим вниманием, попросту больше *заботиться* друг о друге, чем раньше. К тому же, тестостерон уже не так влияет на ваши поступки, и это тоже в некоторой степени улучшает ситуацию.

И последнее замечание. Научите вашего Фреда быть независимым. Это может звучать странно, потому что принято считать, что это мужчины — независимые создания, в отличие от женщин. Но просто поразительно, как переворачивается ситуация, когда Фред лишается привычной поддержки в виде своей работы. Оказывается, что, выйдя на пенсию, он, скорее всего, попытается переложить все на вас, по крайней мере на первых порах. Мужская половина населения неохотно признает неизбежность и близость выхода на пенсию, поэтому отказывается предпринимать какие-либо подготовительные шаги. И в результате, когда неизбежный срок приходит, мы — в поразительном большинстве — со слезами на глазах обращаемся к своим «слабым» половинам, ожидая, что теперь заботы о том, как обеспечить нам интересную, наполненную чувствами и действиями жизнь, полностью перейдут в их сферу обязанностей. Но вы не можете обеспечить это все. Даже если вам этого хочется (а я надеюсь, что вы вступаете в ту стадию, когда этого вам будет хотеться меньше всего на свете), вы просто не сможете. Ни одна женщина не справится с таким колоссальным требованием и никоим образом не должна даже пытаться. Вы заслужили право на независимость; пусть он сам разбирается со своей.

Он должен заняться построением взаимоотношений с другими людьми и группами, построением *собственной* осмысленной жизни. В обстоятельствах, которые поначалу покажутся невыносимыми, — без той капитальной поддержки и структуры, которую предоставляла ему всю сознательную жизнь его карьера. Ему придется учиться быть гибким, творчески свободным, учиться общению в новых обстоятельствах. То есть тому, чем вы занимались большую часть своей жизни. Занятный поворот, правда? Вспомните, как он ворчал на вас за то, что вы слишком долго болтаете по телефону с подругами. А оказывается, вы поступали совершенно правильно! И если у него останутся друзья, с которыми он сможет теперь так же болтать, то он счастливчик! Вы можете взять на себя главенствующую роль в формировании круга знакомств и социальных контактов вашей семьи, но в общем, чем вы оба будете свободнее и изобретательнее в этом плане, тем лучше будет ваша жизнь в Следующей Трети.

Смена ролей

Вот полезная мысль, которую подсказал мне опыт участия в велогонках. Всем велосипедистам известно, что скорость группы спортсменов (или даже всего двоих) существенно — вплоть до 25% — увеличивается, если они применяют прием «смены лидера». Суть в том, что первым идет то один, то другой, в то время как оставшийся старается поспевать за ним. При такой смене ролей *оба* участника гонки покрывают общую дистанцию за меньшее время и с меньшими усилиями. Если вы когда-нибудь смотрели «Тур де Франс», вы должны были заметить подобную технику в группах велосипедистов. Точно так же все происходит и в социальной гонке. Занимая место лидера, вы должны предупредить: «Ладно, теперь первым пойду я». Тот, кто идет впереди, буквально тянет за собой ведомых.

Так что вполне возможно, что в какой-то момент вам придется сказать супругу, что на некоторое время место лидера займете вы. Может быть, в прошлом оно чаще доставалось ему, может быть, нет. Но в любом случае попеременное лидерство полезно и разумно с точки зрения любого из вас. Вместе все легче.

Я заразился этой идеей в велолагере в Айдахо, разговорившись с недавно вышедшим на пенсию гендиректором одной компании. Он сам — заядлый велосипедист, а со мной он поделился вот какой историей: его супруга недавно вдруг начала вести себя так, как будто ей приделали ракетный двигатель. В возрасте шестидесяти двух лет она не только всерьез увлеклась велоспортом, но и взяла на себя основное бремя управления их совместной жизнью в самых разных аспектах. Могу вас заверить: этот мужчина — отнюдь не слабак и никогда им не был. Но его супруга только что поймала такую волну в своей жизни, которая позволяет ей играть *лидирующую* роль. Муж относится к этому исключительно спокойно и разумно. Он с готовностью предоставил ей возможность вырваться в лидеры.

А сам пока что расслабляется, впрочем, не отставая сильно от нее. И это им обоим очень нравится.

И это не единичный пример. Я знаю несколько пар, в которых происходит то же самое. Отчасти это следствие разных жизненных графиков и темпов. Мой близкий друг всю жизнь главным для себя считал свою профессиональную деятельность (и стал по-настоящему выдающимся юристом), но в последнее время его потянуло на отдых. В то же время его жена поздно — примерно лет в сорок — получила степень магистра бизнеса; до этого она посвящала себя детям. Теперь он не прочь сбавить обороты, а она, наоборот, испытывает взлет карьеры. Она становится и более энергичной, несмотря на то, что они с мужем приблизительно ровесники. Так что лидирующая роль в их совместной жизни все больше и больше переходит к ней, хотя она отдает сейчас существенно больше времени профессиональной деятельности.

Но сейчас — ее очередь. Сейчас лидер — она. Прекрасно.

Так что, если пришло такое время, что старина Фред начал сдавать, не думайте, что и вы уже ничего не можете сделать. Возьмите роль лидера на себя, не исключено, что он скоро снова вас сменит.

Ну ладно, пока хватит. А главное правило, которое я хочу сформулировать в этой главе, таково: если у вас есть по-настоящему близкий человек — муж, друг, кто-то еще — не отдаляйтесь от него. Пересмотрите, видоизмените, укрепите связывающие вас отношения, какими бы они ни были. И отправляйтесь по Последней Трети пути в непростую, порой враждебную, новую страну как равноправные партнеры, каждый из которых в равной мере несет ответственность за устройство вашей общей новой обители. Если вы будете вместе, вам будет сопутствовать большая удача и большая радость. Начните с этой книги. Предложите вашей второй половине прочесть ее и обсудить вместе. Овладейте вместе с Гарри новейшими достижениями эволюционной биологии, благодаря которым вы сможете сохранить силу тела и духа в следующие тридцать лет.

Вы — словно двое ребят из старого вестерна, которые собираются совершить налет на Дарвиновское Казино и потом жить припеваючи на захваченную добычу. Вы будете ждать его с лошадьми ниже по течению реки. Или он будет ждать вас. И вы поскачете во весь дух, спасая свои жизни. Романтическая история… такая неожиданная после стольких прожитых вместе лет. И вы двое — ее главные герои.

ГЛАВА 3

Новый взгляд на процессы старения

Некоторое время назад, после десяти лет практики в качестве общего терапевта, я сел и подбил баланс. То, что мне открылось, изменило мою жизнь, мой подход к медицинской практике и в конечном итоге привело к написанию вместе с Крисом этой книги. Все шло хорошо. Я любил свою работу. Я любил своих пациентов, и у меня были прекрасные коллеги. Но часть пациентов, которые были со мной с самого начала моей карьеры, приблизились к возрасту в шестьдесят, семьдесят и более лет, и кое-что начало происходить. Некоторые из них уже успели стать для меня не просто пациентами, а друзьями, но большую часть я видел достаточно редко — раз в году на общем осмотре и иногда при возникновении какой-нибудь проблемы. Осмотры раз в году похожи на фотографии, разделенные значительным временным промежутком, и на этих отдельных картинках я видел, как люди, доверившие мне заботу о своем здоровье, словно в мгновение ока становятся стариками. Многие из них страдали из-за малоподвижного образа жизни, но даже те, кто был относительно активен, все больше страдали от избыточного веса, потери физической формы и апатии. А у некоторых развились серьезные заболевания. Случались инсульты, сердечные приступы, нарушения работы печени, злокачественные опухоли и опасные травмы. Кто-то уже скончался, хотя, наверное, рассчитывал на большее.

Один из самых сложных моментов в работе врача — это сообщение пациенту плохих новостей. «Нам придется взять дополнительные анализы», «Что-то мне это не очень нравится», «Присядьте, пожалуйста, мне нужно с вами поговорить»… Все эти эвфемизмы мы используем для того, чтобы сказать, что над чьей-то жизнью неожиданно — и необратимо — нависла серьезная угроза. Мне все чаще и чаще казалось, что большая часть подобных разговоров в моей практике происходит гораздо раньше, чем следовало, и причины этого были очевидны и устраняемы.

Дело было не в том, что я неправильно ставил диагноз или не мог распознать чего-то на рентгеновских снимках. Я делал то, что делают и прочие врачи в этой стране — лечил человека, приходящего ко мне с жалобой. Мои пациенты были обеспечены хорошим медицинским обслуживанием, но, как начало мне казаться, не хорошей *заботой о здоровье*. Для большинства из них неприятные признаки старости и развитие заболеваний были связаны с предшествующими тридцатью годами неправильного образа жизни, а не с какими-то серьезными хроническими нарушениями. Я, как и большинство американских врачей, хорошо делал не ту работу. Современная медицина не заботится о проблемах, связанных с образом жизни. Врачи от них не избавляют, в медицинских институтах их не преподают, а страховые компании не оплачивают их решение. Я начал бояться, что здесь ничего невозможно сделать. Всю свою сознательную жизнь я боролся с их последствиями, но причины не являлись предметом моего особого интереса. А очень многие из моих пациентов и пациенток — в том числе определенное количество очень разумных и способных женщин — вели совсем не правильную жизнь. Некоторые фактически умирали.

Проводя этот анализ, я подумал еще кое о чем. Современная медицина в основном функционирует по принципу, говоря юридическим языком, отдельных «дел» — вы вывихнули колено, у вас случился сердечный приступ, и вы пришли к врачу. За этим следует краткий период интенсивного вмешательства, и стороны опять расходятся своими путями, возможно, чтобы больше вообще никогда не встретиться. Я понял, что моя практика была совершенно иной. Я стремился поддерживать с людьми длительные отношения и рассчитывал, что они будут продолжаться не один десяток лет. Это — одна из лучших сторон практики общего терапевта. Однако такое особое положение по отношению к жизни каждого из моих долговременных пациентов ставило меня в совсем иные, чем у врача-специалиста, условия. Я мог наблюдать за развитием во времени состояния пациентов, за тем, как они живут и умирают. Мои наблюдения позволяли мне понимать, насколько опасен, а порой смертелен, образ жизни среднего американца, и в особенности пенсионного возраста. Я мог видеть, что при высоком уровне развития медицины мы продолжаем нуждаться в высоком уровне профилактики — а обеспечены им очень немногие.

Совершенно удивительно, почему в нашей стране при постоянном росте счетов за лечение и распространения ожирения, сердечных заболеваний и рака так мало заботятся об этом. Ведь все мы прекрасно знаем, что нужно делать. *Примерно 70% случаев преждевременной смерти и старения связаны с неправильным образом жизни!* Сердечно-сосудистые заболевания, кровоизлияния в мозг, распространенные формы рака, диабет, большинство падений, переломов и других серьезных травм, а также другие многочисленные заболевания в первую очередь возникают из-за того, какой образ жизни мы ведем. *Сознательно решив с этим бороться, мы можем исключить у мужчин и женщин старше пятидесяти лет больше половины всех этих серьезных нарушений. Не отсрочить их проявления, а полностью исключить.* Эта цель вполне достижима, но почему-то мы к ней не стремимся. Вместо этого мы создаем иллюзию невидимости этих проблем, признавая их неизбежным следствием «нормального» процесса старения. Кому не приходилось произносить или слышать фразу: «Ну, это у всех бывает с возрастом...»?

«Нормальное старение» ненормально!

Чем больше я знакомился с научными данными, тем больше убеждался, что все эти нарушения и деградация *не* являются нормальным следствием возраста. Это отклонение, к которому мы просто привыкли благодаря тому, что слишком низко установили планку. Огромное количество людей покорно признают, что «состарятся-и-умрут» — для них это одна привычная фраза, почти что одно слово, и уж точно одна неразрывная мысль. Мысль о том, что когда они станут старыми и дряхлыми, они неизбежно вскоре умрут, поэтому резко ухудшающееся качество жизни уже не имеет такого значения. *Это в корне ошибочная идея и весьма вредная предпосылка для планирования жизни.* Вполне возможно, что вам суждено *состариться-и-жить.* Если хотите, вы можете действительно одряхлеть, но вполне вероятно, что вы не умрете, вполне вероятно, что вы будете влачить это жалкое существование еще долгие-долгие годы. Большинство американок сегодня доживает до восьмидесяти с лишним лет, причем среди них есть и те, кто сохраняет относительно приличную форму, и те, кто еле передвигается при помощи костылей. Каждый день, проведя обследование, я беседую со своими пациентками — разумными, довольно здоровыми женщинами в возрасте за шестьдесят — и объясняю им, что очень высока вероятность того, что у них впереди еще двадцать-тридцать лет жизни. Некоторых это радует, однако большинство реагирует иначе: «О, я не уверена, что я этого хочу!» А это — полное непонимание происходящего. Им (и вам) необходимо понять, что эти годы ожидают их (и вас) впереди, *вне зависимости от того, чего хотелось бы вам лично.* Увеличение продолжительности жизни сегодня — статистическая данность.

Поэтому позвольте повторить: вы, весьма возможно, проживете больше девяноста лет, *нравится вам это или нет.* Но вот то, *как* вы проживете эти годы, во многом зависит от вас. По-моему, это замечательный повод сделать Последнюю Треть вашей жизни прекрасным временем, а не жутким набором лишнего веса, больных суставов и апатии. «Нормальное старение» невыносимо и отнюдь не неизбежно. Вы можете стареть, не сталкиваясь с большинством этих проявлений, не просто красиво, но и с истинной радостью.

Это стало для меня откровением свыше. Я подумал: «Я, как врач, не могу продолжать сидеть на своем месте и смотреть, как люди, которые мне небезразличны, не сопротивляясь, опускаются все ниже и ниже в ужасную бездну. Мало просто ждать катастрофы, а потом лечить пострадавших и пытаться спасти умирающих». Если семьдесят процентов заболеваний, с которыми я сталкиваюсь, можно предотвратить, значит, в этом и заключается моя обязанность. Для того, чтобы что-то предпринять, вам не нужно ждать президентского указа или национальной профилактической программы. Каждый человек может вступить в эту борьбу и победить в ней самостоятельно.

Когда со мной случилось то, о чем я только что вам рассказал, я начал пристальнее приглядываться к людям, приходящим ко мне впервые, и был просто потрясен тем, какое их количество обладает определенно *плохим здоровьем*, которое представляется подлинным всеамериканским бедствием наших дней. И это касается не только пожилых: отвратительное воздействие малоподвижного образа жизни и неправильного питания заметно все в более и более молодом возрасте. Каждому новому своему пациенту я говорил то же самое, что и Крису, и, если встречал у него положительный отклик, начиналась история нового сотрудничества. Прекрасно то, что большинство людей оказывались готовы выполнять мои рекомендации и очень многие действительно уверенно встали на путь омоложения.

Изменения на клеточном уровне

Мы являемся свидетелями революции, происходящей сегодня в области изучения возрастных изменений. Это одна из составных частей в революции понимания общей картины функционирования человеческого организма на клеточном уровне, которая открывает нам путь к здоровому старению. Научные достижения в этой области колоссальны и удивительны, они охватывают такой широкий спектр направлений, как клеточная физиология, биохимия белка и других соединений, эволюционная биология, физиология физических нагрузок, антропология, экспериментальная психология, экология и сравнительная анатомия нервной системы. Окончательные выводы из всех этих исследований еще во многом впереди, но базовые факты, уже не вызывающие сомнений, таковы, что всем людям от сорока до девяноста лет стоит их учитывать и поступать соответствующим образом. В этом случае им суждена существенно лучшая, более счастливая и *здоровая* жизнь, чем та, которая была у их родителей, бабушек и дедушек и вообще всех предшествующих поколений.

Давайте оглянемся в прошлое. Десять лет назад основополагающие аспекты науки о здоровье были непознанной территорией — огромным белым пятном на карте. Но наконец у нас появилась возможность перейти от изучения болезней к пониманию здоровья. Оказалось, что с биологической точки зрения здоровье сложнее, чем болезнь. Заболевание — это катастрофа, при которой поезд сходит с рельсов и верх берут непреодолимые физические законы. Это ужасающее зрелище, однако его научный анализ не представляет сложности. Все иначе со здоровьем. Оно представляет собой тонкий механизм обеспечения движения поезда *по рельсам.* Теория этого механизма — основа функционирования нашего организма — очень сложна. Однако, к счастью, следить за контрольными проявлениями и реагировать на их изменения достаточно легко. Для того, чтобы взять собственное здоровье в свои руки, необходимо усвоить всего лишь пару основополагающих принципов развития человеческого организма.

Первый — то, что организм человека отнюдь не представляет собой единой тщательно подогнанной структуры. Это удивительный, но во многом не вполне логичный набор черт, унаследованных от различных видов животных, у которых они развивались в совершенно разные эпохи. Чисто человеческими среди них являются лишь противопоставленный большой палец руки и пара дополнительных фунтов вещества головного мозга. Все остальное получено нами от других представителей животного царства. И я не имею в виду человекообразных обезьян: в этот огромный список входят и бактерии, и динозавры, и птицы, и черви, и копытные, и львы, и еще многие-многие другие. Ваш организм, с великой гордостью и энтузиазмом созданный вашими родителями в 1950-м, 1930-м или еще каком-нибудь году, состоит преимущественно из клеток, основные структурные части и функции которых были выработаны еще бактериями миллиарды лет назад. И управляют этими клетками не осознанные команды мозга, благодаря которым стали возможны Эпоха Возрождения или конституционное управление. Сознание здесь вообще ни при чем. Здесь власть принадлежит простейшим электрическим и химическим сигналам, которые существовали задолго до первых проблесков сознания.

Второй важнейший пункт — то, что вы можете контролировать процессы в своих страшно примитивных клетках с помощью вашего уникального, создавшего Возрождение, мозга, однако не так, как вы могли бы предположить. Вы должны общаться с собственным организмом, используя определенный код, и следовать строгим правилам. Наша задача — сообщить вам этот код и научить правилам. Которые, кстати, не мы придумали. Это правила самой матери-природы, и вы никак не сможете обойти их.

Хорошие новости... с одной маленькой загвоздкой

У каждого из нас есть собственное биологическое наследство. Оно состоит из уникального, замечательного тела (что бы вы по этому поводу ни думали) и поистине потрясающего мозга. На самом деле, если быть точными, вы обладаете тремя *отдельными* поистине потрясающими мозгами, доставшихся вам от трех очень разных эволюционных этапов, но все они функционируют совместно. Говоря просто, у вас есть *физический, эмоциональный* и *мыслящий* мозг. Хотя эти части химически и анатомически отдельны (нейрохирург может расчленить их, как апельсин на дольки) и имеют различное назначение, все они тесно связаны, чтобы управлять вашими повседневными действиями.

Но вот и загвоздка: ваше тело и ваш мозг прекрасно приспособлены к исполнению заложенных природой функций, но не к таким особенностям современной жизни, как фастфуд, телевидение иди выход на пенсию. Они рассчитаны на жизнь в естественных условиях, где выживает только приспособленный. Большая часть структур вашего организма имеет столько же отношения к походу в магазин, как какой-нибудь доисторический хищник. И если предоставить мозгу и телу полагаться на собственные природные приспособления, сигналы окружающей среды XXI века будут неизбежно восприниматься ими ошибочно.

Упадок необязателен

Между старением и упадком существует принципиальная разница, о которой вы с этого момента не должны забывать. Старение — неизбежный процесс, однако природой запрограммировано медленное его развитие. Большая часть того, что мы называем старением, и того, чего мы страшимся в старости, на самом деле есть отклонение от нормы. Это очень важно, потому что стареть мы обречены, но испытывать при этом упадок всех функций *не обязаны.*

Биология возрастных изменений едина для всех, и повлиять на нее мы не в силах: волосы седеют, сила тяжести действует сильнее, а билеты в музей продают со скидкой. Частота сердечных сокращений неизбежно падает, вне зависимости от степени вашей активности. Это большое изменение. Также безотносительно к образу жизни происходят возрастные изменения в коже. Так что вы в любом случае будете *выглядеть* старым. Однако вы не обязаны *действовать*, как старик, и *чувствовать себя* стариком. И это главное. Мы еще не нашли способа жить вечно, однако старение может быть медленным, малозаметным и вовсе не отвратительным. И даже внешне очевидна разница между хорошо выглядящим, здоровым пожилым человеком и тем, кто махнул на себя рукой.

Природа обеспечивает баланс между ростом и распадом, снабжая организм внутренним стремлением к распаду. Сигналы, заставляющие эту систему работать, слабы, но постоянны, и с каждым годом становятся все более отчетливыми. Крис называет это неумолимым течением — это очень удачная метафора. Но как бы вы это ни называли, ваш организм после 40–50 лет переключается в режим «упадка по умолчанию», и свободному полету юности приходит конец. Тело и мозг перестают расти и развиваться, и вместо этого начинается распад и ослабление. Это и есть «старение». Это вряд ли кому-то нравится, однако сейчас мало кто готов сознательно вмешаться в процесс. Однако, оказывается, не так уж и сложно распознавать сигналы упадка, начать двигаться против течения и обратить распад в рост.

Так как же бороться с упадком? Нужно изменить сигналы, которые мы посылаем собственному телу. Ключ блокировки кода распада в организме — ежедневные физические нагрузки, эмоционально насыщенная жизнь, правильное питание и настоящая вовлеченность в жизнь. Но начинается все именно с физических нагрузок.

Человек не может прожить без физических нагрузок, потому что они — его сущность. Мы есть наша активность, и, что более важно, мы обязаны ей своим существованием. Именно активность наших предков породила нас самих. Ваше тело — дар, полученный от несчетного числа предшествовавших вам существ, и то, что вы теперь живете на свете, происходит благодаря тому, что каждый из этих предков когда-то смог выжить. Каждый из них чему-то учился, каждый последующий обладал чуть большим запасом сил, быстроты и сообразительности, которые передавал последующим поколениям.

Наше тело и наш разум — точные инструменты, созданные для гармоничного взаимодействия со средой. Мы в прямом смысле слова созданы для процветания в хорошую эпоху — для того, чтобы быть бдительными, охотиться, изучать мир, совместно трудиться, строить, смеяться, играть, бегать, лечить, любить… одним словом — выживать. Для всего этого наше тело и разум должны быть сильными, активными и идеально взаимодействующими друг с другом.

С точки зрения биологической целесообразности, однако, мы должны в должное время позволить состояться распаду, так как каждая клеточка нашего тела требует для своего функционирования определенного количества энергии. Энергию тратят мышцы, кости, хрящи, нервные волокна и кожа, даже наши мысли требуют своей доли питания. Каждая структурная единица должна вносить свой вклад в выживание и продолжение рода, в противном случае снижается степень генетического преимущества. Так что, если наступают трудные времена — беспокойные годы, засуха, голод или суровая зима, мы, согласно плану, заложенному природой, прячемся, впадаем в спячку, отступаем, то есть позволяем как можно быстрее свершиться выключению и распаду. С точки зрения биологического вида по окончании периода деторождения и ухода за потомством, не достигшим зрелости, должна наступать старость. При такой системе экономятся пищевые ресурсы, а рано наступающая смерть обеспечивает освобождение пространства для следующих поколений. Это дарвиновская кодировка старения. Именно так предопределено природой, и именно поэтому с каждым годом процессы распада в нашем организме становятся более активными. Это следствие общего закона круговорота жизни на земле. Ну и как вам это все накануне вступления в соответствующий период жизни?

Подозреваю, что не слишком радостно. С точки зрения личности — то есть с вашей — это нежелательная перспектива. С одной стороны, вам не хочется умирать так рано, а с другой, кажется, это не имеет смысла. Мы ведь живем не в ледниковую эру в хлипких жилищах, а в капитальных домах с контролем температуры воздуха. И пищи у нас (по крайней мере у большинства) больше, чем достаточно, а отнюдь не меньше. Без воздействия морозов или регулярного голода наше тело вроде бы должно адаптироваться к существованию без свойственного предкам тормозного защитного механизма. Однако мы перестали испытывать воздействие вышеупомянутых факторов среды всего лишь какие-то сто лет назад, и хотя для человечества это было феноменальным достижением, с точки зрения эволюции этот срок — ничто. Наши телесные функции совершенно еще не приспособлены к существованию в современном мире в пожилом возрасте, и в ближайшем будущем этого не произойдет. Наше тело полностью сохраняет приспособления, развившиеся за миллионы лет существования в полном опасностей диком мире, где никогда не хватало пищи. Эволюционные изменения человека возможны, однако для них требуются миллионы лет, так что вам, по-видимому, придется выкручиваться как-то иначе, без помощи эволюции. Возможно, вы захотите как-нибудь справиться с имеющимся у вас стареющим дарвинистским телом, найти какой-нибудь способ внедрить нужные адаптации в вашу конкретную жизнь. Не забывайте о том, что без сознательного контроля ваш организм неизбежно будет продолжать ошибочно реагировать на сигналы современной среды, и, соответственно, реагировать на них нежелательным для вас образом. В этом случае неизбежно запустится система «распада по умолчанию». Чтобы лучше понять все это, нам придется разобраться, что означали хорошие и плохие времена в естественной природной среде и как наши предки приспосабливались к ним, используя механизмы регуляции, доставшиеся впоследствии нам.

Весна в саванне

Давайте начнем с сигналов роста, с кодировки молодости. Представим себе весну в саванне: время изобилия в земле нашего детства. Прошли дожди, трава роскошна, колодцы полны водой. Хищников немного, и они не слишком опасны. Их наличие требует бдительности и уважительного отношения, но не служит поводом для постоянного беспокойства. Добычи много, однако антилопы, орехи и ягоды разбросаны по обширным просторам, поэтому охота и собирательство требуют ежедневной многочасовой ходьбы. Даже в наше время бушмены Калахари проходят каждый день по восемь-десять миль, добывая себе пропитание, а время от времени пускаются бегом, чтобы догнать добычу. *Этот вид активности — физические нагрузки, связанные с охотой и сбором съедобных продуктов весной, — издревле служил наиболее значимым сигналом для организма, что жизнь идет хорошо, знаком весны и роста.*

В ответ на химические сигналы, поступающие от этих действий, организм приобретает выносливость, силу и высокую эффективность функций. Жировые отложения становятся ненужными, так как снабжение энергией поддерживается на более-менее постоянном уровне. В организме сохраняется в качестве страховки на трудные времена небольшой запас жира, но все излишки ликвидируются, так как их наличие требует лишних энергетических затрат и замедляет реакции. Прочность и сила скелета и суставов растут для того, чтобы легче переносить нагрузки длительных путешествий. Сердечно-сосудистая система работает с большей нагрузкой, обеспечивая кислородом мышцы. Они, в свою очередь, приобретают силу, мощность и лучшую координацию. Иммунная система также работает на полную мощность, устраняя последствия растяжений, порезов, ушибов и легких инфекций — всего, что связано с активной жизнью на природе.

Изменения затрагивают и мозг. Получая эти сигналы от тела, он вырабатывает химические регуляторы, повышающие настроение и бодрость духа, — то есть создает оптимальный эмоциональный фон для охоты. У лабораторных животных в сходных условиях наблюдаются явные физические и химические изменения в мозге, которые ведут к повышению любопытства и активности, стремления к исследованиям, общительности, реактивности и в целом того, что со стороны мы бы назвали оптимизмом.

Подтянутый, тренированный, счастливый, уверенный, энергичный, вибрирующий силой и бодростью — вот качества, которые предполагаются для человека природой на удачные времена. Таким вы должны быть весной. Такая жизнь привлекательна, и вы можете окунуться в нее. Такая жизнь характеризуется сильными и гибкими мышцами, здоровым сердцем, подтянутым телом, крепким скелетом, хорошей иммунной системой, высокой сексуальностью и подвижным, заинтересованным, оптимистичным образом мысли; эти качества обеспечивают эффективную деятельность в группе и построение прочных общественных контактов.

Мы покажем вам, как обрести все это, но сначала давайте заглянем на темную сторону, туда, где мы с вами находимся сейчас. Рассмотрим современный образ жизни, состоящий из вредной пищи, засилья телевидения, долгих транспортных маршрутов, стрессов на работе и дома, плохого сна, искусственного освещения, шума, и, вероятно, самого плохого — отсутствия физических нагрузок. Или же жизнь на пенсии, в которой общее положение вещей сохраняется таким же, только вместо профессиональных нагрузок и длительных поездок возникают скука и одиночество. Похоже на весну в саванне? Вряд ли. В природе подобные условия являются сигналом смертельной опасности, и ваше тело и мозг реагируют на них критическими изменениями.

Здесь существует парадокс, который вы должны полностью осознать: неограниченное потребление калорий и отсутствие физических нагрузок для организма служат сигналом приближающегося голода и возможной гибели, поэтому он реагирует переходом всех органов, в том числе и мозга, в состояние легкой депрессии. Как ни странно, в природе депрессия естественна. Это важная стратегия выживания. Давайте представим себе настоящую природу — не живописные закаты, не заливающихся в саду птичек и не мультяшных зверюшек на зеленой лужайке, а поле битвы. Природу, где половина детенышей антилоп в первые две недели жизни оказываются растерзанными шакалами. Где «убей или умри» — не метафора, а жестокая реальность. Где нет права на ошибку. Нет *совсем.* Адаптироваться к благоприятным условиям просто, к неблагоприятным — засухе, зиме или повышенной опасности — необходимо. Мертвые животные не размножаются.

Итак, в тундру приходит зима. Опускается полярная ночь. Температура воздуха падает до минус двадцати. Северные ветры приносят снежные бури: снег ложится покровом до десяти футов в толщину, хоронит под собой пищу, загоняет зверей в убежища, делает невозможным передвижение. Большая часть энергии, с трудом добываемой организмом из скудных пищевых запасов, тратится на поддержание минимального необходимого для жизни функционирования. Начинается долгий зимний голод. За несколько зимних месяцев человек превращается в обтянутый кожей скелет. Жир, накопленный осенью, неуклонно исчезает. Вы ведете гонку со смертью, но на самом деле передвигаться можете не быстрее улитки. Вы ждете весны.

Сегодня нам сложно осознать, что все это в прошлом было регулярно повторяющейся, *нормальной* составляющей человеческого существования, и реакция депрессии как последнего способа защиты заложена глубоко в наших генах. Мы пользовались им каждую зиму, при каждой засухе и неурожае. Мы выживали благодаря депрессии. Не клинической депрессии, которая лечится «Прозаком», а депрессии во имя жизни, которая выражается в снижении метаболизма, накоплении запасов жира, снижении активности, замкнутости, спячке и падении всех функций до минимума. Той, которая требует от человека спрятаться и позволить наиболее важным системам организма атрофироваться и прийти в упадок.

Фактически *любой хронический стресс действует сходным образом.* Испытывая постоянную предельную нагрузку, физическую или умственную, организм заключает, что условия среды изменились к худшему, и вы столкнулись с долговременной борьбой за выживание. Общая депрессия в сочетании с физической деградацией в данной ситуации является для организма предпочтительным состоянием. Беда в том, что сигналы, запускающие этот механизм, во многом идентичны отличительным признакам существования среднего американского пенсионера: сидячий образ жизни, отсутствие социальных контактов и поедание всего, что оказывается в пределах досягаемости. В прошлом именно такими были сигналы приближения голода или зимы, и ваш организм продолжает и сегодня реагировать на них точно таким же образом. Необходимость такой реакции подтверждена миллионами лет опыта предшествующих поколений, и ваше тело, не задумываясь, осуществляет ее.

Самый главный сигнал к деградации — малоподвижный образ жизни. Ваш организм каждый день анализирует вашу деятельность. В природе отсутствие движения оправдано только отсутствием пищи. Не забывайте, что человечество родом из Африки. Как бы изобильна не была дичь, добытое мясо за считанные часы портится. Холодильников, магазинов и воздушной кукурузы нет и в помине. Каждый день вы должны просыпаться и отправляться на охоту. *Единственная* причина не выходить на охоту — отсутствие добычи, следовательно — голод. Неважно, сколько пищи вы будете потреблять на самом деле: если вы не получаете ежедневных физических нагрузок, ваш организм воспримет это единственным образом. В такое время вы сообщаете собственному организму, что пришла пора стареть. Распадаться. Впадать в спасительную депрессию — не тратить энергию, существовать в полусне. Преобразовывать каждую кроху пищи в жир, угнетать иммунную систему, расслаблять мускулатуру и не поддерживать в рабочем состоянии суставы. Заползти в пещеру, скрючиться в углу и дрожать от холода.

Все эти процессы запускаются одновременно, так как сигналы упадка поступают непрерывно, вне зависимости от того, что вы делаете. Это то самое течение, о котором говорит Крис. Ткани вашего тела и нервные цепи *постоянно* стремятся к распаду. Мышцы, кости, мозг — все это постоянно хочет растечься, как мороженое на жаре. Хорошо для нас то, что сигналы к распаду, хоть и постоянны, все же слабы. Если вы не заглушаете их другими сигналами, запускающими процессы роста, они побеждают, но даже относительно слабо выраженные «ростовые» послания — хорошая тренировка или даже хорошая прогулка — перебивают нежелательные шумы. Короче говоря, вы каждый день должны сообщать собственному организму, что на дворе весна. В этом — основная идея этой книги. Это несложно, но требует ежедневных занятий.

Помните о том, что распад — это не естественный биологический процесс, связанный с возрастом. Распад — враждебная сила, подкрепляемая нашим сегодняшним малоподвижным образом жизни. Он возникает при включении телевизора с наступлением сумерек. При открывании банки с пивом во время просмотра телепрограмм. При каждой поездке в закусочную и поедании там в неразумных количествах жареной пищи с напитками, перенасыщенными сахаром и кофеином. При передвижении по площадке для гольфа на электрической тележке. При сидении в одиночестве дома.

Распад возникает при выключении из жизни и прекращении значимой для вас деятельности. Но его можно остановить — или хотя бы радикально замедлить, — используя те самые дарвинистские механизмы, о которых я вам только что рассказал. Возраст — свойство природы, но распад — ваш личный выбор.

Химия мозга в процессе роста

Представим, что вы решили сохранять «весеннее» состояние здоровья. Как заставить собственный организм подчиниться вашему решению? Часть процессов будет происходить в мышечной и других тканях автоматически, при физических упражнениях, однако принципиальный контроль осуществляется мозгом. Не мыслящим мозгом, а физическим — тем, который достался вам от самых дальних предков.

Мозг сам по себе глух, нем и слеп. В самом прямом смысле. У него нет прямых связей с внешним миром, кроме системы обоняния. Внутри вашего черепа всегда темно, влажно, слегка солоноватая среда и всегда 37 градусов по Цельсию. Ваш физический мозг знает только то, что вы сообщаете ему через образ вашей жизни. Физический мозг и тело развивались в жестоком мире, где никому не предоставляется второй шанс, и выработавшиеся механизмы так же незыблемы, как орбита движения Земли вокруг Солнца. До самого последнего мига вашей жизни ваш организм будет пребывать в непоколебимой уверенности в том, что вы продолжаете жить в природе, как ваши предки. Именно поэтому способ вашего повседневного существования определяет состояние вашего здоровья, и именно от ваших действий зависит его качество, согласны вы с этим или нет. Здоровье — *идеальная* адаптация вашего физического мозга, разработанная им для существования организма в тех условиях, которые он *считает* имеющимися вокруг него. Конфликт между генетически заложенной в мозг программой и изменившимся окружением нельзя назвать болезнью, это совершенно иное состояние. Это досадное обстоятельство, нередко, правда, накладывающееся на действительно плохое здоровье. Но состояние здоровья для себя выбираете *вы*. Это может быть для вас тяжестью или призом, даром или проклятием, но вы не можете от этого отделаться и скрыться. Если вы усвоите правила, эти новости будут для вас просто превосходными, так как процесс контроля оказывается не таким уж трудным.

Принятие на себя ответственности за свое здоровье начинается с ознакомления с общим устройством системы, а для этого нам придется вернуться к самым истокам. Первым проявлениям жизни на Земле 3,5 *миллиарда* лет; первые жители нашей планеты — водоросли, простейшие дрожжеподобные грибы и бактерии — были самыми дальними, но тем не менее прямыми нашими предками. Нам не стоит стесняться такого происхождения, напротив, мы должны им гордиться и быть им довольны. Отказываясь признавать себя неотъемлемым звеном эволюции, мы вредим сами себе. Ваше родословное древо уходит корнями на 3,5 миллиарда лет в прошлое, и каждая секунда этого колоссального срока была потрачена на совершенствование тела и мозга, который вы унаследовали. Задумайтесь: ни одной секунды, потраченной впустую, все 3,5 миллиарда лет отданы тому, чтобы сделать вас совершенным.

Информационный век

Примерно половина всех метаболических процессов наших клеток непосредственно достались нам от бактерий и не претерпели никаких изменений за прошедшие миллионы лет. Эти древнейшие наши прародители, наряду с бактериями и грибками, существовали в условиях постоянной борьбы, где каждая клетка должна была выживать собственными силами. Все более продвинутые организмы, от червей до человека, обладают сложной многоклеточной структурой, единицы которой функционируют взаимосвязанно. Целое оказывается больше совокупности частей, по той же самой причине, благодаря которой коллектив в результате взаимодействий способен на большее, чем некое число отдельных субъектов.

Простые организмы осуществляют обмен информацией путем простого обмена химическими веществами между клетками. Это основа нашего обоняния, которое представляет собой наиболее примитивное чувство: вы сами можете убедиться, насколько успешно оно функционирует, если вспомните, как утром весь ваш организм пробуждается от запаха кофе и бекона. Однако в общем чем больше клеток составляют организм, тем больше информации требуется для обеспечения его работы, и по мере развития более сложного тела с более разнообразными типами тканей развивалась и примитивная нервная система, а параллельно с ней — система связанных с кровью химических переносчиков информации, так называемых гормонов. В ходе дальнейшей эволюции нервная и гормональная системы становились все более сложными и адаптивными, что позволяло живым существам осваивать спектр разнообразных биологических путей и свойств.

Сегодняшний человек купается в бескрайнем океане информации. В организме каждого из нас содержатся миллиарды клеток, постоянно обменивающихся друг с другом высокоспециализированными химическими посланиями. Каждый кусочек ткани снабжен богатой сетью нервных соединений и гормональных рецепторов, и миллионы передаваемых ими сигналов постоянно циркулируют по телу. Интенсивность обмена информацией через Интернет и все телефонные линии мира не сравнится с интенсивностью информационного потока в человеческом организме.

Это отнюдь не преувеличение. Каждый день вашей жизни, от момента зачатия до последнего вздоха, через ваше тело проходят *триллионы* импульсов. Вы ведете с собственным телом непрерывный разговор днем и ночью, из года в год. Вы никогда не прерываете его, да и не смогли бы, даже если бы захотели. И все структуры вашего организма, все ткани и органы, в том числе и мозг, постоянно прислушиваются к вашим сообщениям. Они верят каждому вашему слову, беспрекословно подчиняются любым приказам. Однако они не понимают вашего родного языка. Они читают язык вашего тела. И если бы вы только знали, что вы им сообщаете, вы бы сами содрогнулись.

Язык природы

Приблизительно пятьсот миллионов лет назад наши далекие беспозвоночные предки (моллюски, медузы и тому подобные существа) «изобрели» большую часть гормонов нервной системы и химических соединений мозга, которые мы используем по сей день — причем вещества эти имеют много общего с «Валиумом», адреналином, кокаином и морфином. Ничего из этого не было изобретено человеком после достижения им современного этапа эволюции, мы просто позаимствовали это у тех, кто остался на более низких ступенях. Это чистая правда. В нервной системе червя или улитки циркулируют те же самые гормоны и маркеры, что и в вашей в тот момент, когда вы читаете эти слова.

На переход от червей к первым существам с развитым мозгом понадобилось еще две сотни миллионов лет, но наконец рыбам удалось взять этот рубеж. У лосося имеется тот же самый основной физический мозг, что и у вас, а вернее сказать, у вас тот же мозг, что и у него. От рыб мозг унаследовали земноводные, в свою очередь передавшие его динозаврам, прочим пресмыкающимся и птицам (родословное древо продолжало бурно ветвиться). Все эти поколения наших прародителей неустанно совершенствовали свой мозг. Структурно он поместился на самой верхушке позвоночника и занялся распознаванием миллионов внешних сигналов и выработкой правильной реакции на них.

Мы (млекопитающие) отделились от рептилий около двухсот миллионов лет назад, но забрали с собой их дар — физический мозг. Мало изменившись с тех пор, он продолжает управлять нашим телом и сегодня. Этот мозг справедливо называют физическим, или телесным, так как в его компетенцию входят исключительно телесные реакции. Да, это мозг без чувств и без истинных мыслей, однако сложность его физических процессов исключительно велика. Это настоящее произведение искусства, подлинное чудо, бесценное сокровище. Представьте себе марлина, выпрыгивающего из воды, или ястреба, кидающегося с неба на добычу. Ярчайшая поэзия движения и силы создается благодаря работе этого мозга. Так что не стоит считать рыб, пресмыкающихся и птиц низшими формами жизни. Нет на свете такой птицы, которую вы смогли бы превзойти в точности и скоординированности движений.

Нейрофизиологи называют этот мозг рептильным, задним или примитивным. Каждое из этих названий подразумевает пренебрежительное отношение к этому органу как к некоему образованию низшего порядка, возникшему на пути к развитию совершенной человеческой коры больших полушарий. Однако на самом деле это совершенно не так. Телесный мозг управляет существованием нашего организма, и выполняет эту работу практически безупречно. Попробуйте поехать на велосипеде, используя исключительно сознание, и вы тут же ощутите лицом мостовую. А потом посмотрите старые записи выступлений Грега Луганиса, понаблюдайте, как он кувыркается и вращается в воздухе в своем идеально скоординированном свободном падении и без малейшего всплеска входит в воду. Все его движения совершенно автоматические, вы не найдете в них ни одной сознательной мысли. Это работа телесного мозга, и ваш устроен точно так же, как и его.

Телесный мозг также управляет метаболизмом, постоянно обеспечивая каждый орган, ткань и клетку необходимым в данный момент количеством энергии. Он автоматически контролирует все мыслимые аспекты вашего физического бытия и поддерживает организм в гармонии. Именно потому, что физические нагрузки представляют собой понятный телесному мозгу язык, они служат сигналом для процессов роста. Мы должны относиться к этому мозгу с почтением, понимая, что он служит для нас чудесным автопилотом, непрерывно бодрствующим на своем посту. Этот мозг *в точности* исполняет то, что вы приказываете ему каждую секунду. Это центральный орган контроля вашего тела.

Вам необходимо восстановить прямое взаимодействие со своим телесным мозгом. Вы и так слишком долго держали его в запертой клетке. Он вытерпел долгие дни офисной гонки и вечера перед телевизором в ожидании, когда же вы вспомните о нем и выведете его на прогулку. *Не* делать этого весьма опасно! Потому что всегда существует темная сторона, всегда звучат сигналы упадка.

Жизнь — это энергия. Это единственное, что имеет значение в природе. 3,5 миллиарда лет жизнь балансирует на тончайшей грани между доступной энергией и степенью внешнего воздействия. С биологической точки зрения не может быть никакого пенсионного возраста и возраста вообще. Есть только рост или распад. И ваш организм ждет вашего выбора. Фастфуд, малоподвижный образ жизни, стрессы современной среды, одиночество, выход на пенсию и старость не имеют эволюционной основы. Зато ее имеет ваш телесный мозг, самая древняя и первичная структура, которой вы обладаете. За миллионы лет жизни, а особенно смерти, он научился с неумолимой точностью нападающей акулы отсекать все лишние функции. И так же, как для ледяного мертвого взгляда акулы, для этого мозга не имеет значения ваше счастье и ваша пенсия. Это точнейший бесперебойно работающий механизм, постоянно стремящийся к гармонии между получением и расходом, между ростом и распадом. И ему нет дела до того, нравится вам то, что он делает, или нет, знаете вы об этом или нет, хотите ли вы нести за это ответственность или нет. Не забывая об этом, попробуйте представить, что узнает ваш телесный мозг из того послания, которое вы формулируете для него собственным образом жизни, и что будет результатом его ответных действий — рост или распад.

За пределами эволюции

Мы оказались в значительно измененной по сравнению с поколениями и поколениями наших предков ситуации, так как современный мир предоставляет нам такие избыточные возможности, такие дары цивилизации, которые не имеют параллелей в нашей биологии. В ознаменование примечательного триумфа эго над разумом мы пребываем в убеждении, что «созданы» именно для этой жизни, что современный человек по сути является существом XXI века. Это глубоко ошибочный взгляд, который необходимо опровергнуть.

Современное человечество действительно оказалось в уникальном положении, отличном от положения всех поколений живых существ, на протяжении трех с лишним миллиардов лет осваивавших нашу планету: мы вырвались из огненного кольца эволюции. Просто встали и вышли за пределы природы. Большинство из нас, скорее всего, никогда в жизни не столкнутся с проблемой нехватки пищи. Мы перестали быть охотниками и добычей. Жизнь перестала быть узкой тропкой между голодом и изобилием. С точки зрения формирования человеческого вида смерть от голода или холода перестала быть фактором отбора. Впервые возникла ситуация, когда пищи всегда хватает, а сами мы не можем служить пищей для кого-то другого. Переоценить значимость этого скачка и глубину произошедших изменений невозможно. С трудом верится в то, что величайшими проблемами нашего существования стали излишества и безделье. Наши предки миллионы лет спасали свои жизни, полагаясь лишь на силу и быстроту своих ног, научившись накапливать в собственном организме необходимый запас питательных веществ на случай засухи, морозов или голода, с которыми они неизбежно сталкивались регулярно на своем веку. И вдруг, как по мановению волшебной палочки, все это исчезло и фундаментальный закон жизни потерял смысл. Возможно, это величайшая перемена в устройстве нашего мира.

Неудивительно, что наши созданные по дарвинистским законам тела и примитивные мозги не в состоянии соответствовать таким стремительным и фундаментальным изменениям. Мы живем среди этого внезапно обретенного изобилия и отсутствия опасностей, как напившиеся вдрызг моряки, чудом спасшиеся из пучины. И вполне понятно, что мы от этого заболеваем. Мы забываем о своих корнях, о своем прошлом, о том, как были созданы наши тела и наши мозги, и становимся жертвами новых страшных болезней. Наш организм не знает, как понимать это изобилие, и в результате мы объедаемся насмерть. Наш разум не знает, как понимать отсутствие опасности, отсутствие необходимости охотиться и иными способами добывать пропитание, одним словом — безделье. В результате мы размякаем до смерти. Удивительно эффективное устройство человеческого сердца дает сбои в масштабах эпидемии, причем у этих нарушений нет аналогов в природе.

Подводя итог, скажем, что для нас, таких, какими мы были созданы, обретенный в последние годы образ жизни может считаться не чем иным, как болезнью. Задумайтесь об этом. Наша жизнь — особенно после выхода на пенсию, особенно в нашей замечательной стране — превратилась в куда более страшную болезнь, чем рак, война или чума. Мы живем дольше, чем наши предки, благодаря уровню развития медицины, но при этом многие из нас влачат жалкое существование и многие умирают раньше, чем следовало бы. Цель этой книги — научить вас самостоятельно излечивать себя, в противном случае мы будем жить и преждевременно умирать посреди всего этого изобилия, испытывая неоправданные страдания, потому что наши тела будут продолжать считать, что им грозит неминуемый голод.

Так как же сделать правильный выбор, как обеспечить своему организму рост, а не распад, омоложение, а не старение? Мы не собираемся снова возвращаться к образу жизни древних охотников и собирателей. И даже к образу жизни фермеров прошлого века, трудившихся на своей земле не покладая рук. Значит, мы должны лелеять и развивать то, что еще осталось от естественного существования в нашем новом мире. Мы должны вести борьбу на телесном, физическом фронте, чтобы сохранить контроль над нашими отказывающимися забывать законы дарвинизма телами и мозгами — обязательно в их единстве, так как эти две составные части каждого индивидуума не могут благополучно существовать в отрыве одна от другой.

Урок, который необходимо усвоить, прост. Все ваши действия на физическом уровне, вся потребляемая вами пища, все ваши мысли и ощущения, все испытанные эмоции и жизненный опыт, накопленный вами, воздействуют физически на ваше тело и мозг в соответствии с законами природы, незыблемо сохраняющимися на протяжении миллионов и миллиардов лет. Физические нагрузки и активная, полноценная жизнь запускают в вашем организме поток сообщений с вложенным в них кодом роста. Если вы передаете своему организму правильные сообщения, то на вашей стороне оказываются миллиарды лет эволюции и неисчислимые поколения предков, подкрепляющие ваши действия своими закрепленными в глубинных структурах жизни посланиями, и в результате вы будете становиться сильнее, подвижнее, сообразительнее, более способной противостоять ударам судьбы. Физические нагрузки — это лишь один из путей занять правильной деятельностью свое тело и соответствующую часть мозга, но делая хотя бы это, вы уже становитесь «моложе». Не полностью, однако в очень значительной степени.

Физические сигналы, источником которых служит сознательная и упорная активность, и сигналы эмоциональные, которые вы испускаете в состоянии вовлеченности в великую жизненную охоту, *способны заглушить сигналы распада.* Приложив не слишком большие усилия, вы сможете во многом сравняться с молодым человеком — тренируясь, общаясь, занимаясь любовью, — а ваше тело с радостью и легкостью откликнется на этот призыв. Да, течение нельзя повернуть вспять, однако можно плыть против него. Если мы будем неустанно трудиться, поддерживать достойный уровень активности и занятости *каждый день*, оно не сможет увлечь нас за собой еще долгие годы. Это требует постоянной работы, но ведь все мы всю жизнь выполняли какие-то обязанности и прикладывали к этому какие-то усилия, так что это вряд ли окажется непосильной задачей. Владея дарами современного мира и не позволяя себе терять контроль, вы сможете поставить перед собой *реальную* цель — дожить до восьмидесяти и более лет, чувствуя себя пятидесятилетним.

ГЛАВА 4

Заплыв против течения

Когда мы с Гарри начинали наш проект, мы думали, что напишем совсем простую книгу. В общем-то, так оно и вышло, но кое-где без сложностей все-таки не обошлось. Поэтому мы и решили, что прямо сейчас необходимо установить одно простое правило. Такое, которому вы должны будете следовать при любых обстоятельствах, даже если будете следовать прямой дорогой в ад, даже если забудете, как зовут вашу собаку. Назовем его «Первым правилом Гарри».

Вот оно: *Отныне и до конца жизни вы должны заниматься физкультурой по шесть дней в неделю.* Прошу прощения, но это непреложный факт. Никаких компромиссов, уступок и исключений не предусмотрено. Шесть дней, не меньше, каждую неделю, с полной отдачей, до самой смерти. И не пытайтесь обмануть себя, заявляя, что это «мужской» закон и к женщинам отношения не имеет. Имеет, может быть, даже, большее, чем к мужчинам. Это правило способно спасти вам жизнь и сделать ее лучше. Так что просто следуйте ему. Ну ладно, допустим, если вам еще нет пятидесяти и вас рвут на части на работе и дома, возможно, нам удастся договориться на четырех или пяти днях. Однако и в этом случае шесть — это оптимально. А уж если вам перевалило за пятьдесят, шесть — это обязательно. К этому времени течение уже достаточно сильно тащит вас, и, чтобы не сесть на мель, вам нужна твердая рука. Я бы даже сформулировал это правило более жестко: «вы должны *интенсивно* заниматься шесть дней в неделю», но Гарри уверяет, что так я только напугаю вас.

Эта книга — не комплекс упражнений для бабушек. Это вообще не комплекс упражнений. И вполне возможно, что «Первое правило Гарри» — не самый главный из дающихся здесь советов. Но это то, с чего нужно начинать. Начните, а все остальное приложится. На самом деле. Следуйте правилу, и результаты не замедлят последовать. А тогда посмотрите по сторонам, и увидите, что Последняя Треть вашей жизни выглядит уже совсем не так.

Расскажу вам историю. У меня была удивительная тетушка, Кэтрин Батлер Хатэуэй, горбатая карлица, которая в 1942 году написала чудесную книгу под названием «Маленький починщик замков» (The Little Locksmith), о волшебстве и превращениях. Она верила в то, что жизнь можно изменить с помощью волшебства, смелости и твердой воли. Потому что ей самой удалось это сделать. У нее на ладони был «остров», волшебная петелька на линии судьбы, магический талисман, который она пронесла через тяжелое детство и юность. И когда ей было уже за тридцать, талисман сработал, и ее жизнь действительно совершенно переменилась. Она уехала в Париж, начала писать книги, влюбилась (что, как она сама говорила, было само собой разумеющимся), вышла замуж и прожила яркую, хоть и короткую, жизнь. Она умерла в пятьдесят лет — боюсь, что в муках, — как раз после того, как закончила писать книгу. Ее ждал оглушительный успех — увы, посмертный.

Книга носит такое название, потому что тетушка Китти сохранила детское воспоминание о слесаре, который в ее родном Салеме, штат Массачусетс, ходил по домам и починял замки. Все *девять лет*, пока она была в прямом смысле прикована к специальной кровати (с закрепленным на голове пятифунтовым грузом), слесарь-замочник был для нее одновременно притягательной и жуткой фигурой. Она терпела все эти мучения ради того, чтобы не стать такой, каким был замочник, — горбатой карлицей. Но все усилия оказались тщетны.

Тетушка Китти часто цитировала старый стишок про то, что «любовь смеется над замочниками». Над ней самой любовь смеялась очень долго… пока она не преобразила сама себя. «Маленький починщик замков» — прекрасная, захватывающая книга, и в нашей семье, само собой, она почитается как подлинное сокровище. Ее переиздают и по сей день; если вы читали ее когда-то, то теперь можете узнать, что девочки — героини книги — это мои сестры, а Люрана — моя мать. Может быть, прочитав книгу, вы поймете, почему мы все так верим в волшебство и преображение. Мы это видели собственными глазами.

А теперь вернемся к делу. *Упражнения — это волшебство.* Я абсолютно серьезен. Они способны дать вам силы, оптимизм, гибкость, необходимые для всего остального в жизни. Это тот самый талисман, который вы сжимаете в ладони, чтобы превратиться из скучного, убогого и замученного создания, каким вы вполне могли бы быть, во что-то совсем иное. Что-то *преображенное.*

Все это может показаться бредом, но это не так. Бреда хватает в нашей с вами жизни — это то самое неумолимое течение, те самые дарвинистские законы, не рассчитанные на жизнь в современном мире; а упражнения — это альтернатива этому бреду, спасение от него. Задумайтесь над этим еще раз. Вот это жуткое течение, возникающее не где-нибудь, а внутри вашего драгоценного организма, исподволь подталкивающее вас к старости, ожирению и слабоумию. Оно уговаривает вас сдаться, начать молоть чепуху, спотыкаться на каждом шагу… пускать слюни и сопли. Хочет выкинуть вас на пустынный берег, где нет никого, кроме чаек и крабов, жадно зарящихся на ваши внутренности. Вот это — безумие. А борьба с этим — самая что ни на есть разумная вещь. Упражнения — разумная вещь. Даже больше. Это волшебство.

Один человек — вероятно, не очень умный — сказал мне, что женщины больше, чем мужчины, склонны полагаться на всякого рода таблетки, микстуры и медицинские приборы в лечении всех без исключения болезней. Ну если так, можете воспринимать упражнения как таблетку, которую нужно принимать раз в сутки; таблетку, вызывающую эйфорию, и которую поэтому следовало бы, наверное, запретить, но пока никто до этого не додумался. Вы должны принимать эту таблетку каждый день, и тогда будете чувствовать себя превосходно. Улучшение наступит сразу же. Неважно, насколько жалкой и разбитой выбудете чувствовать себя вначале. У этого лекарства нет побочных эффектов, разве что положительные. И оно всегда, всегда действует. Вы можете принимать его год за годом, и его действие будет оставаться все таким же сильным, вам не захочется поднимать дозу до опасного уровня. А если вы все-таки почувствуете, что без него уже не способны обходиться, значит, вам повезло. Ну что, нравится?

Если вы хотите смотреть на все чуть более научно, можете воспринимать физкультуру как ежедневные сигналы «роста», которые должен получать ваш организм, чтобы справиться с этим безумным течением. Вы не упражняетесь, вы не тренируетесь, вы просто сообщаете своему телу то, что необходимо ему для того, чтобы быть сильнее, подвижнее, моложе, и делаете это на единственном понятном ему языке. Вы просто не можете этого не делать, потому что больше вам делать нечего.

Мы с Гарри отнюдь не наивны. Мы не думаем, что на этом самом месте вы захлопнете книгу и побежите в спортивный зал. Но все же мы полагаем, что рано или поздно вы это сделаете, поэтому и хотим сказать вам еще кое-что, чтобы вам было легче настроить свой мозг на нужный лад. В последующих главах мы подробно расскажем вам, какие именно упражнения следует выполнять, в каком объеме, как пользоваться *сердечным монитором*, и так далее, и тому подобное — помилуйте, вы еще успеете устать от этих подробностей. Но сейчас забудьте об этом. Сейчас мы просто хотим придать вам начальный импульс, необходимый для перехода к новому, революционному порядку... к колоссальной перемене в вашем образе жизни. Просто рискните прочитать то, что изложено ниже, и не исключено, что уже скоро вам захочется попристальнее взглянуть на товар, который мы рекламируем.

Физкультура, настроение и депрессии

То, о чем идет речь дальше, — удивительная, хотя и не совсем простая вещь. Пока эту информацию нельзя рассматривать как научно достоверную, но уже есть данные о том, что серьезные занятия физкультурой способны *существенно* помочь некоторым людям, страдающим депрессией. Уже никто не спорит с тем, что постоянные, со значительной нагрузкой тренировки способны улучшить эмоциональное состояние: конечно, не сразу, но со временем. Однако, возможно, все обстоит еще лучше. Я занялся изучением этого вопроса после того, как одна знакомая рассказала мне о своей родственнице, которая участвовала в исследовании, посвященном влиянию физических упражнений на лечение депрессии. Судя по результатам этого исследования, физические нагрузки действительно способны помочь. И буквально на той же неделе я получил письмо от еще одной знакомой. На первый взгляд это было обычное письмо поклонницы, но написала его не совсем обычная женщина, и не совсем обычным на деле оказалось и письмо. Оно тоже было посвящено депрессии.

Автор письма — женщина умная, способная и успешная — страдала от депрессии все те двадцать пять лет, что я знал ее и ее супруга. Причем данный случай не был обычной депрессией типа «мне грустно, и все у меня не так». То, что происходило с ней, скорее можно было описать как «у меня камень на сердце, и я неделями не могу встать с постели». Серьезней некуда. Она испробовала самые разные методы — терапевтические, фармацевтические и т. д. и т. п., — и кое-что даже помогало, но лишь отчасти. Постоянного положительного результата добиться не удавалось. А потом она начала серьезно заниматься физкультурой. Что интересно, после прочтения «Моложе с каждым годом». Поэтому-то она мне и написала. В детстве она занималась спортом, но прекратила тренировки в девятнадцать лет, так что для нее теперь возобновление занятий было значительным достижением. (А вот еще небезынтересная деталь: она не стала следовать ни одному из предложенных нами стандартных режимов. Вместо этого она начала ходить по Аппалачской Тропе — известному туристическому маршруту. Просто ходила, как одержимая. И это изменило ее жизнь; а уж потом она занялась велоспортом и всем прочим.) Через пару месяцев и она, и ее муж увидели, что произошел реальный переворот, лучшее, что было с ней за все двадцать пять лет. Они пока не знают, окончателен ли этот результат, но говорят о нем как о «чуде».

Заодно она похудела на двадцать фунтов и выглядит сейчас просто прекрасно, но дело не в этом. Для стороннего наблюдателя она превратилась в совершенно другую женщину. Вчера ее супруг написал мне по электронной почте, что утром она как бы между делом спросила, не хочет ли он быстренько прокатиться миль двадцать на велосипеде перед тем, как идти в церковь. Это совершенно потрясающие, трогающие до слез новости. Год назад такое могло прийти ей в голову с той же вероятностью, как и идея полетать вокруг дома. Полное преображение.

Внимание! Это просто случай из жизни, а не сообщение о новом патентованном медицинском средстве. Если вы страдаете клинической депрессией, ради бога, не отказывайтесь от помощи своего врача и от прописанных лекарств; не надо начинать слоняться по окрестностям, как лунатик; не надо полагать, что я открыл вам секрет чудодейственного средства, способного помочь всем и каждому. Это не так. Я просто рассказал об одном случае, который сам по себе ничего не доказывает. Моя знакомая и сейчас продолжает принимать свои лекарства, без которых, кстати, у нее не было бы необходимой базы для того, чтобы сделать этот последний, решающий шаг. Будьте осторожны!

Но могу дать вам один замечательный и совершенно безопасный совет. К какому бы заключению ни пришли в итоге ученые, физкультурой заниматься все равно стоит. Вреда она не принесет. Если вам не удастся таким способом избавиться от депрессии, ну и ладно. Вы можете продолжать завидовать грешникам в аду, однако ваше физическое здоровье при этом существенно улучшится. Воспринимайте это как непроверенное средство, которое, *по мнению* некоторых людей, помогает при депрессии. Единственное, что *известно* об этом средстве доподлинно, — то, что оно лишено побочных эффектов. По крайней мере отрицательных. Мне кажется, вам должно это понравиться. Так что не отказывайтесь от приема своих таблеток и всего прочего, что прописал вам доктор. Но обязательно поговорите с ним (или с ней) о физкультуре. И попробуйте ею заняться.

Ваша новая работа

Мы призываем вас *не* начинать постепенно. Гораздо лучше порвать с прошлым резко, полностью отдавшись будущему. Если вы уже на пенсии или готовитесь на нее выйти, мы со всей настойчивостью призываем вас воспринимать это как вашу новую работу. Если же пенсия пока маячит достаточно далеко на горизонте, тогда следует считать это делом, имеющим для вас следующее после работы значение. Помните о том, что с возрастом постоянные упражнения должны подниматься в списке ваших приоритетов все выше и выше, потому что течение не ослабевает, а напротив, усиливается. У него тоже есть свои приоритеты, так что вы должны отстаивать свои. Или же вас унесет.

Есть одна вещь, которой учится в жизни практически любой взрослый человек, будь он президент компании или кто-то-там среднего звена: он учится ходить на работу. Не слишком-то и задумываясь, он овладевает этим серьезным умением, которое недоступно детям и наследникам престолов. Он учится каждый день отправляться на работу и выполнять свои обязанности. Эта элементарная привычка — один из самых мощных организующих инструментов в человеческой жизни, и она глубоко укореняется в вашем мозге как на сознательном, так и на подсознательном уровне. Это очень ценная вещь. Теперь давайте научимся применять ее в новой жизни.

Одно из самых важных свойств привычки ходить на работу — ее как бы автоматическое главенство над всеми жизненными приоритетами. Заставить вас хотя бы на время изменить ей может лишь серьезная болезнь или серьезные семейные обстоятельства. Точно так же вы должны относиться к ежедневным физическим упражнениям. Если вы хотите достичь успеха в этой замечательной новой жизни, вы должны установить такой же уровень приоритета для ваших занятий. Это может оказаться нелегко. Некоторым людям сложно признать, что физкультура — это серьезно. Им слегка неудобно заниматься ею, потому что они воспринимают ее как нечто сродни детским забавам. Можем сказать лишь одно: придется преодолеть такое отношение, потому что оно просто глупо. Ни одна другая вещь в Последней Трети вашей жизни не может сравниться по серьезности и значимости с ежедневными упражнениями. Для вас лично, для старины Фреда, для ваших детей, для тех, кто будет ухаживать за вами, если все обернется не лучшим образом. Если они кажутся вам игрой — ну и ладно, играйте на здоровье, вам же просто повезло, что вы можете этим заняться! Однако на самом деле по сути своей это чрезвычайно серьезно, ибо только это не даст вам превратиться в жалкую старую развалину. Что, все еще считаете, что есть кое-что поважнее? Прекратите!

Нам с Гарри постоянно задают вопросы: «А почему именно шесть дней? Что в этом такого важного? А почему нельзя заниматься по три дня? Или по два? Или по одному? Ведь лучше что-то, чем вообще ничего!»

Нет, упрямые вы идиотки! Это не лучше, чем ничего! Ну, или, скажем так, это настолько хуже для человека старше пятидесяти лет, чем упражнения по шесть дней в неделю, что мы не хотим, чтобы вы даже думали о таком. Это выпивает ваши жизненные силы и лишает вас воли. Это то, что выбросит вас на берег. Мы говорим о шести днях, потому что это то, что *должно* быть. И не надо спорить! Вам когда-нибудь приходило в голову сказать начальству, что вы предпочитаете работать два дня в неделю? *Ну попробуйте!*

Вообще-то, дней должно быть семь, а не шесть. Течение работает без выходных, это настоящий удав! Человек, которого душит удав, думает, что тот ослабил хватку, но на самом деле он просто выжидает. Вы выдыхаете… А он сжимает кольца. Вы выдыхаете снова… И он сжимает их еще чуть-чуть. И так, пока вы не умрете. Точно так же ведет себя неумолимое течение. Вы расслабляетесь… А оно уменьшает разрыв между вами и берегом. Так что никаких уступок! Вы должны быть счастливы, что для борьбы с ним достаточно всего лишь часа в день!

Конечно, трудно представить, что я дожил до восьмого десятка, не узнав ничего о человеческих слабостях и о том, что из них следует — о жалобных отговорках. У вас обязательно будут дни, когда вы, вооружившись жалобными отговорками, заявите, что никак не можете заниматься. Ну ладно. Такое действительно случается. Только не стоит думать, что по этому поводу надо менять «Первое правило Гарри». Нет. Правило остается непреложным. И вы должны стремиться вновь начать следовать ему как можно скорее.

Не надо пытаться подстраивать правило под себя. Это бессмысленно.

Подтолкните себя

Лучший способ войти в эту новую жизнь — глубоко вдохнуть, принять твердое решение и, ни о чем больше не задумываясь, прыгнуть. Сделайте это с максимальным драматизмом и помпой. Сообщите об этом всем окружающим. Откройте бутылку ценного вина. Все, что угодно. Потому что это действительно нелегко. Но вместе с тем это самое важное для вас. Так что обеспечьте себе большие шансы на успех, приступив к этому как к по-настоящему большому, радостному и значительному событию. Не стоит говорить себе «Я попробую несколько дней поделать так». Это не сработает. Задумайтесь об этом всерьез и надолго, а потом полностью окунитесь в это на всю оставшуюся жизнь. И тогда ваш путь будет усыпан розами.

Я знаю, что большинству мужчин не приходит в голову переживать из-за подобных вещей, однако, как мне кажется, женщины-то будут думать: «Так, а как же Фред? Захочет ли он заниматься этим со мной?» Разумный вопрос, и могу сказать наверняка, что все это куда веселее (и куда успешнее), если заниматься этим вдвоем. Так что попытайтесь увлечь и его.

Но не ждите его, если он будет тянуть кота за хвост! Он-то на вашем месте и *не подумал бы* подождать вас! А вам на этой важнейшей стадии жизни первым делом надо сосредоточиться на *ваших* потребностях. В вас глубоко укоренилась привычка постоянно задумываться и беспокоиться о детях, о домашних животных… о старине Фреде. Не исключено, что это врожденное женское свойство. Но также верно и то, что, как я уже говорил, у очень большого числа женщин, которым повезло, этот инстинкт с наступлением менопаузы ослабевает. И мы должны признать, что это замечательно. Предложите старине Фреду тоже заняться спасением своей жизни. Подбивайте его присоединиться к вам. Но если он категорически откажется вставать с дивана, туда ему и дорога. Занимайтесь собой. В одиночку.

Вот прекрасная история. За три дня до того, как я сел за эту главу, вернувшись домой, я застал там симпатичную женщину лет пятидесяти, которая раскрашивала новые полки в нашей гостиной, одетая в майку без рукавов. Я представился, и тут она воскликнула: «О, так это вы написали эту книгу! Ваша жена на прошлой неделе дала мне ее почитать, и мне она так понравилась! Особенно та часть, где говорится о том, что можно стареть, но при этом вовсе не обязательно *гнить*!» Она так подчеркнула это слово, словно оно имело для нее особое значение. Потом, когда мы разговорились, она сказала: «Я ушла от мужа восемь месяцев назад, потому что он решил гнить. А я этого не желаю. Я ночи не спала, не могла оторваться от вашей книги. После того как мы расстались с мужем, я уже сбросила сорок фунтов, и не собираюсь на этом останавливаться». Она так радовалась, словно сегодня был праздник. И гордо демонстрировала мне свои трицепсы. Она переживала настоящий эмоциональный *рост*. Ей было пятьдесят с лишним, и она *росла*. Я был в восторге от нее. В ее случае дожидаться старину Фреда не имело смысла.

Так вот, с Фредом или без него, но вы можете отправиться в своеобразное турне в честь открытия новой жизни — путешествие, где вашим основным занятием и целью будет именно физкультура. Например, возьмите вместе с ним отпуск на недельку, — а если он не захочет, возьмите с собой подруг. Такое путешествие в женской компании — замечательная вещь, и в новой стадии вашей жизни оно может оказаться для вас очень значимым. Эти поездки могут стать ежегодной традицией. Отправляйтесь на велосипедах по Новой Англии. Или по штату Огайо. Или по Европе. Место — вопрос лишь денег и ваших личных предпочтений. Если в последнее время вы совсем потеряли форму, то даже для того, чтобы отправиться в такую поездку, вам придется немножко поработать над собой. Но в конечном итоге, какова бы ни была ваша физическая подготовка на начальном этапе, вы можете подобрать подходящий для себя вариант подобного путешествия.

Должно быть, вы уже начали замечать, что одна из посылок, которые мы активно стараемся внедрить в ваш разум, — важность укрепления природной тенденции женщин к обретению силы и независимости в Последней Трети жизни. Подобное путешествие — с подругами или без — может стать немалым шагом вперед по этой солнечной и приятной дороге. Вам должно это понравиться. И это будет для вас очень полезно. Для тела, для разума, для души. Кажется, хорошая мысль?

И не думайте, что все подобные проекты обязательно связаны с дополнительными расходами. Вы можете кататься на велосипеде где-нибудь рядом с домом. Или снять домик где-нибудь на берегу водоема и взять напрокат пару каяков. И вам останется всего лишь заниматься этим по часу каждый день — это и будет прекрасным началом. Можете просто отправиться в пеший или лыжный поход: на мой взгляд, лыжи — это самое замечательное развлечение на свете. Можете, если вам так нравится, отправиться на какой-нибудь спа-курорт… только выбирайте не тот, где основное внимание уделяется всяческим обертываниям и маникюру; вам требуется место с возможностью серьезных занятий и правильного питания. Одним словом, поезжайте. Ради спасения собственной души.

Прекрасно подойдут и горные лыжи. Это увлекательное, с запахом риска занятие, которое может творить чудеса. У меня много знакомых женщин, которые начали заниматься лыжами и теперь от этого в восторге. С подругами, с Фредом или в одиночку, отправляйтесь на запад или в Новую Англию на неделю, две или даже месяц. Именно так я поступил, когда мне исполнилось сорок: провел месяц на горнолыжном курорте, на это время полностью оторвавшись от сумасшедшей жизни практикующего юриста, и научился кататься практически с нуля, в том возрасте, когда большинство людей уже заканчивают этим заниматься. Да, конечно, это можно назвать слегка экстремальным, однако это подарило мне одно из самых больших удовольствий, особенно в пенсионные годы.

Так получилось, что в этой книге часто упоминается лыжный спорт, но это только потому, что мы с Гарри оба увлекаемся этим. Ничего страшного, если вы совершенно не умеете стоять на лыжах, в этом вы похожи на огромное множество других людей. Для меня лыжи — не более чем метафора энергичных тренировок. Тем не менее, если вдруг вам захочется этим заняться, то обучение займет всего лишь несколько недель, неважно, сорок вам или шестьдесят. (Я говорю именно о горных лыжах, а кроссу вы можете научиться и за день.) Если хотите, попробуйте. Вам наверняка понравится, и это станет прекрасным первым шагом на том новом пути, по которому вы будете с удовольствием двигаться на протяжении всей оставшейся жизни.

«Отсутствие ванны — не повод...»

Если случится так, что в ближайшее время у вас не будет возможности отправиться в путешествие, забудьте об этом. Не надо никуда ехать. Просто начните. Это слишком важно для того, чтобы откладывать на потом, так что у вас нет права на отсрочку, даже если вы очень занятой человек.

Прошлым летом в домике на озере в Нью-Гемпшире, где я занимался писательским трудом, я наткнулся на удивительную книгу. Это пособие по физкультуре одного датчанина, изданное в 1905 году, которое когда-то приобрел мой дед. По профессии он был преподавателем английского, однако его страстью был спорт. Книга эта совершенно восхитительна: с вычурными буквицами, фото усатого датчанина в трико и множеством подробнейших рекомендаций по поводу принятия ванн. Автор по каким-то причинам считает ванны чуть ли не панацеей от всех бед. Однако ближе к концу он замечает: «Каждому из вас — сильному и слабому, молодому и старому — я настоятельно рекомендую заняться этими упражнениями, причем лучше не откладывать это на завтра... Даже отсутствие ванны — не повод откладывать дело в долгий ящик: когда получится, тогда приобретете ее, а пока просто растирайтесь мокрым полотенцем».

Так что не увиливайте, если у вас нет времени или средств на путешествие. Просто разотритесь полотенцем — и вперед!

И последнее соображение по поводу стартового путешествия. Оно — лишь прелюдия, а отнюдь не главное событие. Главное — вся остальная ваша жизнь. Возьмите с собой эту книгу. Вы сможете читать ее вслух друг другу по вечерам. И обмениваться идеями по поводу того, чем вы займетесь дома, вернувшись из поездки. Наметьте план. Начертите схему. Запишите свои соображения. Начните вести дневник. Заодно сможете понять, кто из вас двоих — вдохновитель, а кто — проектировщик. Вам нужно делиться обязанностями.

Главное — вернувшись домой, уже быть полностью готовыми к тому, чем собираетесь заниматься дальше.

Запишитесь в спортзал

Очень многие спорят со мной по этому поводу, однако я призываю вас записаться в спортзал. Слава богу, женщины, кажется, относятся к этой идее куда спокойнее, чем мужчины, но все же есть и такие, и их довольно много, кто и думать не хочет об этом. С этим пора кончать. И я не утверждаю, что это очень весело и занимательно: этими качествами занятия в спортзале обладать не обязаны; но только спортзал может придать вашим занятиям необходимую структурированность. Возможно, вы считаете, что занятия на свежем воздухе в десять раз более приятны и полезны, чем занятия в помещении. Все равно запишитесь. На открытом воздухе, знаете ли, бывают и дождливые дни. А еще зима. К тому же, в спортзале у вас будет возможность заниматься в группе с тренером и на тренажерах. Вам просто нужно место, куда вы могли бы ходить, как на работу. Вы можете проводить многие дни, занимаясь физкультурой на улице — катаясь на велосипеде или на лыжах, или просто бегая трусцой. Но наверняка у вас будут и такие дни, когда вам просто придется во что бы то не стало оторвать свою задницу от кровати и пойти в спортзал.

Одна из самых замечательных особенностей занятий в спортзале — то, что там вы будете не одна. А женщинам, как правило, совместная деятельность кажется более привлекательной. Видимо, как раз поэтому в любом спортзале женщин обычно оказывается больше, чем мужчин. Стремление к коллективизму заложено в женщине природой. А заниматься в группе — это очень хорошо. Коллектив не будет давать вам расслабляться, у вас будет, за кем и за чем стремиться, и конечный результат, вероятно, окажется лучшим, чем мог бы быть при индивидуальных занятиях. Именно ради этого животные, а потом и люди объединялись в группы испокон веку: в коллективе любая деятельность становится более приятной и приносит больший результат.

Если вы живете в маленьком городе, где спортзал всего один, то значит, вам и не придется мучиться выбором. Но если место вашего проживания — крупный город вроде Нью-Йорка, Чикаго или Лос-Анджелеса, где спортзалы размещаются едва ли не в каждом квартале, отнеситесь к выбору со всей тщательностью. На что стоит обратить внимание в первую очередь? Вероятно, на цену. Есть места, на оплату занятий в которых вам понадобится богатое наследство: если у вас его нет, не стоит и пытаться изыскивать такие средства. В более скромных местах обычно тоже есть все необходимое. То есть некоторое количество гимнастических снарядов и тренажеров, а также удобное чистое помещение для занятий.

Но не забывайте, занятия физкультурой теперь самое главное в вашей жизни. Принимая решение, где заниматься, имейте это в виду. Не выбирайте то, что вам самому не нравится, исключительно из соображений экономии. Все равно вы очень скоро уйдете оттуда. Очень большое значение имеет и близость к дому. Добраться до спортзала — это уже больше, чем полдела, для вас. Но это не единственное соображение, которое стоит принимать во внимание. В таких местах существует своя особая атмосфера, как в офисах или колледжах, и крайне важно выбрать такой зал, где вы будете чувствовать себя уютно. В Нью-Йорке, совсем рядом с моим домом, есть прекрасный спортзал, но по каким-то причинам там собирается крайне неприятное и мрачное общество. Лучше прогуляться чуть подальше и найти место повеселее. Лично я предпочитаю такие залы, куда ходят люди разных возрастов и интересов, с небольшим преобладанием молодых и озорных. Но это лично мой выбор. За себя должны решать вы.

Мы с Хилари некоторое время назад нашли зал, куда ходят исключительно молодые люди до сорока. Все там совершенно замечательно, но, честно говоря, хоть я и в приличной для своих лет форме, поначалу я чувствовал себя несколько неловко в раздевалке в окружении молодых мускулистых парней. Человек в возрасте больше среднего всегда будет испытывать нечто подобное в такой ситуации. Я преодолел в себе это, однако все равно считаю, что лучшее место для занятий в пожилом возрасте — такое, где преобладает молодежь, однако есть и люди одной с вами возрастной группы. Мне, конечно, найти такое нелегко, потому что я все-таки уже слишком стар, однако я очень надеюсь, что благодаря нашей книге у меня появятся товарищи-ровесники.

Но даже если вы выглядите совершенно ужасно и просто не можете показаться там, где вас будут окружать молодые спортсмены… это вас не оправдывает! Есть множество спортклубов и залов, где более благосклонны к пожилым людям, и множество возможностей заниматься с личным тренером, если, конечно, вы можете себе это позволить. Лично я смог преодолеть в себе эту неловкость и пойти в общий зал, но о вкусах не спорят. Главное — *пойти.*

Об этом мы еще поговорим отдельно, но я все же упомяну о том, что имеет смысл нанять личного инструктора. Выбирайте для этой роли человека, который был бы вам симпатичен и тем не менее спрашивал бы с вас без всяких поблажек. Моя подруга Тина утверждает, что это — самое главное. Они с мужем нашли в Колорадо инструктора-женщину, отвечающую этим требованиям, в прошлом — спортсменку-троеборку. «Она жестка, логична и задорна, — говорит Тина. — Мне *хочется* хорошо работать для нее, и мне приятна ее похвала. У каждой женщины в жизни должен быть *кто-то* — подруга, тренер, кто угодно, — кто мог бы заставить ее *трудиться* по-настоящему». Тина отмечает, что очень многие ее знакомые с наступлением менопаузы или с выходом на пенсию резко перестают напрягаться и прилагать к чему-то усилия, словно принимая как данность, что теперь их удел — слабость и беспомощность. А это как раз то, чего *делать нельзя.* Возраст и физиологические изменения в организме не дают вам права на бездеятельность. Не имеет смысла на пятнадцать минут вставать на беговую дорожку или просто прогуливаться в парке и называть это физкультурой. Занимайтесь всерьез, прошу вас! Иначе ничего не выйдет. *Пожалуйста*, не обманывайте себя!

Но если вы только начинаете, не нужно считать, что перед вами лишь две крайние альтернативы: становиться спортсменкой-маньячкой или не делать вообще ничего. Подумайте, откуда вам удобнее начать движение. Может быть, вы захотите найти для себя спортклуб, где занимаются одни женщины. Моя самая младшая из сестер, Пети, — умница и красавица, которой исполнилось восемьдесят, — утверждает, что это самый лучший вариант.

А еще важнее, чем возрастной и половой состав ваших партнеров по спортзалу, — это дух, господствующий в нем. Постарайтесь понять, насколько по-доброму относятся друг к другу инструкторы и прочий персонал. В зале должна быть дружеская обстановка. Вам и так будет достаточно трудно заставлять себя ходить туда, а если вас будут окружать неприятные люди, это станет попросту невозможным. Ну и, само собой, выбранный вами зал или клуб должен предоставлять все условия для тех занятий, которые вас заинтересовали. Велотренажеры, йога, ручной мяч, сквош, плавание — словом, любые виды тренировок должны обеспечиваться всем необходимым и отвечать вашим запросам.

Так что, если у вас есть выбор, сделайте его со всей ответственностью. И не забывайте, что в большинстве клубов вас будут заставлять сразу заплатить вперед достаточно большую сумму за несколько месяцев, так что внимательно читайте мелкий шрифт. Особое замечание для пенсионеров: если вы намереваетесь уезжать из города на несколько месяцев в году, в которые, соответственно, не сможете посещать ваш зал, узнайте сразу же, сохранится ли за вами ваше место. И последнее: посмотрите, чисто ли в туалете и хорошие ли у них полотенца. Полотенца — это очень важная вещь!

Важный совет: попробуйте заниматься в группе

Лично я открыл для себя, что занятия в группах способны служить превосходным мотивирующим фактором. Опять же не хочу сказать, что это подходит всем, но лично я нашел, что мне больше всего нравятся занятия на велотренажерах — когда группа сумасшедших на привинченных к полу велосипедах лихорадочно крутит педали под громкую музыку и понукания тренера. Как ни странно, очень многие женщины любят такие занятия. Это не для вас? Тогда выберите что-нибудь другое — например, степ или аэробику. Выберите то, что лучше всего подходит для вас. Один из превосходных вариантов, особенно для женщин — это занятия йогой. В ней есть что-то, что женщины понимают в большинстве своем лучше мужчин. Но польза от нее будет только в том случае, если вы не попадетесь в руки к какой-нибудь молоденькой садистке-инструктору, которая понятия не имеет о том, что такое быть старше сорока, и может по недомыслию причинить вам травму. Но при разумном подходе йога — это замечательно. Рассмотрите этот вариант. Именно в группе йоги вы можете увидеть самые красивые тела — и женские, и мужские. И возраст здесь не имеет значения. Это действует на всех. Хороши также занятия пилатесом. Некоторые из наших очень близких (и очень спортивных) друзей просто обожают пилатес.

Так что попробуйте позаниматься в группе — йогой, пилатесом или чем-нибудь еще. Такие занятия имеют ряд серьезных преимуществ: во-первых, они проходят в строго определенное время, что дисциплинирует. Во-вторых, записавшись в группу, вы не будете испытывать такого большого искушения бросить занятия, как если бы занимались в одиночку. Так что узнайте, какие групповые занятия предлагает избранный вами спортивный клуб. Вы наверняка сможете выбрать что-нибудь особо симпатичное для себя. Постепенно, я думаю, у вас выработается стойкая привычка к занятиям, которую будет поддерживать четкая структура групповых тренировок и приятное место их проведения.

Второй совет: выберите подходящее «рабочее время»

Одно из замечательных преимуществ моей жизни, лишенной регулярной работы, — в том, что я могу заниматься в любое удобное для меня время. Но знаете что? Работаете вы или нет, но заниматься физкультурой гораздо легче, если у вас есть четкий график. Определенное время, в которое вы будете переодеваться и отправляться в спортзал. Или на велосипедную дорожку. Или в бассейн. В одно и то же время каждый день, чтобы вам не пришлось каждый день принимать новое решение. Мне самым лучшим кажется раннее утро. Все равно я просыпаюсь рано, потому что это свойство моего возраста. В шесть утра я выбираюсь из кровати и направляюсь на занятия. Попробуйте тоже.

Гарри может работать до упаду, но только не рано по утрам. Но его можно извинить — он ведет очень насыщенную жизнь, и она протекает по весьма строгому графику. Для некоторых людей больше подходит в качестве времени для занятий спортом середина дня. Очень даже неплохо заменить этим плотный жирный обед. В общем, вы должны выбрать время, а какое именно — это уже не так важно. Но мне все же кажется, что для людей пожилых раннее утро — наилучший выбор. Вряд ли у вас хватит душевных сил на то, чтобы каждый раз заново принимать решение и идти в спортзал. А если вы установите для себя строгий график, то быстро привыкнете к нему, и делать это будет значительно легче. Вы должны довести этот процесс до автоматизма, иначе вас ждет неудача.

Третий совет: удовлетворите свою страсть

Если у вас есть какой-нибудь любимый вид спорта (большинство людей не такие счастливчики), обязательно сделайте его центром ваших занятий. Например, аэробика, бег, лыжи, плавание… неважно. Но даже если такой особой страсти у вас нет, выберите что-то одно, сосредоточьтесь на этом и попробуйте почувствовать его увлекательность. Не упускайте ни единого шанса проникнуться чем-то и максимально приблизить это к тому, что вам по-настоящему нравится.

Лично мне повезло — мне сейчас нравятся самые разные виды спорта (что достаточно смешно, если знать, насколько неспортивным я был в детстве). Мне нравятся горные лыжи, велоспорт, гребля и парусный спорт, а также виндсерфинг и еще куча всего. Когда я сижу на ненавистном тренажере, до потемнения в глазах выжимая эту проклятую гору железок, я думаю о склонах Аспена или горных тропинках Стоу. Да, сейчас я как будто в аду, но награда обязательно ждет меня на этих милых моему сердцу холмах. В любом случае, усилия всегда окупаются. Могу вам сообщить, если вы еще не знаете: серьезные занятия аэробикой или тренировками с весом в корне улучшат ваши способности ко всем остальным видам спорта. И эта мысль вполне может заставить вас продолжать.

То же самое и с велотренажерами. Я сижу в полутемном помещении в окружении таких же ненормальных людей, крутящих педали на одном месте, и под современную музыку, от которой у меня раскалывается голова, до изнеможения вращаю и вращаю ногами. Но перед моим мысленным взором расстилается дорога в сосновом лесу, среди утесов у озерного побережья в Нью-Гемпшире, ведущая меня к прекрасным вершинам. И я начинаю получать удовольствие. Это заставляет меня не бросать свои занятия. Если у вас есть страсть, трудитесь над тем, чтобы иметь возможность ее удовлетворить.

Вы наверняка еще хотите спросить, насколько серьезными должны быть эти «серьезные» занятия? Пока достаточно просто сказать, что, за исключением первых нескольких дней, вы должны заниматься достаточно усиленно для того, чтобы не позволить удаву сжимать кольца. Вы должны серьезно потеть. Вы должны серьезно напрягаться. Вы должны чувствовать, что ваше тело затрачивает серьезные усилия. Недостаточно простой прогулки, раунда в гольф или часа работы в саду. Более подробные детали пока не должны вас волновать. Просто поймите, что для того, чтобы укрепить якорную цепь, удерживающую вас под напором течения, вы должны забыть о комфорте и трудиться всерьез.

Самые лучшие люди ненавидят тренировки

Есть люди, которые очень нравятся нам с Гарри, но которые при этом ненавидят физкультуру и все, что с ней связано. Это мужчины и женщины, которые больше живут тем, что происходит у них в голове. Книгочеи, оторванные от мира профессионалы, художники, садоводы... Люди, которые любят поесть, выпить и поговорить. Или просто почитать книгу в тишине и одиночестве. Они ненавидят спорт, ненавидят физические нагрузки, в детстве они ненавидели школу именно из-за того, что там тоже надо было заниматься физкультурой. А еще они ненавидят таких, как мы, потому что мы все время пытаемся доказать им, как все это замечательно. И меняться они совершенно не собираются.

Но нам действительно нравятся эти люди, и мы просто призываем их хотя бы ненадолго оторваться от своих «умственных» упражнений и послушать то, что мы хотим сказать. На самом деле ничего не происходит исключительно «в голове». Мозг и тело — это единое целое, в точности так, как говорили старые добрые римляне. В здоровом теле здоровый дух... или как оно там?

И вообще, с дарвинистской точки зрения, каждый из нас — спортсмен. И совершенно неважно, что в школе у вас были тоненькие слабенькие ручки, что ваша координация движений оставляет желать лучшего и что вы предпочитаете чтение всему остальному на свете. Все равно вы созданы быть охотником. В группе. И игнорирование этого факта грозит вам всяческими опасностями. Если вы и не любите упражнения, вы все равно должны их делать. Ради вашего сердца, ради вашего ума, ради вашей бессмертной души. И ради нас. Нам нужно ваше общество.

ГЛАВА 5

Биология роста и распада: что таится в ночи

В биологическом смысле не существует таких вещей, как пенсия или даже старение. Есть только рост и распад, и ваш организм ждет вашего выбора: что вы предпочтете? Мы подумали, что вам будет проще сделать сознательный выбор, если мы поделимся с вами кое-какой информацией о биологии старения, которая уже известна нам. Если вдруг в какой-то момент вы почувствуете, что несколько запутались, достаточно будет вспомнить лишь то, что мы говорим просто о росте и распаде. Вернитесь к этой основной посылке, и все наверняка снова станет на свои места.

Возможно, вы воспринимаете свое тело как некий предмет вроде Эмпайр-Стейт-билдинг или автомобиля, но это некорректное представление. Тело состоит из различных тканей — мышечной, соединительной, жировой и так далее, — каждая из которых со временем разрушается и требует постоянного обновления. Например, клетки в мышце вашего бедра постоянно, одна за одной, заменяются на новые; этот процесс идет днем и ночью, и на то, чтобы заменились все клетки определенной мышцы, уходит примерно четыре месяца. Задумайтесь: трижды в год вы получаете совершенно новые мышцы! Та самая нога, которая, как вы считали всегда, поддерживает ваше тело с самого детства, на самом деле уже совсем не та, что была прошлым летом. Клетки крови обновляются каждые три месяца, а тромбоциты еще чаще — каждые десять дней; костная ткань — каждые два года. А вкусовые сосочки на языке заменяются на новые каждые сутки!

И это не пассивный процесс. Вы не просто ждете, пока у вас что-нибудь «отвалится» и заменится на новое. Ваш организм сам, специально, уничтожает выработавшую свой ресурс часть и заменяет ее новой.

Остановитесь на минуту, потому что это совершенно новая для вас концепция. Сейчас биологи считают, что клетки человеческого тела в подавляющем большинстве своем рассчитаны на то, чтобы разрушаться после достаточно короткого жизненного цикла, отчасти для того, чтобы дать организму возможность быстрее приспосабливаться к вероятным изменениям среды обитания, отчасти для того, чтобы пресекать существование клеток до того, как они приобретут тенденцию к злокачественному разрастанию — а такое им свойственно, если они не будут уничтожены вовремя. В результате ваш организм постоянно разрушает сам себя. Специально! Вы сами «выбрасываете на помойку» фрагменты своего замечательного тела, чтобы они могли замениться новыми, еще более замечательными. Основная функция вашей селезенки, например, — разрушение клеток крови. А в костной ткани существует целая армия «мусорщиков», разрушающая клетки кости, чтобы на их месте могли вырасти новые. Это почти то же самое, что осенняя обрезка деревьев, которая дает возможность по весне сформироваться новой кроне.

Хитрость, разумеется, в том, чтобы рост преобладал над распадом, и именно для этого и нужны постоянные упражнения. Оказывается, именно в нашей мускулатуре происходят биохимические процессы, необходимые для того, чтобы контролировать рост всех без исключения тканей вашего организма. Нервный импульс, заставляющий мышцу сокращаться, в то же самое время посылает и сигнал к ее восстановлению, поддерживая правильный баланс между ростом и распадом в мышечной ткани. Затем эти сигналы рассылаются дальше по организму. Если сигналы роста преобладают, тело начинает наращивать мышцы, в том числе и сердечную, клетки стенок сосудов, связок, костей, суставов, и так далее.

Итак, именно физические нагрузки служат основной сигнальной системой, включающейся всякий раз, как вы приступаете к упражнениям. Именно благодаря этой системе запускается процесс укрепления и восстановления всего опорно-двигательного аппарата. А это, в свою очередь, служит основой для «правильной» биохимии мозга. Вот путь к тому самому омоложению, которое мы обещаем вам; вот что гарантирует вам укрепление иммунитета, здоровый сон, потерю лишних килограммов, нормальный уровень инсулина и протекание всех зависящих от него процессов, прекрасную потенцию, а также существенное снижение риска сердечных приступов, инсультов, гипертонии, болезни Альцгеймера, артрита, диабета, повышенного уровня холестерина и депрессии. Да-да, все это происходит именно благодаря физическим нагрузкам! Стоит вам расслабиться и дать своим мышцам прозябать в безделье, как процессы распада тут же возьмут верх.

Упражнения — это здоровый стресс

При действительно интенсивных тренировках ваши мышцы расходуют свой энергетический запас и фактически даже испытывают минимальные травматические изменения. Но стресс, который вы переносите, занимаясь, — это здоровый стресс, так как он способствует разрушению тканей, необходимому для того, чтобы восстановление шло несколько более ускоренными темпами. Вы понемногу уничтожаете отработанный материал, а на его месте формируется новый, и этот процесс требует постоянной тонкой подстройки. Это непрерывное разрушение и восстановление физиологи называют *адаптивными микротравмами*, и оно крайне важно для роста и сохранения здоровья вашего организма. Получая такие микротравмы, организм воспринимает их как сигнал к восстановлению разрушенных фрагментов, но это, оказывается, еще не все! В результате этого процесса ваша мускулатура с каждым днем становится чуть сильнее и выносливее, с каждым днем может накапливать чуть больше энергии, в нее проникает чуть больше кровеносных капилляров. И вы с каждым днем становитесь чуть моложе.

Вот как это происходит на практике: энзимы и белки из испытывающих нагрузку мышц проникают в кровь, где запускается очень важная для организма реакция воспаления. К этому очагу в большом количестве начинают собираться отовсюду белые кровяные тельца, задачей которых является разрушение и удаление из организма всей «грязи» и «мусора». Это та самая бригада рабочих, которых вы первым делом зовете, затеяв перестройку дома. Парни с кувалдами, ломами, тачками и носилками, которые срывают слои старой краски и обоев и ломают ненужные стены, чтобы обнажить здоровую основу строения.

Белые кровяные тельца — часть иммунной системы, и исходя из этого вы можете решить, что их основной функцией является защита от внешних инфекций. Это верно лишь отчасти, так как иммунная система выполняет и другую, не менее важную, функцию в организме — разрушает его собственные элементы, давая возможность заменить их новыми. Белые кровяные тельца — это клетки-убийцы, запрограммированные на уничтожение бактерий, вирусов и раковых клеток путем их растворения. Однако тем же самым механизмом они пользуются для того, чтобы разрушать и растворять миллионы клеток, ежедневно завершающих свой жизненный цикл в организме.

Кратковременный стресс во время занятий физкультурой гарантирует правильное течение этого процесса. Как только происходит разрушение, ему на смену приходит восстановление и рост. Это свойство здорового организма. Именно разрушение, распад служит спусковым механизмом для восстановительных «работ». Как только бригада разрушителей заканчивает работу, их место занимают водопроводчики, электрики и плотники. Они тянут новые трубы и новые провода, возводят новые перегородки там, где это необходимо, и заново укрепляют, наращивают и отделывают сохранившиеся в неприкосновенности несущие конструкции.

Из всего вышеизложенного вы должны усвоить всего два основных положения. Первое: сигналом к росту служит распад. И второе:

упражнения вызывают воспалительный процесс, а он автоматически переходит в стадию восстановления тканей. Вредным для организма может стать лишь чрезмерно затянувшееся воспаление, но в норме оно прекращается как раз тогда, когда необходимо запустить восстановление. Все эти процессы — воспаление и восстановление, разрушение и строительство, распад и рост — соединены в организме в один беспрерывный автоматический круговорот.

Трудная задача, стоящая перед организмом любого из нас, — так регулировать этот круговорот, чтобы между распадом и ростом сохранялся здоровый баланс. При кратковременном стрессе распад ведет лишь к дальнейшему росту. Но если стресс становится хроническим, распад начинает преобладать. Биохимическая основа этого циклического механизма возникла в природе задолго до того, как человек получил свой восхитительный мозг, и она без особых изменений функционирует у всех без исключения живых существ миллионы и миллионы лет. Правильная доза воспаления автоматически запускает рост. Но недостаточное, или, напротив, избыточное, воспаление блокирует процессы роста и оставляет на нашу долю лишь распад.

Приглядитесь получше: вестники перемен

В человеческом организме имеется два суперскоростных информационных канала: это нервная и сердечно-сосудистая системы. Да, возможно, вы раньше этого не знали, но наша кровь также является переносчиком информации. Ее плазма — это живая река сложнейшего состава, тысячи различных химических соединений которой, в том числе белки, являются сигналами и регуляторами практически для всего, что происходит в нас и с нами — роста и распада, эмоционального фона и иммунитета, борьбы со злокачественными образованиями и с излишками жира, потенции и подвижности… Все эти и огромное множество других самых разнообразных событий имеют в своей основе все тот же циклический механизм воспаления и восстановления.

И теперь у нас есть возможность присмотреться к нему попристальнее. Когда клетки чувствуют нагрузку и травмируются, скажем, при физических упражнениях, в них сразу же высвобождаются соединения, запускающие воспалительный процесс, и, таким образом, готовящие место для восстановительных работ. Часть из этих соединений просачивается и в кровяное русло, и именно это небольшое количество молекул привлекает к нужному месту белые кровяные тельца, почти так же, как небольшое количество попавшей в воду крови привлекает к месту катастрофы акул. После того как стадия разрушения и уничтожения в процессе воспаления завершается, белые кровяные тельца уходят с арены, оставляя за собой чистую свежую основу, приготовленную для следующего этапа — собственно «строительных работ», то есть восстановления и роста. Именно эти биохимические процессы являются краеугольным камнем для той самой новой биологической науки, о которой мы говорим в этой книге, так что давайте слегка углубимся в детали. Белки, контролирующие воспаление, называются цитокинами, и именно они занимают главенствующее положение в любых регуляторных реакциях организма. Цитокины — это молекулы-посланники. Они могут открывать или блокировать практически все метаболические пути в тканях и клетках. Каждая ткань имеет свой набор специфических цитокинов, но все они способны контактировать друг с другом, обмениваясь информацией для того, чтобы держать в равновесии все процессы роста и распада в организме.

Одновременно в нем ведут свою работу сотни, а может быть, и тысячи, различных цитокинов, осуществляя регуляцию и контроль на всех уровнях, вплоть до самого микроскопического. Однако для целей этой книги будет удобнее представить, что у нас есть всего два типа цитокинов, два основных химических соединения, контролирующих соответственно рост и распад во всех тканях тела. Это, конечно, большое упрощение, однако оно не искажает главных фактов, которые нас интересуют. Мы будем называть эти два цитокина цитокин-6 и цитокин-10 по аналогии с интерлейкинами 6 и 10, которые контролируют процессы роста и распада в мышечной ткани.

Цитокин-6, или, для краткости, С-6 — основное соединение, участвующее в процессе воспаления (распада), а цитокин-10, или просто С-10 — это основное вещество реакций роста и восстановления. С-6 синтезируется как в самих мышечных клетках, так и в крови, в ответ на физические нагрузки, а С-10, в свою очередь, возникает в ответ на появление С-6. Именно благодаря этому чудесному механизму существует и функционирует непрерывный цикл распада — роста в организме. Появление С-6 *запускает* синтез С-10. Распад запускает рост.

Теперь, в свете всей этой информации, давайте по-новому взглянем на влияние упражнений на человеческий организм в целом. У каждого из нас в теле примерно 660 мышц, которые составляют около половины массы тела, исключая жировые запасы. Эти примерно 35–45 кг мышц являются огромным резервуаром С-6 и С-10, хранилищем потенциальной молодости, которая может вернуться к вам, если вы сыграете в этом свою сознательную роль. Упражнения ведут к восстановлению клеток и тканей, обновлению организма и общему росту благодаря производству С-6. При любых физических нагрузках выработка С-6 растет в логарифмической пропорции по отношению к их длительности и интенсивности. У марафонцев к концу забега уровень С-6 в организме возрастает в сотни раз. Это *автоматический* механизм регуляции и коррекции степени воспаления и последующего роста. Иными словами, выработанное во время нагрузки количество С-6 определяет количество С-10, которое выработается в ответ позднее.

С-10 — это волшебный ключик к той двери, за которой вас ждет новая молодость. Но описать простыми словами для неспециалистов процессы роста достаточно трудно. Сущность разрушения объяснить гораздо проще, потому что, хотя и в нем есть важные тонкие моменты — ведь разрушая дом, вы будете следить за тем, чтобы не задеть, например, газовую трубу, — в целом это в большей степени грубая физическая работа мужиков с кувалдами и тачками. А в процессах роста участвует много специалистов, каждый из которых выполняет свою тонкую работу, но вся эта работа контролируется С-10. Мы не будем углубляться здесь в подробности, нет никакого смысла морочить вам голову сложными частными моментами, однако эффект С-10 вы будете ощущать на себе постоянно в процессе построения более сильного, более здорового и более молодого организма. Главное, что вам нужно понять, — это то, что воспроизводство С-10 автоматически запускается наличием С-6. Воспаление контролирует рост, это и есть главная идея. Пик содержания в тканях С-6 наблюдается как раз по окончании марафонского забега, и в это самое время запускается производство цитокинов восстановления. Их содержание в тканях достигает максимума примерно через час после максимума С-6 и сохраняется на высоком уровне еще долгие часы после прекращения нагрузок, производя восстановительные работы в вашем теле.

Во время отдыха лишь 20% крови протекает через мышцы; у тренированного спортсмена во время нагрузок этот уровень возрастает до 80%. Только представьте себе: потоки, реки крови во время тренировок омывают ваши мышцы, неся с собой цитокины — послания воспаления и восстановления, роста и оздоровления, разнося их по всем уголкам вашего организма. От макушки до пяток, от сердца до предстательной железы, от пальцев рук до коленных суставов. Каждая связка, каждая косточка, каждый участок вашего уникального мозга получают настоящую ванну из С-6, а вслед за ней — целый бассейн С-10, этого волшебного эликсира омоложения. Вот это и есть правильный баланс, правильный распад, ведущий к росту.

Не давайте музыке умолкнуть

Вот что важно: не любой распад полезен, и наличие цитокина-6 не всегда означает наличие цитокина-10. При сидячем образе жизни дьявол находит работу для скучающих мышц. Возникает постоянное тихое воспаление, *недостаточное для запуска синтеза С-10.* Усиленный рост может начаться лишь после резкого выброса С-6, связанного со значительными физическими нагрузками.

Помните былые дни, когда вы засыпали с включенным проигрывателем, и просыпались среди ночи под бесконечное вращение иглы в конце дорожки? И слышали слабое шипение, заполняющее тишину? Шипение на самой грани слышимости, однако все-таки явственное? Это работа С-6, не прекращающееся в ночной тишине вращение и шипение. Постоянный, хоть и слабый, ток распада ко всем клеточкам вашего тела. Никакого С-10, никакого восстановления, никакого роста, только распад и разрушение. Шипение во тьме.

Еще одно печальное обстоятельство: с возрастом фоновый уровень производства С-6 растет вне зависимости от того, чем вы занимаетесь. Пыль накапливается в складках. Грустно, но факт. Течение постепенно усиливается. Все громче шипение в ночи.

Ваш мозг, естественно, также не остается от этого в стороне. Хронический эмоциональный стресс приводит к фоновому высвобождению С-6. Одиночество, скука, апатия, нервозность — и шипение в ночи. Вы можете воспрепятствовать этому, поддерживая себя в форме, не давая себе времени скучать. Крайне важно быть молодым и здоровым не только физически, но и эмоционально, но пока давайте сосредоточимся только на физической стороне дела. Выполняя упражнения, вы создаете достаточно высокий уровень С-6, который способен запустить производство С-10. Вы запускаете музыку роста. Это не так уж и сложно, просто необходимо делать это каждый день. Занимайтесь ежедневно по крайней мере так, чтобы основательно взмокнуть, и вам гарантирована непрерывность циклического синтеза С-6 и С-10, следовательно, здоровый круговорот распада и восстановления. Вы сможете ездить по горам на велосипеде в восемьдесят, скатываться на лыжах с головокружительных склонов в семьдесят или обгонять на беговой дорожке собственных детей в пятьдесят, а главное — ваш организм, вы сами в целом станете здоровее, спокойнее, оптимистичнее. Почему? Потому что после каждого цикла нагрузок ваш организм будет омываться потоком омолаживающего С-10.

Наша схема реакций С-6 и С-10 — всего лишь упрощенное изображение водопада химических процессов с участием сотен различных белков, связанных такой сложной паутиной взаимодействий, что ее детали не до конца ясны еще и специалистам-биохимикам. В них можно углубляться до бесконечности: например, клеточные биологи могут вам сказать, что воспаление лишь вычищает мусор, оставшийся от процессов запрограммированной эрозии. Однако на то, чтобы постичь все детали, у вас может уйти лет пятьдесят, поэтому давайте остановимся на С-6 и С-10, тем более что для наших целей их вполне хватит.

Стресс в саванне

В ответ на стресс, как физический, так и эмоциональный, примитивная, «животная» часть нашего мозга выбрасывает в кровь большое количество веществ, запускающих реакции типа «драться или бежать». Когда из кустов неожиданно выпрыгивает лев, адреналин разносится кровью по всем уголкам тела. Выброс адреналина вызывает также и выброс белков семейства С-6 и сотен других веществ, которые мгновенно изменяют уровень и качество активности практически всех систем органов. Происходит два процесса. Во-первых, все скрытые ресурсы организма — ресурсы выносливости, качества зрения, концентрации мысли — резко подпрыгивают до максимального уровня. Но более интересно то, что в то же самое время все функции, не являющиеся жизненно необходимыми в данный момент, резко падают, чтобы дать организму возможность не отвлекаться ни на что лишнее в момент опасности. Деятельность желудка, кишечника и почек резко замедляется. Печень перестает выполнять функцию очистки крови и резко выбрасывает в кровеносное русло весь свой запас сахара, чтобы повысить выносливость организма. Иммунная система прекращает всю фоновую активность (например, контроль над возникновением злокачественных образований) и мобилизуется для борьбы с возможными тяжелыми травмами. Головной мозг прекращает долгие раздумья, долговременное запоминание и другие высшие когнитивные процессы и концентрируется лишь на настоящем моменте. Приостанавливается наращивание мышечной, костной, соединительной тканей. Короче говоря, в любой ситуации, связанной с непосредственным риском для жизни, вся энергия, все функции переключаются с долговременных задач на сиюминутное спасение.

В природе подобный стресс вызывает положительный эффект, превосходящий возможные негативные последствия (иными словами, выброс С-6 вызывает относительно больший выброс С-10).

Поэтому, пережив стресс, вы становитесь более сильным, быстрым, сообразительным и внимательным.

В природе ситуации на грани жизни и смерти продолжаются лишь несколько секунд. Лев либо почти сразу же хватает антилопу, либо, не поймав сразу, быстро отказывается от преследования. Спустя полминуты антилопа либо мертва, либо свободна. Неважно, кто вы в этом сценарии, — и у антилопы, и у льва химия стресса одинакова. Однако на минуту все же представьте себя антилопой. Пока вам удается убегать от хищников, стресс оказывает положительное влияние. Испытывая шок, ваш организм усваивает, что вокруг существуют хищники, поэтому важно оставаться быстрым и сильным; так что, когда концентрация адреналина в крови вновь падает и в силу вступает обычный цикл роста и восстановления, процессы начинают идти интенсивнее и стабильнее. То же самое, однако, верно и для льва. Он вынужден набрасываться на антилоп раз по десять в день, и чаще остается голодным, но адреналин, поступающий в кровь при неудачном преследовании, сообщает организму, что нужно становиться быстрее и сильнее.

Нашему телу эта ситуация *нравится*. Оно жаждет скоростных бросков, долгих переходов, преследования добычи и странствий. Оно стремится к существованию, в котором многочисленные опасности соседствуют с невысоким в целом уровнем повседневного стресса, существованию, в котором есть место взрывам восторга и постоянному здоровому ощущению готовности к броску. Когда каждый день несет что-то новое. Где тело со здоровой периодичностью испытывает замечательный приток адреналина и С-10.

Однако подобное положительное послание для организма — становиться все время немного лучше, немного сильнее — требует ежедневных биохимических изменений. Это биохимия добывания пищи, биохимия охоты, биохимия преследования или убегания. Это *ежедневные* процессы, ежедневные ритмы, которые приводят к кумулятивному накоплению положительного эффекта данного послания. В любой из дней, когда стресс приводит к повышению синтеза С-10, ваш организм растет и обновляется.

А теперь пришло время взглянуть на стрессы нашей современной «продвинутой» жизни. Ежедневные биохимические «качели», которые были так полезны нашим предкам в саванне, оказываются нам недоступны. Отсутствие физических нагрузок, климат-контроль, чрезмерное питание, искусственное освещение. И все-таки самое главное — именно отсутствие физических нагрузок. И что же нам остается? Мы часами толкаемся в пробках, мы испытываем постоянный стресс на рабочем месте. После выхода на пенсию мы оказываемся в глубоком жизненном кризисе. Иначе говоря, мы постоянно только и делаем, что убегаем ото львов, нам некогда мирно щипать травку. В результате мы имеем абсолютно новую, не существующую в природе, биохимию хронического стресса.

На самом деле у животных в естественных условиях все же встречается хронический стресс — в результате таких изменений среды, как засуха, бескормица или зима, когда уровень синтеза С-6 постоянно высок, а С-10 практически полностью отсутствует. Именно такая ситуация, когда наш организм получает лишь постоянные послания распада, создается и в нашей современной жизни. Действительно, исследования выявили, что у среднестатистического современного «цивилизованного» человека уровень в организме таких соединений, как кортизол, адреналин и тестостерон, сходен с тем, что имеется у человека, переживающего истощение, депрессию, войну, постоянные унижения, послетравматический стресс, хроническую болезнь или иные подобные ситуации, в которых его постоянно окружает *опасная* среда.

В условиях хронического стресса сегодняшнего существования в организме преобладает биохимия воспаления, при этом процессы обновления так и не запускаются. Распад становится неизбежным для вашего тела, сама ваша кровь служит источником воспаления, будучи перенасыщена С-6 и передавая этот сигнал всем тканям и органам. И я не случайно сказал, что такой тип стресса абсолютно неизвестен дикой природе. Он отличается от того стресса, который испытывает живое существо в природе в период двухмесячной засухи или четырехмесячной зимы. Это хронический стресс десятилетий эмоционального напряжения, недостатка физической активности, лишнего веса и замкнутости. Течение тащит вас на мель. Не смолкает в ночи тихое шипенье.

Вы можете взять ситуацию в свои руки. Ежедневные многочасовые поездки, одиночество, апатия, злоупотребление алкоголем, телевидение — все это факторы, запускающие воспалительную часть цикла. Однако ежедневные тренировки, радость, общение, интерес к жизни, к работе, положительные эмоции способны замкнуть кольцо, включив следующую фазу — жизненно важное обновление. Именно поэтому уровни смертности у активных и малоподвижных женщин различаются в пять раз.

Только факты: как умирают женщины

Представьте, что вы сидите в ресторане, и тут человек за соседним столиком вдруг падает на пол с сердечным приступом. Вы вызываете «скорую» и тут же начинаете оказывать ему первую помощь, но безуспешно. Санитары накрывают тело скатертью, и вы молча едете домой, размышляя о внезапности произошедшего.

Так вот, когда вы читали этот абзац, кого вы представляли себе на месте несчастного? Мужчину или женщину? Большинство людей представят мужчину, но если верить статистике, подобное скорее могло бы произойти с женщиной, поскольку от сердечно-сосудистых заболеваний чаще умирают именно они. Каким бы привычным ни был образ мужчины, хватающегося за грудь, на самом деле сердечные болезни — это болезни женские.

У каждого из нас есть свои тайные страхи, болезни, которые пугают нас на подсознательном уровне. Многие женщины больше всего на свете боятся рака груди, а следом — рака яичников. Но на первом месте среди причин женской смертности, причем *с огромным отрывом*, стоят сердечно-сосудистые заболевания. Страх перед болезнями присущ всем, в чем конкретно он выражается — зависит от личного опыта, однако, планируя — и проживая — собственную жизнь, вы должны учитывать *наиболее вероятные* для вас опасности, а не те, которые рисует ваше воображение, не опираясь на факты.

От сердечно-сосудистых заболеваний каждый год умирает больше женщин, чем от *всех* типов рака вместе взятых. Сердечные болезни уносят в *десять раз* больше женских жизней, чем рак груди. Сердечно-сосудистые заболевания (к которым относятся и кровоизлияния в мозг) не просто стоят на первом месте среди причин женской смертности; смертность от них превышает общую смертность от заболеваний, занимающих в этом списке семь следующих мест.

Пока неизвестно почему, но до наступления менопаузы женщины оказываются относительно неплохо защищены от этих заболеваний. Но в следующем десятилетии жизни смертность от них у женщин резко идет вверх и в конце концов превосходит смертность от тех же заболеваний у мужчин. Две трети жертв инсультов — женщины. *Слышите шипение?* Эти две трети преследуют нас повсюду. У двух третей женщин, перенесших инфаркт, перед первым приступом не наблюдалось никаких тревожных симптомов. Две трети женщин так и не возвращаются к полноценной жизни после перенесенного инфаркта. Две трети женщин, переживших инсульт, страдают от значительных нарушений всю последующую жизнь.

Было проведено такое исследование. 3000 женщин прошли тест для определения их физической формы, и после этого за ними наблюдали в течение в среднем восьми лет. За это время смертность среди тех, кто вел наиболее малоподвижный образ жизни, *в пять раз* превысила смертность среди наиболее физически активных женщин. Эта последовательность имеет ступенчатый вид: при повышении уровня физической подготовки соответственно повышается и уровень выживаемости. При этом между ступенями наблюдается заметная разница в смертности от сердечно-сосудистых и онкологических заболеваний. Физические нагрузки одновременно и снижают вероятность заболевания, и повышают шансы на выживание больных раком груди, кишечника, матки и яичников. Причем цифры вполне убедительны. Например, ряд исследований показывает пятидесятипроцентное повышение выживаемости при раке груди у тех женщин, которые активно занимаются физкультурой. Так что обязательно регулярно проходите медицинский осмотр, но если при этом вы так же добросовестно будете помещать спортзал, то ваши шансы на долгую здоровую жизнь вырастут *в десять раз*. Это объясняется и тем, что физические нагрузки снижают риск рака груди и других органов, но в первую очередь — их положительным эффектом на сердечно-сосудистую систему. Не забывайте, что, вопреки стереотипу, именно заболевания сердца и сосудов убивают больше всего женщин.

Все дело в кровообращении

Примерно шестьдесят миллионов американцев страдают какой-либо формой сердечно-сосудистых нарушений. Большинство из них даже не подозревают об этом, так как их заболевание находится в бессимптомной фазе, однако оно уже существует. Это подавляющее большинство американцев старше пятидесяти лет. Начиная с 1918 года сердечно-сосудистые заболевания ежегодно являются основной составляющей смертности, причем исключения не составляют даже годы Второй мировой войны. Малоподвижный образ жизни официально признан основным фактором риска для этих заболеваний, более серьезным, чем даже курение и повышенный уровень холестерина. Интенсивные физические нагрузки — это наиболее действенный из известных нам методов профилактики болезней сердца.

Давайте немного проясним биологические основы сердечных заболеваний. Сердечный приступ возникает в основном не из-за процессов, происходящих в самом сердце, а из-за состояния сосудистой системы. Само сердце работает без нарушений, они обнаруживаются в коронарных артериях. Смерть наступает именно из-за закупорки этих сосудов.

Артерии являются одним из органов, постоянно испытывающих воздействие цитокина-6. В природе никогда не возникает ослабления, затвердения стенок, закупорки и разрыва артерий. Однако у современного человека именно артерии постоянно открыты для воздействия процессов воспаления и распада — в результате постоянного омывания С-6 в течение десятков лет. Это ослабляет их. Белые кровяные тельца внедряются в стенки сосудов, разрушая их и поглощая холестерин. Именно этот процесс и способен привести к смерти.

С биологической точки зрения накопление холестерина — не более чем случайность. Сам по себе хронический стресс не является причиной смерти. Он пожирает вас изнутри, но не убивает. Однако мы сами, добровольно, кладем голову на плаху, дополняя стресс маслом и сыром, бифштексами и чипсами, сахаром и картошкой-фри. В природе хронический стресс всегда связан с недоеданием. Кровь становится ядовитой, однако она не несет в себе жиров. Клетки не поглощают холестерин. В природе хронический стресс означает голодание.

С-6 притягивает белые кровяные тельца к стенкам сосудов, и при сочетании хронического стресса с неправильным питанием они превращаются в «пылесосы», засасывающие все попадающие в кровь молекулы жиров. В результате сами клетки «жиреют», разбухают сверх всякой меры. Они поглощают столько жира, что под ним совершенно исчезают стенки сосуда, которые больше не могут нормально выполнять свою работу. Эти переполненные жиром клетки больше не называются белыми кровяными тельцами, им дали название пенистых клеток. Весь проект реконструкции оказывается нарушенным, стенки сосудов захламляются случайным мусором и словно склеиваются холестерином. На протяжении десятков лет этот холестерин образует бляшки, которые в итоге и становятся причиной смерти как минимум половины из нас.

А теперь обратимся к сердцу. Кровь выходит из него по огромной трубе, диаметр которой равен примерно дюйму. Она называется аортой. Этот процесс не имеет никакого отношения к сердечным приступам. Сердце — это тоже мышца, которая, как и любая другая, требует своей доли кровоснабжения. Именно здесь кроется причина сердечного приступа: в поступающей в сердечную мышцу крови, а не в той, что выходит из сердца и направляется к различным органам. Кровь поступает в сердце через две артерии меньшего диаметра, которые отходят от аорты. У этих артерий есть и более тонкие ответвления, похожие на макаронины, которые также несут кровь к сердечной мышце. Стоит перекрыть одну из таких «макаронин» — и часть сердечной мышцы отмирает. Происходит инфаркт. При перекрывании большого количества ответвлений вы получаете обширный инфаркт; это приводит либо к смерти, либо к инвалидности.

С биологической точки зрения сердце — крайне *простой* механизм: оно состоит из четырех камер, четырех клапанов и небольшого «приборчика», задающего ритм сокращений. Вот и все. Это не сложный мотор, это простой насос. Оттачивание его строения завершилось давным-давно, и с тех пор он не требует никаких усовершенствований. Если бы не иммунные реакции, мы запросто могли бы заменить ваше сердце на собачье, коровье, оленье или обезьянье. Для среднестатистического малоподвижного современного американца, вероятно, сердца кокер-спаниеля оказалось бы вполне достаточно.

Так что же происходит с сердцем в результате физических нагрузок? На самом деле — мало что. Однако они творят настоящие чудеса с системой кровообращения. А убивают вас именно неполадки в ней.

Сердце — спортсмен

За все время жизни человека сердце совершает примерно четыре миллиарда биений без перерыва. Без единой минуты на отдых или восстановление. Все его способности и качества сохраняются практически без изменений от начала до конца жизни человека. Драматические изменения происходят исключительно в системе кровообращения, нарушиться может способность сосудов нести ко всем органам кровь и кислород. Сердцу наплевать на ваши грехи, оно исправно бьется, отмеривая свои миллиарды сокращений. Совсем другое дело — ваши маленькие артерии. Даже у «здорового» пятидесятилетнего человека их стенки покрыты бляшками, делающими их похожими на поверхность сырной пиццы. Студенты-медики после своего первого вскрытия, как правило, просто видеть не могут пиццу... примерно с месяц.

Давайте предположим, что прямо сейчас вам не угрожает сердечный приступ, однако предположим также, не дожидаясь вскрытия, что стенки ваших артерий уже начинают слегка напоминать верх пиццы. Может быть, результаты теста на выносливость у вас пока неплохие, однако ваша сердечная мышца уже недополучает часть крови, в которой нуждается. Пока ничего особо трагического, однако при постоянном, хотя и слабом притоке С-6 и отсутствии С-10 ваши холестериновые бляшки постоянно растут. И вот результат — пицца при вскрытии, тихое шипение в ночи.

Если у вас когда-нибудь будет возможность посмотреть на собственную ангиограмму, вы поразитесь, какое спортивное у вас сердце. Когда оно полностью налито кровью, в начале сердечного цикла, размером оно примерно с грейпфрут. Но при каждом ударе оно сжимается до размеров кулака. Коронарные артерии, этот пучок тоненьких макаронин, тянутся по его поверхности, так что все движения они совершают вместе с ним. Они скручиваются и сжимаются до половины своей длины, а затем снова растягиваются, и так по восемьдесят раз в минуту. Четыре миллиарда за всю жизнь.

Артерии исключительно гибки и прочны, но по мере разрастания холестериновых бляшек их стенки становятся жесткими, но хрупкими. В какой-то момент бляшка трескается. Возникает микроскопический разрыв во внутренней выстилке артерии, как будто крошечный порез при бритье. Но, как бы мал он ни был, это все же разрыв, нарушение, и через эту крошечную трещину изнутри бляшки в кровь начинает просачиваться едкий, несущий воспаление холестерин. И самое смешное, не будь это так печально, что, хотя этот «порез» возникает на внутренней стенке *артерии*, организм все равно воспринимает его точно так же, как и любое другое, поверхностное, повреждение и действует по стандартной схеме остановки кровотечения. В результате получается сгусток как раз посередине кровотока. И этот тромб растет, постепенно перекрывая «макаронину», определенный участок сердечной мышцы перестает получать свою долю кровоснабжения, и происходит инфаркт. Годы неправильного образа жизни настигают вас поистине за один удар сердца. Участок сердечной мышцы отмирает полностью за несколько часов. Чем более подвержена воспалению ваша кровь, тем больше бляшек может треснуть, и тем крупнее может быть возникающий в сосуде тромб. В этом и состоит биологическое объяснение высокого уровня сердечных заболеваний у людей, ведущих малоподвижный образ жизни, а также у тех, кто подвержен частым перепадам настроения и одиноких.

Инсульт происходит примерно по той же схеме, но в этом случае тромб формируется в более крупной сонной артерии, питающей мозг, поэтому она не блокируется сразу. Вместо этого отдельные кусочки тромба могут отрываться и путешествовать дальше внутрь мозга, пока не оказываются в такой маленькой артерии, которую могут закупорить полностью. В этом случае умирает соответствующий участок мозга, и происходит инсульт.

Из этой смертельно опасной ситуации есть два выхода. Первый — посадить себя и, соответственно, свои холестериновые бляшки на диету или попытаться разрушить их медицинскими препаратами. Процесс воспаления не будет прекращен полностью, однако он уже не будет смертельно опасен. Вы станете старым и слабым, но преждевременная и внезапная смерть грозить вам уже не будет.

Второй путь к спасению — это поменять в целом биологию вашего организма от воспаления к восстановлению. Это можно совершить и с помощью физических нагрузок, и с помощью изменений в эмоциональной и социальной сфере, но лучше всего эти два фактора работают вместе. Эта глава посвящена физическим упражнениям, но говоря о своем образе жизни, вы должны помнить об обеих сторонах этой биологии. Не забывайте о том, что физические нагрузки и настроение биохимически имеют одну и ту же основу. Они влияют друг на друга и связаны друг с другом. Разговоры об эйфории от бега трусцой имеют под собой вполне реальную основу, и возникает она как на физическом, так и на эмоциональном уровне. Биохимия настроения, творческого подъема, восторга, беспокойства, оптимизма, стремления и соперничества диктуется мозгом, посылающим через кровь свои вещества-сигналы, и точно так же биохимия местных воспалительных реакций и восстановления диктуется мышечной тканью, передающей информацию всему организму через кровоток.

Заклятие можно снять

Физические нагрузки снижают общую смертность. Это ничуть не удивительно, если вспомнить, что к смерти приводит повреждение кровеносных сосудов, а физические нагрузки как раз их восстанавливают. Сосуды пронизывают все без исключения уголки нашего тела, и все они в одинаковой степени испытывают воздействие биохимических реакций воспаления и восстановления. Отсюда — причины и следствия: бляшки в артериях, питающих мозг — инсульты и слабоумие; почки — гипертония и, в худшем случае, диализ. И это отнюдь не гиперболы. Это всего лишь картина старения в современном мире, и ситуация в настоящий момент ничуть не улучшается, скорее напротив. Да, есть такие факторы, как генотип или, к примеру, курение, диабет и т.п., которые усугубляют ситуацию, однако в основе ее все равно лежит «заклятие» сидячего образа жизни, постоянного стресса и неправильного питания. Это — ваши истинные убийцы.

Упражнения способны влиять на ситуацию только в том случае, если вы выполняете их регулярно; только тогда они способны изменить биохимию вашей крови. Хронический воспалительный сигнал малоподвижного образа жизни замещается сигналом роста, оздоровления, восстановления. С-6 уступает место С-10. Не забывайте о том, что половина вашего тела — это мышечная ткань, которая в течение длительного времени после нагрузки выбрасывает в кровяное русло огромные количества С-10, а кровь проникает повсюду.

Вот вкратце и все о биологии роста и распада. Хотите быть здоровым, а не бояться сердечного приступа? Хотите жить, а не умирать? Помните: физические нагрузки не дают биохимии распада завладеть вашим организмом. Плывите против течения!

ГЛАВА 6

Жизнь — это марафон: необходимо тренироваться

Ну что, слышали? С-6 и С-10, две сестрицы-волшебницы роста и распада, разгуливают внутри вас и творят свои чудеса. Их заклинания несложно выучить: безделье — мощный сигнал к распаду… Физические нагрузки — мощный сигнал роста. Сигнал лучшей жизни. Вот это круто!

Ну что ж, теперь, когда вы обладаете этой удивительной информацией, вы можете поразмыслить и над «Вторым правилом Гарри», которое формулируется так: *интенсивно занимайтесь аэробикой по четыре дня в неделю до конца жизни.* Естественно, «Первое правило» не теряет силы. Вы так же должны заниматься физкультурой шесть дней в неделю, но четыре из этих шести дней нужно отвести на аэробику. (Позже мы поговорим о силовых тренировках для оставшихся дней.) К аэробике, как вам, должно быть, известно, относятся те виды упражнений, которые повышают ритм сердечных сокращений и поддерживают его далее на высоком уровне. Это, например, велоспорт и велотренажеры, бег трусцой и беговая дорожка, просто быстрая ходьба и многое другое. К аэробике нельзя отнести парный теннис и гольф — это замечательные виды спорта, и вы вполне можете с успехом ими заниматься, но это не аэробика. Мы говорим сейчас о длительных упражнениях на выносливость, которые гарантируют равномерно высокий ритм сердечных сокращений.

Со временем каждая из вас будет четыре дня в неделю заниматься аэробикой (на том уровне, который будет соответствовать вашим возможностям), и два дня — силовыми упражнениями, но пока мы еще этого не достигли. Первые несколько недель или месяцев — а кому-то и всю оставшуюся жизнь — придется посвятить исключительно аэробике. Большая часть упражнений, которые вам придется выполнять, будут совсем легкими — вы, конечно, будете потеть, однако сможете во время тренировки без особых усилий поддерживать разговор. Это называется «долгой и медленной» аэробикой, при которой сердечный ритм ускоряется примерно до 60–65% от максимального для вас. (Пока не нужно углубляться в детали, просто примите это к сведению.)

Я предлагаю вам начинать именно с этого по одной простой причине: первое, что мы должны сделать, вступая в новую жизнь, — это улучшить кровообращение. Именно оно служит основой хорошего здоровья и физкультурных достижений. Кровь приносит к мышцам энергию и кислород, следовательно, от качества этого снабжения зависит и качество нашей двигательной активности. К тому же — и это крайне важно! — кровь уносит из тканей и отходы энергетических реакций. Когда вы во время тренировки лихорадочно хватаете ртом воздух, это объясняется не тем, что ваш организм страдает от недостатка кислорода, а тем, что он стремится избавиться от отходов процесса дыхания. То же самое верно и по отношению к мышечной ткани: боль и усталость свидетельствуют не о разрыве или перенапряжении мышечных волокон, а об избытке в них молочной кислоты. И наконец, именно кровь разносит по организму волшебный эликсир С-6 и С-10, волшебное средство профилактики инфарктов и инсультов, гарантирующее вам прекрасное настроение и еще целую кучу неожиданных призов, о которых уже сказал и еще скажет Гарри.

Не знаю, какие именно чувства обуревают вас в данный момент, но я сильно подозреваю, что возможны два варианта: либо вам очень хочется закрыть книгу и пойти посмотреть телевизор; либо вам не терпится бежать из дома и сейчас же начать покорять велосипедные дорожки. Но пока вам стоит заняться кое-чем еще (это наш общий с Гарри совет): в первую очередь вы должны трезво оценить, на что способны в данный момент, и потом начать с того, что соответствует вашему состоянию и вашим возможностям. Если вы начнете со слишком легких занятий, вы быстро потеряете к ним интерес и мотивацию. А если с самого начала взвалите на себя непосильную задачу, то либо сразу все бросите, либо дело кончится травмой. Вам, вероятно, будет легче верно оценить ситуацию после того, как я расскажу три реальные истории, героями которых будут три пациента Гарри.

Человек, который не мог дойти до почтового ящика

Начнем с моего любимого примера. Это история Джона, мужчины, который до шестидесяти пяти лет работал, а потом решил отправиться на заслуженный отдых. Пройдя накануне этого события осмотр у Гарри, он узнал, что его вес превышает норму на 100 фунтов[1], у него опасно повышен уровень холестерина и артериальное давление и в целом его состояние оставляет желать лучшего. Ничего удивительного в этом не было: питался Джон абсолютно неправильно, на работе и дома подвергался постоянному сильному стрессу, а предстоящий выход на пенсию только усугублял ситуацию. Несмотря на то что Джон не получал от работы особого удовольствия, изменение статуса страшило его. Короче говоря, полагаю, вы поняли, что в описываемый момент этот человек находился в кошмарной физической форме и страдал глубокой депрессией, и в этом походил на огромное множество прочих американских мужчин своего возраста и положения.

Джон с супругой собирались переезжать во Флориду, и их новый дом располагался в квартале от пляжа. Состояние Джона не на шутку тревожило Гарри, и он рекомендовал ему заняться физкультурой. Ответной реакцией Джона было очевидное раздражение; он заявил, что ничем подобным никогда не занимался и заниматься не собира-

[1] Около 45 кг.

ется, поскольку никаких спортивных задатков у него никогда в жизни не было. Гарри не стал с ним спорить, а просто в своей обычной спокойной манере заметил, что в таком случае весьма вероятно, что Джона ждет скорая смерть. Тогда он, хоть и неохотно, но все-таки согласился попробовать. Для начала Гарри посоветовал ему шесть дней в неделю ходить на пешие прогулки по берегу моря.

В первый день он прошел примерно с полмили и чувствовал себя прекрасно. Однако на следующее утро он чувствовал себя так, как будто его переехал грузовик. У него болело все тело, и он с трудом мог подняться с постели. Но вот что важно: он и в этот день все-таки пошел на берег. Выбрался из постели, проглотил пару таблеток «Адвила» и пошел! На этот раз ему удалось пройти не более сотни ярдов[1], после чего он вернулся домой совершенно измочаленный. На следующий день повторилось то же самое. И еще несколько последующих дней. Но вскоре он смог одолеть две сотни ярдов, и его маршрут продолжал увеличиваться. Ковыляя, буквально высунув язык, по пляжу, Джон чувствовал себя полным идиотом, но все равно каждый день он поднимался и шел туда, как на работу. Спустя несколько месяцев он каждый день проходил по мягкому песку уже целую милю, и самочувствие его существенно улучшилось. Он ощутил прилив сил, увлекся здоровым питанием и будущее уже не вызывало у него страха. Ежедневный душ из С-10 сделал свое дело.

Через год Джон вернулся в Нью-Йорк, чтобы пройти плановый осмотр у Гарри. Перемена была более чем явной: к этому времени Джон проходил по пляжу ежедневно по пять миль, похудел на шестьдесят фунтов[2], уровень холестерина и артериальное давление у него пришли в норму, и он выглядел на десять лет моложе, чем год назад. Он чувствовал себя прекрасно. И продолжает чувствовать себя так же по сей день.

Вот какой очевидный вывод можно сделать из этой истории: если в первый день, встав на беговую дорожку, вы сумеете потоптаться на ней лишь какие-то жалкие пятнадцать минут на минимальной скорости, это не повод чувствовать себя идиоткой и неудачницей.

---

[1] Меньше 100 м, ярд — 90,5 см.

[2] Чуть меньше 30 кг.

Для вас и это уже достижение, и ваши ноги уже ступили на верный путь. Польза заключается не в тех *усилиях*, которые вы прикладываете в первый, тринадцатый или шестидесятый день занятий. Польза — в том, что вы *каждый день* что-то делаете. В течение недели делайте хотя бы что-нибудь, но каждый день, и к ее концу ваши пятнадцать минут, вполне вероятно, превратятся в двадцать. Или даже в тридцать. Неважно. Вы, конечно, должны себя заставлять, но будьте разумны. Если вы перестараетесь, то не поможете себе, а наоборот, навредите. То, что вы каждый день надеваете спортивный костюм и отправляетесь в спортзал (или на трассу), чтобы хотя бы какое-то время позаниматься аэробикой, — уже достаточный повод гордиться собой. Работающее против вас течение не останавливается ни на день. Вы должны поступать так же, если хотите сохранить молодость. Вот увидите, пройдет совсем немного времени, и продолжительность ваших занятий увеличится до сорока пяти минут каждый день, что поначалу могло казаться вам просто немыслимым. Кстати, запомните на будущее: говоря дальше в этой книге о тренировках, мы будем считать, что их продолжительность составляет сорок пять минут в день, если другое не будет оговорено особо.

Профессиональная спортсменка

Вторая история — совершенно противоположный пример. Ее героиня — моя знакомая по имени Патриция. Она всю жизнь занималась спортом, но ближе к шестидесяти годам решила начать заниматься еще более интенсивно. У нее были некоторые проблемы со здоровьем, и она не была уверена, сможет ли в таком возрасте тренироваться так интенсивно, как ей хотелось. Она проконсультировалась с врачом, и тот сказал ей, что все в порядке, она может заниматься. Что она и сделала.

Для нее тренировки были четко спланированной программой, и основное внимание она уделяла велогонкам ветеранов; для поддержания формы она каждый день примерно по два часа крутила педали и проделывала другие упражнения аэробики (часто с личным инструктором), а также уделяла время серьезным силовым тренировкам.

Все у нее шло вполне успешно. Этим летом, в возрасте шестидесяти двух лет, она завоевала серебряную медаль в большой велогонке для ветеранов, и настроена в будущем году или еще через год получить «золото». И это обязательно произойдет; она — упорная спортсменка, она полностью предана своим занятиям и обожает их. Сейчас она — одна из самых спортивных женщин среди моих знакомых, невзирая на возраст. Эта книга не предназначена для таких, как Патриция. Им это не нужно. Но если вдруг вы подумаете, что чересчур выкладываетесь, вспомните о ней. Возможно, вы еще не до конца раскрыли свой потенциал и вполне можете сравняться с Патрицией в своих достижениях. Это реально. Я вовсе над вами не издеваюсь.

Кстати, вероятно, необходимо упомянуть о том, что даже такие прекрасные спортсмены, как Патриция, время от времени становятся жертвами серьезных заболеваний. Как же такое может быть, спросите вы? Почему спортивные люди не могут избежать болезней, если мы утверждаем, что физкультура — средство от всех недугов? Ответ прост: болезни и смерть бывают случайны, как и все прочие события в нашей жизни. Существует и наследственность, хотя многие склонны преувеличивать ее роль. А еще существует простое невезение. Но главное — не в этом. Главное — в том, что, следуя тем принципам, которые мы стараемся донести до вас всеми силами, вы увеличиваете собственные шансы на долгую и счастливую жизнь весьма существенно. Другими словами, процентов примерно на 70. На мой взгляд, это более чем весомая цифра, тем более что ни одно из средств, которые предлагает современная клиническая медицина, не дает хотя бы отдаленно похожих результатов!

Среднестатистический Крис

Когда я впервые встретился с Гарри, я был в гораздо лучшей форме, чем Джон и многие другие пациенты Гарри, но в то же время до таких выдающихся атлетов, как Патриция, мне было далеко, как до звезд. Поддавшись уговорам Гарри, я записался в велотренажерную группу, то есть присоединился к тем ненормальным, которые собираются в спортзале специально для того, чтобы покрутить педали на приделанных к полу «велосипедах» под громкую музыку и выкрики тренера. Я всегда любил езду на велосипеде и слышал, что такие тренажеры очень хороши для тренировок. А для того, чтобы следовать «Первому правилу Гарри», мне нужно было выбрать для себя какой-то основной вид занятий, который, с одной стороны, не был бы слишком трудным для меня, а с другой — позволял получить необходимое количество нагрузок. Вот я и подумал, что велотренажеры должны мне подойти.

Итак, я начал. Я пришел в спортклуб и купил абонемент на целый год, выложив за него заоблачную сумму. Меня снабдили графиком тренировок велотренажерной группы. Они начинались в половине седьмого утра, и накануне своего дебюта я жутко трусил. Я стеснялся своего возраста, лишних сорока фунтов и неприглядного вида в велосипедном костюме. К счастью, наш тренер оказался исключительно привлекательной дамой с легким европейским выговором. Она заметила мое беспомощное состояние, подошла и показала, что и как нужно делать. У тренажера было огромное переднее колесо и конструкция типа тормозов, с помощью которой можно было регулировать интенсивность нагрузки. Как выяснилось, педали этого «велосипеда» гораздо трудней раскрутить, чем у настоящего, и еще труднее остановить. Мне казалось, что если я допущу хоть малейшую ошибку, то непременно сломаю лодыжку. Или что-нибудь еще.

Спортзал был полон очаровательных созданий в возрасте примерно от двадцати до сорока. Среди них я заметил парочку физкультурников постарше, однако до меня и им было явно далеко. Зазвучала музыка… грохочущий ритм, от которого я мгновенно оглох и перестал соображать. У тренера был микрофон, в который она отдавала нам команды — с какой скоростью и нагрузкой мы должны крутить педали, насколько быстро и с каким усилием. Я боялся, что скоро вообще перестану понимать, что она говорит, и отчаянно старался исполнять все команды. Я ускорялся и замедлялся. Двигал переключатель на раме, изменяя силу противодействия. И мне, к счастью, удалось усидеть в седле до конца тренировки, хотя, кажется, я был близок к падению. И я даже не сломал ногу в попытках затормозить чертово колесо, хотя *точно осознавал*, что это вполне может произойти.

«Поднимаемся с седла!» — объявляла тренер, и все приподнимались на педалях и прыгали, как кучка психов.

«Увеличить нагрузку!» — кричала она, и все поворачивали рычажок вправо. Мышцы моих бедер, которые я считал достаточно сильными, начали вопить. И сколько еще секунд я выдержу? Оказалось, тренер отвела на вращение в таком режиме минуты три, но я не справился. Я вам говорил, что все стены там были зеркальные? Да-да, все, и в какой-то момент я поймал в одной из них отражение своего лица. И оно так меня напугало, что я плюхнулся обратно на седло и перестал вращать педали. (Тренер, кстати, сама обычно не советовала новичкам подолгу «ехать» стоя.) Лицо у меня приобрело жуткий лиловый оттенок, при этом я так взмок, что скорее стал бы ожидать после такой тренировки не улучшения здоровья, а наоборот, обострения разнообразных болезней.

После этого я перестал во что бы то ни стало пытаться выполнять все команды тренера. Тем не менее я честно трудился. И выдержал все сорок пять минут тренировки. В заключение занятия мы стали выполнять упражнения на растяжку. Снова взглянув на свое отражение, я обнаружил, что мое лицо все еще сохраняет свой неземной цвет. Когда я на заплетающихся ногах выходил из зала, тренер подошла ко мне и сказала: «Вы неплохо справились! Это ваша первая тренировка?» — «А как вы узнали?» — вымученно улыбаясь, поинтересовался я. Она лишь покивала и повторила: «Вы неплохо справились!»

Я с трудом дополз до дома, из последний сил принял ванну и рухнул на кровать. На часах не было еще и восьми, а мои ресурсы на день были полностью исчерпаны. Хорошо, что я на пенсии, идти после этого на работу было бы немыслимо.

Да, пожалуй, можно сказать, что велотренажеры — не самая легкая работа, однако для человека с моим темпераментом основная их прелесть состоит в том, что занятия на них полностью поглощают внимание. Я быстро осознал, что, несмотря на трудность, такие занятия интересны и увлекательны. И, испытывая некоторый ужас, я все-таки направился на следующий день тем же маршрутом. И с тех пор он стал для меня ежедневным. Я уже несколько лет хожу тренироваться на велотренажерах и до сих пор получаю от этого удовольствие. И я в прекрасной форме, особенно если учесть мой возраст, любовь к хорошей еде и выпивке и абсолютную неспортивность с самого рождения. Порой мне даже становится стыдно, что я не делаю больше, но, по мнению Гарри, объективно оценивающего факты, я являюсь достойным положительным примером. Он считает, что мне удалось реализовать примерно семьдесят процентов от максимума своих потенциальных возможностей, и это очень неплохой результат (хотя, конечно, мне далеко до Патриции: если принять за сто процентов спортивную форму Ланса Армстронга, то ее я смело оценил бы на восемьдесят пять — девяносто). Я стремлюсь к вершине, но и то, чего я уже достиг на этот момент, дает мне возможность заниматься тем, чем я хочу, и чувствовать себя превосходно. И это мне более чем нравится.

Не пропускайте эту рамку!

Об этом вам предстоит прочитать дважды — один раз у меня, другой — у Гарри. Мы не боимся повторяться, потому что это не формальный совет, а жизненно важное правило: *обязательно проконсультируйтесь с врачом, прежде чем приступать к любым тренировкам.* Вполне возможно, что в вашем возрасте у вас имеется какое-нибудь заболевание, о котором вы и сами не подозреваете, но из-за которого занятия определенными видами спорта могут быть для вас смертельно опасны. Не стоит испытывать судьбу. Вы же все равно ежегодно проходите обследование. Просто в этом году пройдите его перед тем, как приступать к тренировкам.

В дополнение к этому я, присоединяясь к Гарри, тоже советую вам следить за тем, чтобы не перенапрягаться в первый же день. Я как раз так и сделал, но я вообще беспокойная личность и всегда прилагаю максимум усилий, только бы не заскучать. У Гарри есть в запасе куча историй о людях, которые в первый день занятий переходили пределы разумного и в результате как минимум на неделю выпадали из графика. Или даже бросали тренировки совсем. Не забывайте, что наша книга обещает вам становиться моложе с каждым годом, а не с каждым днем. Прислушайтесь повнимательнее к собственным ощущениям. Вы уже не очень молоды, это факт. Ваши сосуды уже не могут похвастаться девственной чистотой. А мышцы и суставы не готовы к предельным нагрузкам. Спокойнее. Не надо перегибать палку. Может, это и банально, но чистая правда.

Со временем вам тоже захочется взять на себя более трудные задачи, но не нужно при этом совсем уж сходить с ума. Характер и темперамент Патриции позволяет ей оставаться на одном и том же, крайне высоком, уровне на протяжении уже многих лет. Но большинство людей стремится постоянно улучшать свои результаты. Разве это проблема? — спросите вы. Для многих — да, и весьма серьезная. Наш скромный совет: найдите для себя подходящий уровень. Я не призываю вас идти по моим стопам и убеждаться своими глазами, какой нечеловеческий цвет может принять ваше лицо. А Гарри такая идея вообще категорически не нравится. Но я призываю вас тренироваться настолько интенсивно, чтобы со временем оказаться способным переносить действительно серьезные нагрузки. Вспомните, как тяжко давались Джону первые прогулки по флоридскому песочку. Вы должны найти что-нибудь такое, что было бы нелегко для вас. Для Патриции мой первоначальный график велотренировок был бы слишком легким, и в то же время для большинства американцев моей возрастной группы такая задача оказалась бы чрезмерно тяжела, а если бы такие нагрузки испытал на первом этапе своих тренировок Джон, они могли бы стать для него в буквальном смысле гибельными.

Мы с Гарри пришли к общему мнению о том, как следует начинать. Это нужно делать медленно. Пусть вам даже кажется, что вы могли бы заниматься более интенсивно с самого начала. Но оставаться на этом уровне нужно лишь до тех пор, пока вы не почувствуете, что прочно встали на ноги. Тогда можно подняться на ступеньку выше. Не издевайтесь над собой, но постепенно начинайте толкать себя вверх. С другой стороны, не стоит приступать к занятиям настолько не спеша, чтобы они вызывали у вас зевоту. Нагрузки должны быть ощутимыми, но не запредельными для вас, а идти дальше нужно лишь тогда, когда данный уровень станет для вас комфортным. Вы сами обязательно почувствуете, когда придет это время.

Но на всякий случай вот вам все же совет человека, который, в конце концов, пожил на этом свете достаточно, чтобы кое в чем разбираться. Поставьте себе разумную физкультурную цель. Осуществите ее. И будьте счастливы. Не заводите себя мыслями типа:

«Фу, это оказалось легче, чем я думала. Я точно могла бы...» И так далее. Не надо. Не ломайте все, что уже смогли построить, в попытке достичь чего-то большего, тем более что, даже если у вас это получится, результаты не будут очень уж существенно различаться. Не забывайте, это не соревнования, не Олимпийские игры, вы не боретесь за призы, вы просто живете. И это ваш стиль жизни, не более, но и не менее того. Главное — чувствовать себя хорошо. Постоянно.

Я занимаюсь по шесть дней в неделю. Всегда. Занимаюсь с достаточно большой нагрузкой каждый день (как минимум 65–70% максимального сердечного ритма, а часто и до 80–100%). Я добился серьезных успехов с проклятыми тяжестями. И в результате я могу делать все то, что мне хочется делать. Я могу совершать длительные пешие прогулки безо всякого напряжения и боли. Могу кататься на горных лыжах, как средне одаренный пятидесятилетний человек. Могу кататься на потрясающем велосипеде «Серотта», который подарил себе этой весной, по горным трассам. Могу грести на своем одиночном ялике при свежей погоде. И я все время чувствую себя более-менее прилично. Вероятно, мышцы моих ног посильнее, чем у старины Фреда, а выносливостью я превосхожу большинство пятидесятилетних; все это удивительно и гораздо круче, чем я осмеливался себе представить, когда только начинал.

Однако у меня еще сохранился десяток лишних фунтов. У меня слабые руки и дряблая шея, так что вид я имею не самый лучший. И любой спортсмен-ветеран в этой стране запросто обставит меня в любом соревновании. И знаете, что я думаю по этому поводу? Я думаю: «Ну и ладно!»

Для меня вполне достаточно того, что есть. Потому что я на такое и не рассчитывал, и я очень рад тому, что получилось. Да, до настоящих спортсменов, таких как Патриция, мне далеко. Критическая точка — это место, где пересекаются две линии: с одной стороны — ваши усилия и затраченное время, с другой — ваше состояние и самочувствие. Для меня достаточно заниматься ежедневно от сорока пяти минут до полутора часов. Я способен на большее и иногда я это делаю. Но для меня, в общем-то, этого достаточно. Порой меня начинает преследовать мысль, что можно было бы потренироваться и принять участие в марафоне или велогонке «Три перевала» в Скалистых горах. И мне даже кажется, что это мне действительно по силам. Может быть, я и ошибаюсь. Но сейчас я достиг уровня, который, надеюсь, смогу поддерживать до конца жизни. Так что я предпочел здесь остановиться. То есть — я никогда не остановлюсь.

И еще совет: позанимайтесь таким образом годик-другой, а потом оцените, чего вы хотите и сколько усилий вы можете реально к этому приложить. И решите твердо, когда нужно сказать «хватит». Большие нагрузки способны приносить скорые и нежданные плоды; я обожаю чувство, которое возникает после того, как проехал семьдесят миль на велосипеде или одолел головокружительную горную тропу. Но не забывайте, пожалуйста, о том, что постоянство нагрузок значительно важнее, чем их разовая интенсивность. Иногда бывает весьма заманчиво проверить собственные силы в каком-нибудь экстремальном предприятии, но в долгосрочной перспективе куда полезнее найти свой правильный уровень и оставаться на нем до конца жизни.

Вероятно, я уже успел вас утомить и запутать, но кое о чем еще обязательно нужно упомянуть. В уровне вашей активности и в вашем отношении к тренировкам обязательно будут случаться подъемы и спады. Например, вы можете чувствовать прилив сил и энергии весной, а осенью вас будет тянуть залечь в спячку. На мой взгляд, это даже хорошо. Если постоянно напрягаться с одинаковой силой, можно спятить. Не сопротивляйтесь слишком упорно внутренним стремлениям организма; главное, не забывайте, что в любом настроении и в любом состоянии вы должны продолжать занятия по шесть дней в неделю. В определенные периоды вы можете отвести основное место в расписании тренировок долгим и медленным упражнениям, а от спринтерских рывков пока отказаться. Это нормально. Только занимайтесь! Шесть дней, как минимум сорок пять минут в день. Иногда можно схитрить, и все сорок пять минут провести в спокойном режиме, на уровне в 60% максимального сердечного ритма. Но ни в коем случае не бросайте тренировку раньше положенного времени и ни в коем случае не пропускайте занятия. Никогда. В противном случае вы не сможете справиться с собственной ленью и снова покатитесь вниз. И превратитесь в ту самую старую даму, от которой так рвались убежать.

Итак, что же выбрать?

Список вариантов аэробики долог и приятен, и совершенно неважно, что именно вы выберете, главное — чтобы вам нравилось. Или было для вас доступно. Если вы уже знаете, что конкретно вас привлекает, начинайте. Если же нет, надо поразмыслить.

Даже удивительно, скольким женщинам нравится заниматься на снарядах, тренирующих выносливость, — беговой дорожке, «лесенке», лыжном имитаторе и т.п. И это вполне оправданно, особенно на начальном этапе. Такими тренажерами легко пользоваться, на них легко регулировать нагрузку, и они доступны для подавляющего большинства. Во время таких тренировок можно надеть наушники и слушать музыку, или даже смотреть телевизор, — многим это существенно облегчает процесс. Лично мне из этого набора больше всего нравятся эллиптические снаряды, позволяющие тренировать мышцы как верхнего, так и нижнего пояса конечностей.

Простая беговая дорожка, кажется, наиболее популярна, но тут я хочу дать вам небольшую подсказку. Попробуйте увеличить *угол наклона* дорожки и как бы «штурмовать гору», а не пытаться достичь максимальной скорости на плоской поверхности. На наклонной дорожке лучше разрабатываются мышцы голени, меньше нагрузка на суставы и гораздо лучше воздействие на сердечную мышцу. «Гребные» тренажеры просто великолепны, причем на них я чаще вижу именно женщин. Однако во всей стране найдется от силы семеро женщин, обладающих таким ангельским терпением, чтобы выдерживать упражнения на них настолько долго, чтобы они принесли какую-то пользу. Если вы — одна из этой великолепной семерки, считайте, что вам повезло. То же самое можно сказать и о тренажерах, имитирующих бег на лыжах. NordicTrak — чудесное приспособление для того, кто способен его вытерпеть (в том числе для бесконечно невозмутимого Гарри), но не для меня, хотя настоящие лыжи я очень люблю.

Если вы предпочитаете просто бег — замечательно! Большинство моих ровесниц жалуются, что это непосильная задача для их суставов, но есть и счастливые исключения, и их не так уж мало. Если вы уже много лет даже не пытались бегать, приступайте к занятиям осторожно — это увеличит ваши шансы на успех. Для первого раза будет достаточно всего пятнадцати минут. На этом этапе проще простого повредить колено, голень или лодыжку, а последствия такой травмы вы будете ощущать еще долгие месяцы, если не годы. В 1982 году, в возрасте 47 лет, я повредил ахиллово сухожилие, катаясь на неисправном велосипеде. После этого мне понадобился год на то, чтобы вновь сесть в седло, а бегать я не мог аж до 2004 года! Восстановление связок — очень сложный и длительный процесс. Лучше пусть вам будет скучно, чем вы покалечитесь и вам придется прервать занятия. Первое время бегайте через день. Или даже через два. В промежутках занимайтесь чем-нибудь еще. И продолжайте продвигаться вперед медленно, медленнее, чем вам будет хотеться. Я не говорю, что вы должны всегда оставаться на уровне тихохода. Постепенно вы сами захотите завести себе сердечный монитор и контролировать нагрузки. Но никак не в первую неделю или две занятий.

Лечебная физкультура

Мне очень хочется произнести здесь короткую, но прочувствованную речь, посвященную благословенным… божественным… *исцеляющим* видам спорта. Некоторые виды спорта, например теннис, рвут вас на части, так как нагрузки, которые испытывает в этой игре человек, подобны воздействию центрифуги. Другие, например бег, жестко бьют по вашим суставам. Но есть такие виды спорта, которые, наоборот, как будто собирают вас воедино. При таких занятиях ваши мышцы, а в особенности суставы, со временем чувствуют себя лучше, чем в начале тренировок. Один из таких видов спорта — велоспорт. А еще плавание, лыжный кросс и гребля. Это действительно лечебные виды спорта, и вы должны включить в свою программу хотя бы один из них.

С точки зрения гармонии формы и содержания нет машины более прекрасной, более отвечающей вашим требованиям, чем велосипед. На своем четвертом десятке, после развода, я оставил в моей печальной холостяцкой квартирке единственный символ полноценной и радостной жизни — велосипед. По сравнению с моделями пятнадцати-двадцатилетней давности современные двухколесные машины — эти композитно-графитовые шедевры, эти титановые драгоценности — невероятно изменились и усовершенствовались. Если у вас достаточно средств на приобретение чего-то подобного, сейчас же отправляйтесь и покупайте это чудо! За пять штук баксов. Или даже за десять! Но это чистой воды излишество. Хороший дорожный велосипед с современной механикой и качественными деталями можно приобрести всего за несколько сотен баксов. Если вы не слишком опытная велосипедистка, вам вполне подойдет «комбинированный» вариант — он удобен и также недорог.

Если вы давно (или вообще никогда) не катались на велосипеде, то «комби» почти точно — вариант для вас. У такого велосипеда более широкие шины и ездить на нем легче, чем на профессиональных моделях. В прошлые выходные мы ездили на велопрогулку с моим сыном Тимом. Тиму почти пятьдесят, и он серьезно занимается физкультурой, однако на велосипед достаточно давно не садился. Я был очень удивлен, когда он заявил мне, что современные гоночные велосипеды со специальными педалями, к которым крепятся туфли, *неудобны*. Я уже так к этому привык, что действительно позабыл эту очевидную истину. Да, такие машины слишком нежны, капризны, на таком чуде техники с непривычки трудновато удерживать равновесие. Но к этим особенностям привыкаешь очень быстро и совершенно перестаешь их замечать. К горным лыжам приходится приспосабливаться значительно дольше, надо сказать.

Так что не стоит раздумывать слишком долго: спокойно приобретайте «дружелюбный» комби-велосипед за разумную цену. Сейчас такие машины оснащены вполне качественной механикой и, кстати, более полезны с точки зрения требований аэробики. Когда немножко наберетесь опыта, можете пересаживаться на более «продвинутый» дорожный велосипед. Но не в первый же день!

Да, и еще позаботьтесь об удобном женском седле! В былые времена не только женщины, но и многие мужчины-велосипедисты постоянно жаловались на неудобство сидений. У старых седел имелись какие-то неровности, ребра или бог знает что еще, и, конечно же, вам ничего подобного не надо. Сразу же подберите для себя подходящее женское седло. Потом, если вдруг окончательно спятите, можете поменять его на ту модную миниатюрную штуку, которую и разглядеть-то сложно (некоторым дамам это чем-то нравится), но пока не стоит об этом и думать.

Кое-что о велосипедной безопасности

Если вы какое-то время не садились на велосипед, возможно, нелишне будет напомнить себе, что вам уже не двадцать, а пятьдесят–шестьдесят и вам нужно соблюдать необходимые меры предосторожности. Обязательно надевайте шлем. Я до сих пор продолжаю ездить на велосипеде по нью-йоркским магистралям, но, честно говоря, чем дальше, тем больше они меня пугают, и я не уверен, что моему примеру стоит следовать. Если вы садитесь на велосипед после значительного перерыва, я бы посоветовал заняться этим в какой-нибудь тихой, идиллической местности. Езда на велосипеде, точно так же, как лыжный кросс и другие «дорожные» виды спорта, требует большого внимания к тому, что вас окружает. Самое главное правило велосипедиста и лыжника: ведите себя предсказуемо. Передвигайтесь по предсказуемому маршруту и не закладывайте крутых виражей, пока не убедитесь наверняка, что позади вас никого нет. Отправляясь на велосипедную прогулку, вы, конечно, стремитесь получить удовольствие, но не забывайте, что вам нужно еще и вернуться домой целым и невредимым.

Кроме того, не забудьте и о хороших шортах-«велосипедках» со специальной смягчающей вставкой сзади. Очень комфортный вариант — шорты с лямками, особенно лайкровые. Они чем-то напоминают корсеты, которые носили мои сестры во время Второй мировой войны. В них вы сразу же начинаете выглядеть на восемь фунтов худее, чем есть, и кататься в них действительно удобнее. Вам это должно понравиться.

Еще три соображения по поводу катания на велосипеде: 1) вы уже это умеете; 2) это невероятно полезно для вас; 3) это очень укрепляет мышцы ног. Позже мы еще будем говорить о том, как важно в пожилом возрасте разрабатывать и укреплять именно эти мышцы. Именно из-за слабости нижних конечностей вы рискуете оказаться привязанной к костылям или инвалидной коляске. Если сомневаетесь, чем заняться, по умолчанию займитесь такими упражнениями, которые укрепляют ноги. Например, велоспортом.

Или же плаванием. Это, что называется, дешево и сердито. И при условии приложения должных усилий плавание — великолепный вариант аэробики. Любители плавания всегда восторженно расхваливают свои тренировки, и вот почему. В процессе плавания задействованы оказываются практически все группы мышц, для него необходима хорошая вентиляция легких, и оно исключительно гармоничным и здоровым путем укрепляет организм в целом. В этом плавание сродни йоге. Глядя на пловцов, мы обычно восхищаемся их телами и мечтаем иметь такое же. Мой сын Тим, одно время занимавшийся троеборьем, привык чередовать силовые упражнения с получасовыми заплывами. Он утверждает, что полчаса плавания — это очень серьезная нагрузка, отвечающая требования аэробики, а сочетание ее с силовыми упражнениями просто идеально для поддержания формы. Если вам это кажется привлекательным, то вы не встретите практически никаких препятствий. Бассейны есть везде, практически повсюду имеются и группы для людей любого возраста. А необходимый инвентарь минимален — вам не потребуется ничего, кроме купальника и очков. Если вы и не очень хорошо смотритесь в купальнике, просто нацепите очки и не обращайте ни на кого внимания.

Если там, где вы живете, бывают снежные зимы, не упускайте возможности заняться бегом на лыжах. Даже если раньше вы никогда этого не пробовали. Во-первых, это до предела просто. На то, чтобы научиться не только стоять, но и вполне пристойно передвигаться на лыжах по ровной местности, вам вполне хватит дня. В общем-то, это всего лишь разновидность пеших прогулок. А когда вы получше освоитесь с этим новым для вас видом спорта, он превратится в полезный и приятный вариант аэробики, причем во время тренировок вы сможете еще и любоваться пейзажами! Нет ничего лучше, чем скользить на лыжах по лесу, среди деревьев, укрытых свежим снежным одеялом... Когда ничто не нарушает тишину, кроме негромкого шелеста ваших собственных лыж. Какая это замечательная возможность скрыться от мирского шума и суеты! Только попробуйте, и потом будете благодарить меня за этот совет до конца дней своих!

Начинайте не спеша

В следующих главах мы остановимся на этом подробнее, но пока просто запомните — начинать надо не спеша, в таком темпе, чтобы тяжело дышать и потеть, но не уставать до смерти. В темпе, который позволял бы вам одновременно выполнять упражнения и разговаривать и который вы могли бы сохранять почти до бесконечности, если уже вошли в приличную форму. Найдите для себя такой темп и в первую неделю или около того занимайтесь, не нарушая его, по двадцать, тридцать или сорок пять минут в день. Возможно, вы не станете менять этот темп и целый месяц — не нужно ставить себе временных ограничений. Самое главное, чтобы вам в конце концов стало легко и приятно.

Весьма возможно, что первый поход в спортзал будет иметь мало общего с вашими сладкими грезами. Более чем вероятно, что вы сейчас далеко не в лучшей форме. Не исключено, что ваша фигура напоминает тушу откормленной свинки. И вряд ли в последнее время вам очень шел спортивный стиль в одежде. (Когда я только начинал, я весил 200 жирных фунтов[1] и выглядел по-настоящему отвратительно!) И, конечно же, вы уже человек не первой молодости. Прекрасно, если вы прониклись нашими с Гарри идеями и честно желаете сделать спортзал своим новым «местом работы», однако нельзя не признать, что у него мало общего с привычным офисом. Вы не знаете, что здесь положено делать, как себя вести, и с обывательской точки зрения вы, возможно, жалкая неудачница. Вас пугают окружающие вас люди. Почти все они гораздо моложе вас, это во-первых. А во-вторых, среди них встречаются самые настоящие звезды спортзала, атлеты с идеальными телами, готовые лопнуть от самодовольства. Вы точно знаете, что все они смеются над вами. Или откровенно вас презирают.

[1] Более 90 кг.

Да плюньте вы на всех! Вы пришли сюда не для того, чтобы заводить друзей или любовников. Вы здесь ради спасения собственной жизни. *Так что возьмите себя в руки, будьте сильной и трудитесь!* Вспомните, что было с Джоном в первый день прогулки по песку, и что стало с ним теперь. Стоит только начать, а дальше все окажется проще, чем вы думаете. Потерпите пару недель, и сами увидите.

Обман, самоуничижение и тому подобное

В нашем деле препятствие, преодолеть которое оказывается едва ли не тяжелее всего — это самообман. Люди склонны строить иллюзии на свой счет. Они сами заманивают себя в ловушку. Им удается убедить себя в том, что им хватает тех нагрузок, которые они испытывают по несколько раз в день, совершая тяжелый поход до туалета или кухни. Или в те блаженные часы, что они проводят с подругами в гольф-клубе, или в магазине, поднимая тяжелые сумки с продуктами. Просто диву даешься, насколько же это нелепо! Гольф, конечно, замечательное дело, но к интенсивным тренировкам его никак не отнесешь. Пора прекращать лгать себе! Нужно брать себя в руки и делать что-то *реальное*.

В процессе работы над книгой я рассказывал о ней очень многим женщинам и столкнулся с тем, что практически все они, вне зависимости от возраста, начинали убеждать меня в том, что сами усердно занимаются физкультурой, и говорить о том, какое удовольствие это им доставляет (на самом деле, это практически в той же степени свойственно и мужчинам). Я не уставал удивляться, потому что слышать такое мне приходилось от тучных, неповоротливых дам, которые не могли закончить фразу, не начав задыхаться, и производили впечатление безвольных подушек, неспособных пробежать и метра и ждущих скорой кончины. От женщин, находившихся в настолько жуткой физической форме, что мне было искренне больно на них смотреть. Да-да, вот эти самые люди наперебой уверяли меня, что полностью согласны с тем, что физкультура необходима, и что они уже усиленно ею занимаются. Но это же нелепость! Просто потрясающая нелепость. Я вас умоляю, пожалуйста, пожалуйста, мне плевать, что вы рассказываете мне, что вы рассказываете старине Фреду, что вы рассказываете Господу Богу… *только прекратите врать себе!* Человек, реально делающий хотя бы что-то из того, о чем вы рассказываете, не может быть толстым, как свинья! Он не будет задыхаться при любом, даже минимальном, усилии. И выглядеть он будет не так, вы уж мне поверьте! Хватит врать! Слова ничего не изменят!

А вот интересное наблюдение от Гарри. На протяжении долгих лет опросы выявляли четкую корреляцию между тем, что сообщали *мужчины* о своих занятиях спортом, и продолжительностью их жизни. По всем данным выходило, что чем больше человек тренируется, тем позже он умирает. Однако у *женщин* корреляция напрочь отсутствовала! Очень странно! После этого и мужчин, и женщин подвергали тестам на истинную физическую подготовку и выносливость. И на этот раз корреляция данных с продолжительностью жизни оказалась совершенно очевидной и нормальной. Отчего так происходит? Несложно догадаться — женщины чаще врут, отвечая на вопросы о своих занятиях спортом.

Мужчины иногда врут. Женщины врут почти всегда. Ладно, девчата, завязывайте с этим и читайте внимательно дальше, где я буду советовать вам приобрести монитор сердечной деятельности.

Пара слов для слабых и неловких

Вероятно, сложнее всего воспринять рекомендации, изложенные в этой книге, тем, кто, как я, в детстве был хилым и слабым или не имел подходящих физических задатков для занятий какимнибудь видом спорта, а также женщинам более старшего возраста, чья молодость пришлась на годы, предшествующие принятию Антидискриминационной поправки (Title IX of the Education Amendments, 1972) и бурному подъему женского спорта. Теперь такого уже вообще никто не помнит, однако были и такие времена, когда в этой стране многие всерьез считали, что женщинам физкультура вообще вредна. Моя мать, например, еще застала ту эпоху. Она вспоминала, как однажды пришла домой (это было в идиллическом Дэнверсе, штат Массачусетс, году в 1900-м или 1902-м) и застала в парадной гостиной свою мать со знакомым. Причина визита была крайне серьезной: по его словам, утром он видел Люрану *бегущей* и счел своим долгом поставить ее мать в известность об этом. Маме было строго запрещено делать что-либо подобное. И за все пятьдесят лет, что я мог наблюдать за ней, я ни разу не видел, чтобы она проделывала хоть что-нибудь, что можно было бы назвать физическим упражнением. Отец в какой-то момент тоже начал это замечать.

Но в любом случае, у меня есть утешительные новости для таких, как мы с вами, — никогда не увлекавшихся спортом, не отличавшихся хорошими физическими задатками и т. д. Как ни странно, такие, как мы, имеют больше шансов сохранить форму до преклонных лет, чем те, кому мы завидовали в детстве. Этому есть две причины. Во-первых, для настоящих спортсменов оказывается очень нелегко смириться с фактом, что с возрастом они уже не способны повторять те достижения, что были сделаны ими в двадцать лет. И в результате — подавленность, пьянство и уход из спорта. Дорога в ад. У меня осталось несколько друзей детства, которые когда-то были самыми «крутыми» спортсменами, но теперь предпочитают влачить жалкое существование, чем заставить себя пойти в спортзал, где им уже не светит прежний успех. Я этого просто не понимаю. У меня нет такой проблемы. И вполне вероятно, у вас тоже. Если вы в юности не блистали на спортплощадке, вам не грозит мучительная борьба с призраками прошлых достижений и собственным уязвленным самолюбием. Вы спокойно можете просто усердно заниматься. Мои поздравления!

Во-вторых, если вы не были спортивной девочкой, то весьма высока вероятность того, что личные рекорды еще ждут вас впереди и вам предстоят еще долгие годы активной жизни, с каждым из которых вы будете молодеть. Вот мой личный пример: в мои семьдесят я катаюсь на лыжах лучше, чем когда-либо в жизни. Буквально! Да, могу признаться честно, когда мне было, скажем, двадцать восемь, лыжник из меня был никакой. Зато теперь я на склоне царь и бог! Я катаюсь лучше, чем, приблизительно, процентов шестьдесят из тех, кто в какой-то день присутствует вместе со мной на трассе. Вы хоть представляете, как это здорово? Как восхитительно катиться с горы на приличной скорости и с вполне достойным изяществом, и это в мои-то годы! Занимаясь этим, я всегда улыбаюсь до ушей от удовольствия. Думаете, я старый дурак? Само собой! И хотите сказать, что мне далеко до настоящих горнолыжников? Само собой! Но мне это нравится. И я вас укатаю!

ГЛАВА 7

Биологические основы тренировок

Миллиарды лет назад все живое на Земле разделилось на два огромных царства. Организмы, способные активно передвигаться, составили царство животных, а те, которые не обладали такой способностью, — царство растений. Наши предки избрали движение, и эта принципиальная отличительная черта сохранилась у нас и по сей день. Когда вы в форме, когда вы занимаетесь физкультурой или танцами, вы разделяете со всеми существующими и существовавшими на планете животными одну и ту же биохимию двигательной активности.

Способность к свободному передвижению обеспечивает мускулатура, обладающая свойством сократимости. Каждая мышца — настоящий завод, и на каждом таком заводе имеются миллионы крошечных топок, производящих энергию для удовлетворения любых нужд организма. Эти «топки» — клеточные органоиды под названием митохондрии; именно в них жир и глюкоза при наличии кислорода расщепляются с выделением энергии. Работу митохондрий вполне возможно сравнить с работой двигателя внутреннего сгорания в вашем автомобиле; единственное отличие — отсутствие настоящего пламени. Если мы хотим разобраться в эволюции двигательной активности живых существ, нам необходимо изучить структуру и функционирование митохондрий.

Митохондрии впервые появились у бактерий примерно два миллиарда лет назад. Их функцией было удаление кислорода, как раз в то время появившегося в атмосфере Земли, который был токсичен для живых клеток. О выработке энергии тогда еще речь не шла. Надо сказать, что жизненно необходимый теперь для нас кислород продолжает в то же самое время оставаться ядом из-за своей способности взрываться, неся разрушения на молекулярном уровне. Если жертвой такого «микровзрыва» оказывается молекула ДНК, это ведет к гибели клеток и развитию таких болезней, как сердечная недостаточность и рак. Научившись сжигать кислород внутри самих клеток, животные получили возможность двигаться. Но из-за того, что держать свободный кислород в клетках настолько опасно, им пришлось построить сложную систему для его обезвреживания, которая работает днем и ночью, не выключаясь ни на минуту. Содержащиеся во фруктах и овощах антиоксиданты впитывают остатки свободного кислорода (поэтому-то и необходимо их есть), и когда весь этот механизм работает слаженно и упорно, с организмом все в порядке. У бактерий ничего подобного нет. Вместо этого они расходуют кислород на сжигание сахара в митохондриях, получая в результате безвредные воду и углекислый газ.

Пятьсот миллионов лет назад бактериальные митохондрии каким-то образом сумели попасть в клетки наших примитивных животных предков, которые нашли для них место в мышечной ткани, что положило начало аэробному метаболизму. Благодаря ему животные получили дешевый и практически неограниченный источник энергии, который и обеспечил эволюционный взрыв высших форм животной жизни. Все они обязаны своим существованием бактериальным митохондриям, и они по сей день продолжают жить в мышечных клетках всех без исключения животных на Земле, и в ваших тоже. Все наши движения возможны лишь благодаря митохондриям, полученным в наследство от бактерий. ДНК, содержащаяся в этих органоидах, остается бактериальной, не человеческой. Это древнейшее наследие наших предков, передающееся из поколения в поколение на протяжении миллиардов лет в неизменном виде. Растения подобным же образом унаследовали от примитивных водорослей способность к фотосинтезу, а значит, вся энергия живых существ на Земле сегодня происходит от механизмов, развившихся давным-давно у водорослей и бактерий.

Вперед, к силе и бодрости

Теперь, оглянувшись мельком на несколько миллиардов лет истории, давайте вернемся в день сегодняшний и поговорим о том, как сохранить форму. Все упражнения, попадающие в разряд аэробики, всегда направлены на повышение выработки энергии мышцами. Иными словами, на построение новых митохондрий и снабжение их большим количеством топливного материала и кислорода. Митохондрии могут использовать как жиры, так и сахар (глюкозу). Это можно сравнить с автомобилем, двигатель которого способен работать и на дизельном топливе (жиры), и на бензине (глюкозе). Все зависит от ваших потребностей: для длительных поездок больше подходит дизельное топливо, а для быстрого разгона и скоростных рывков — высокооктановый бензин. Большую часть времени ваши мышцы предпочитают работать на жировом топливе, так как его сжигание более эффективно, но при больших нагрузках — для быстроты и мощи — в дело идет глюкоза.

В покое и при *небольших* нагрузках вы сжигаете 95% жира и 5% глюкозы. Большая часть жира не хранится в мышечной ткани; он накапливается у вас в области живота, бедер и в некоторых других местах. К мышцам он должен доставляться с током крови. Это сложнее, чем может показаться, так как кровь состоит преимущественно из воды, а жиры в воде нерастворимы. Приходится транспортировать их в форме специальных белков — триглицеридов — о которых, возможно, вам приходилось слышать от своего врача. С точки зрения мышц самая большая проблема здесь в том, что капилляры могут проводить только по несколько молекул триглицеридов одновременно. Так что каждый капилляр доставляет к митохондриям мышц только небольшое количество жира. При постоянных тренировках в организме образуется огромное число новых капилляров, снабжающих жирами мышечную ткань. Постепенно, однако, достигается предел, и если вам требуется работать быстрее или напряженнее, в энергетический цикл включается другое топливо — глюкоза.

Интенсивно тренируясь, вы продолжаете понемногу сжигать жиры, но вся «сверхнормативная» энергия вырабатывается за счет сжигания глюкозы. Большая часть глюкозы хранится в самих мышцах, однако при больших нагрузках кровеносная система вынуждена выполнять двойную работу: вначале приносить к мышцам дополнительные резервы глюкозы и кислород, необходимый для ее сжигания, а затем выводить отходы, в первую очередь углекислый газ.

Как ни крути, кровеносная система оказывается основной структурой, обеспечивающей успех ваших тренировок. Постоянные занятия аэробикой на протяжении месяцев и лет обеспечивают исключительное улучшение состояния сердечно-сосудистой системы; это одна из граней работы по спасению вашей жизни. Занимаясь физкультурой, вы напрягаете мышцы, и они производят достаточное количество С-6, чтобы запустить производство С-10. Образование С-10 в процессе адаптивных микротравм при физических нагрузках, в свою очередь, ведет к образованию новых митохондрий, накоплению большего количества глюкозы в мышцах и росту новых капилляров для их питания. Когда вы поддерживаете стабильную спортивную форму, ваши мышцы остаются крепкими и сильными, потому что они постоянно обеспечиваются новыми митохондриями, капиллярами и избытком глюкозы. Прекрасная картина — крепнущие мускулы, не испытывающие недостатка ни в чем благодаря вашим усилиям.

Метаболизм охоты и собирательства

Любая разновидность регулярных интенсивных упражнений аэробики пойдет вам на пользу, но она будет еще большей, если вы поймете, в чем отличие процессов сжигания жира и глюкозы. В этом секрет по-настоящему эффективных тренировок, так как различные типы нагрузок вызывают в организме различные изменения.

Есть два варианта занятий аэробикой — легкий и интенсивный, — и каждый из них связан со специфическими метаболическими процессами в мышечной ткани в зависимости от используемого топлива. При небольших нагрузках сжигаются жиры, при интенсивных — глюкоза. Эта разница принципиальна, так как два типа нагрузок запускают два разных типа метаболических процессов, которые соответствуют двум врожденным ритмам функционирования человеческого организма, которые можно назвать ритмом охоты и ритмом собирательства. В естественной природной среде наши предки отдавали этим двум видам деятельности львиную долю всего времени бодрствования, и каждый из них требовал особой настройки функционирования тела и разума. В процессе эволюции для каждого ритма выработались свои уникальные шаблоны мышления, эмоций, энергетического снабжения, работы пищеварительной и иммунной системы и мышечного метаболизма. Наши тело и мозг приспосабливаются к повседневному ритму жизни, основываясь преимущественно именно на этих древних настройках, унаследованных нами от далеких человекообразных предков. С точки зрения этих настроек не имеет значения, что вы прогуливаетесь по парку, а не собираете травы и коренья, или крутите педали велотренажера, а не охотитесь: степень нагрузки продолжает служить главным контрольным сигналом для выработки С-6 и С-10, а также для огромного множества других физических и химических процессов в организме, в том числе и основополагающих аспектов деятельности мозга, создающих определенный поведенческий и эмоциональный фон.

Вот почему Крис будет так настойчиво советовать вам обзавестись сердечным монитором. Вы должны знать, какие нагрузки вам нужны для сжигания жира, а какие — для сжигания глюкозы, потому что от этого знания зависит ваше здоровье и жизнь. Сердечный ритм — единственная возможность для вас узнать наверняка, какой тип метаболизма включен в настоящий момент времени в вашей мышечной ткани и какие сигналы она рассылает всем остальным органам и системам. Монитор сердечных сокращений для вас —

то же самое, что тахометр в гоночном автомобиле: вы должны знать, сколько оборотов в минуту совершает ваш двигатель, чтобы вовремя переключать передачи. Чем быстрее бьется сердце, тем больше крови оно гонит к мышцам, и они могут получать из нее все больше и больше жира. Так происходит до определенного предела — примерно до того момента, когда ваш сердечный ритм достигает 65% от максимума. В следующей главе Крис познакомит вас с соответствующими формулами, но можно считать, что у среднестатистической пятидесятилетней женщины это значение равно примерно 110 ударам в минуту. В возрасте шестидесяти пяти лет оно составит около 100 ударов в минуту. Вы должны следить за этой отметкой на приборной доске; для большинства из вас такой уровень нагрузок соответствует бодрой ходьбе. Если вы продолжаете повышать интенсивность упражнений, ваш организм включает «вторую передачу».

При переходе этой отметки митохондрии мышечных волокон начинают наряду с жиром сжигать глюкозу, а для этого требуется дополнительный кислород. Это означает, что мышечная ткань должна еще интенсивнее омываться кровью, и поэтому ритм сердечных сокращений растет. Частота, превышающая 65% от максимальной, свидетельствует о том, что в вашем организме идет сжигание глюкозы и ваш метаболизм в целом изменяется. Вы переключаетесь на вторую передачу.

Запасы глюкозы, хранящиеся в мышцах, начинают расходоваться, питая митохондрии, чтобы они могли снабдить вас дополнительной энергией, необходимой для бега или охоты. Однако и у глюкозного метаболизма имеется свой предел. Ваша кровь может нести очень много кислорода и удалять очень много углекислого газа, но в какой-то момент скорость обмена становится такой, что повышаться дальше она уже не может. Это происходит при ритме сердечных сокращений около 80% от максимального. Для пятидесятилетней женщины это примерно 136 ударов в минуту; для шестидесятипятилетней — 124. При дальнейшем повышении нагрузок мышцы начинают испытывать кислородное голодание, и глюкоза уже не может полностью расщепляться до углекислого газа. Вместо этого в мышцах накапливается так называемая молочная кислота — «отход производства» митохондриальной фабрики, не до конца сгоревший сахар, который резко снижает работоспособность ваших мышц после нескольких секунд работы на пределе (например, спринтерского броска на 100 метров). Точно так же, как переход от жирового к сахарному метаболизму, переход к анаэробной фазе (при недостатке кислорода) запускает изменения во всем организме.

Единственный способ отслеживать эти пороговые состояния — пользоваться сердечным монитором. Руководствоваться только собственными ощущениями здесь невозможно. Даже спортсмены-олимпийцы, тренирующиеся ежедневно по шесть часов, не могут определять эти пределы «на глаз». Несомненно, вы можете успешно заниматься физкультурой и без монитора, но он точно сэкономит вам порядочно времени и усилий.

Легкая нагрузка: не скорость, а расстояние

Итак, интенсивность нагрузок является важнейшим регуляторным сигналом для всех биохимических процессов организма. Это очень важная идея, заслуживающая более подробного обсуждения. Начнем с легких упражнений. Аэробика с малой нагрузкой — это длительные, неторопливые занятия, не требующие от вас серьезных усилий; иными словами — такие, которые вы можете выполнять при ритме сердцебиения, не превышающем 65% от максимума. В таком режиме в ваших мышцах сгорает преимущественно жир, поэтому с энергетической точки зрения он оптимален; занятия в таком ритме вы способны продолжать едва ли не целый день. Именно этот ритм соответствует ритму собирательства древнего человека; сегодня это ритм долгих пеших походов, когда вы никуда не спешите, но хотите пройти немалое расстояние. Вам может показаться, что подобные упражнения — пустая трата времени, но на самом деле такая активность очень важна. Это тот тип метаболизма, при котором ваше тело и мозг растут и исцеляются. При нем постоянный, хоть и не слишком мощный, ток С-10 обеспечивает медленное и непрерывное формирование новых кровеносных сосудов и митохондрий в мышцах, а также восстановление организма в целом. Занимаясь с большей нагрузкой, вы делаетесь сильнее и энергичнее, но выносливость и общее здоровье обеспечиваются в первую очередь такими, «легкими», упражнениями. Занимайтесь ими на свежем воздухе, вооружившись сердечным монитором, и вы наверняка это полюбите. А сознавая, что именно происходит с вашим организмом в эти минуты и часы, вы уже не сможете от них отказаться.

Не желаете прогуляться по пляжу и еще немного потолковать об этом? Утром, когда вы только что проснулись, ваше тело, и мышцы в том числе, не сразу выходят из состояния сонного оцепенения; ток крови и расщепление жира осуществляются в самом медленном режиме. Потягиваясь и приветствуя новый день, вы запускаете постепенный процесс изменения метаболизма. Когда вы открываете глаза, активизируется значительная часть головного мозга, в кровь выбрасывается адреналин, и она начинает интенсивнее омывать мышцы. Когда вы встаете с кровати, ритм вашего сердцебиения слегка возрастает. А по мере того, как ваши движения становятся более активными — когда вы идете в душ, бреетесь и одеваетесь, — еще более увеличивается и частота сердцебиений, а следовательно, объем крови, поступающий к органам в единицу времени. Артерии в ваших конечностях расширяются, увеличивая ток крови, богатой кислородом, в мышцах и посылая сигналы, окончательно пробуждающие ваш организм к деятельной жизни. Суставы начинают вырабатывать смазку, позволяющую им двигаться свободнее. Немного перекусив, вы выходите из дома на берег моря, встречая новый прекрасный день.

Вы ощущаете песок под босыми ступнями, из-за горизонта медленно выплывает солнце. Первые пять минут вы шагаете медленно, расслабленно, чтобы разогреться, а затем переходите к ходьбе в нормальном, бодром темпе. Так вы можете пройти много миль. И первые двадцать минут прогулки вы именно так себя и чувствуете. Вам легко шагается, и ваши мышцы сжигают жир на слабом огне. По мере того как вы ускоряете темп, жир горит все жарче и быстрее. Когда ваш сердечный ритм достигает примерно 65% от максимального, вы подходите к пределу нижней ступени нагрузок. (Не забывайте о том, что вы занимаетесь аэробикой — то есть такой активностью, при которой ваши мышцы получают весь требующийся им кислород.) Это максимальная скорость, которую вы можете развить на жировом топливе. Совсем как дизель: далеко, но не спеша. Так вы можете идти целый день, если не будете ускоряться.

И оказывается, что в этом нет необходимости: вы и так уверенно шагаете по территории С-10. Если провести аналогию между процессами восстановления и роста структур вашего организма и общественным строительством, то можно сказать, что новая сеть капилляров не может возникнуть из ничего в первый же день тренировок, точно так же, как прокладка межрегиональных шоссейных дорог занимает определенное время. Ваш организм должен проанализировать ситуацию, наметить план и обеспечить материалы, прежде чем начинать строительство. К тому же, он не склонен доверять вам, или, вернее сказать, самой природе. Стоит вам хоть немного притормозить, позволить лени хотя бы ненадолго взять верх, и строительство прекратится. Подлинная польза тренировок проявляется лишь с месяцами и годами постоянных нагрузок, постоянного роста. Кратковременные успехи в фитнесе приятны, но бесполезны. Это всего лишь следствие резкого выброса С-10 — метаболический трюк, который способен исполнить ваш организм, чтобы с пользой потратить внезапную январскую оттепель, но быть готовым тут же снова впасть в спячку, как только ударит мороз. Постоянные тренировки на протяжении месяцев и лет — другое дело. Они обеспечивают медленный, глубинный ток С-10, необходимый для капитального строительства вашего организма.

Все эти процессы запускаются и останавливаются автоматически, подчиняясь сложным биохимическим процессам, идущим в крови и других структурах организма. При синтезе С-10, который осуществляется при постоянных небольших нагрузках, все системы органов, в том числе и мозг, получают специфические биохимические сигналы. Некоторых из этих посланников вы наверняка знаете — это, к примеру, такие гормоны, как тестостерон, инсулин, адреналин и серотонин; другие вряд ли вам знакомы — например, эндотелиальный фактор роста, фактор некроза опухолей или тромбоцитный фактор роста. Суть всего происходящего заключается в том, что в результате длительных тренировок небольшой интенсивности начинается прирост мышечной массы, укрепляется сердечно-сосудистая система, сжигаются излишки жира, а следом за этим первым этапом приходит исцеление всего организма. Такие тренировки служат противовесом хроническому воспалению, вызванному стрессами современной жизни. Это прилив юности.

Тренируясь, вы удваиваете ресурсы и возможности вашей кровеносной системы и митохондрий. Несколько месяцев длительных спокойных тренировок превращают вас в счастливого, уравновешенного и мудрого человека, дышащего полной грудью в прямом и переносном смысле. Удовлетворение и уравновешенность приходят к вам потому, что ваш мозг понятия не имеет о том, что вы занимаетесь на беговой дорожке. Он считает, что вы поглощены собирательством, и из-за этого автоматически переходит в биохимическое состояние, соответствующее спокойной, но целенаправленной активности. Вы мыслите ясно, чувствуете себя спокойно и воспринимаете жизнь полнее, чем в состоянии обычного бездеятельного отдыха. Если в этот момент взглянуть на вашу энцефалограмму, то окажется, что электрическая активность вашего мозга сходна с той, что наблюдается у йогов в состоянии медитации. Это несложно объяснить — ведь именно такой ритм существования был характерен для периодов пониженной опасности в жизни древнего человека.

Интересно также отметить, что способность вашего мозга расслабляться и концентрироваться улучшается, если в нем часто происходит подобная смена ритма деятельности. Регулярные физические нагрузки улучшают долговременную память и снижают вероятность болезни Альцгеймера. В качестве наиболее приятных и полезных, на наш взгляд, вариантов легкой аэробики мы бы предложили вам пешие или велосипедные прогулки в спокойном темпе. Нам кажется, что хотя бы час топтаться по беговой дорожке в тренажерном зале гораздо противнее и утомительнее, хотя уровень нагрузки один и тот же. К тому же, вам не повредит вернуться к корням и попробовать вновь совместить искусственно разделенные в современной жизни физическую и интеллектуальную стороны собирательства. Поход пешком за пять миль в лес вместе с подругами для наблюдения за птицами, неторопливая велосипедная прогулка по окрестностям — все это и многое другое может стать превосходным эквивалентом собирательской активности и принести вам истинное наслаждение.

Интенсивная аэробика: загоняем добычу

Интенсивные упражнения, заставляющие ваш сердечный ритм подниматься выше 65% от максимума, требуют перехода на другое топливо. Жир уже не может обеспечить всю необходимую энергию, так что мускулатура начинает сжигать глюкозу. Меняя источник энергии, организм переключает на другой режим работы весь метаболизм, так как увеличение уровня нагрузок сигнализирует о переходе от собирательства к охоте.

Вот как все это работает. Животные в природе переходят к повышенному уровню активности и энергопотребления *только* в том случае, если заняты охотой или охота ведется на них. Исключением может быть лишь игра, которая фактически представляет собой репетицию двух вышеупомянутых ситуаций. Глюкоза — мощный, но дорогой источник энергии. Ваш организм знает, что собирательство *никогда* не бывает связано с таким повышением уровня нагрузок, который мог бы потребовать перехода к сжиганию глюкозы. Это бессмысленная трата драгоценной энергии, а в природе не происходит ничего бессмысленного. Если вы сжигаете глюкозу, значит, вы охотитесь, и только в этом случае действительно необходимо перевести весь метаболизм в другой режим, связанный с принципиальными изменениями в работе мышц, мозга, пищеварительной и иммунной систем, почек, печени, сердца и легких.

Представьте: вы заметили добычу. В вашу кровь резко выбрасывается адреналин и С-6, любая физиологическая активность, не являющаяся в данный момент жизненно необходимой, тормозится, мышцы получают усиленный приток крови. Вы становитесь сосредоточенным и собранным. Возрастает внимание, движения становятся более точными. При исследовании активности мозга методом магнитно-резонансной томографии становится видно, что повышение уровня физических нагрузок вызывает обширные вспышки активности в областях коры, до этого находившихся в покое. Ваш мозг начинает быстрее обрабатывать информацию и принимать решения, рефлекторные реакции становятся более быстрыми и точными, повышается слюноотделение. Если вернуться на наш пляж, это состояние будет соответствовать моменту, когда вы собрали все силы и готовы сейчас же помчаться. Вы разгоняетесь, ваша голова откидывается назад, ноздри раздуваются, зрачки расширяются. Вы чувствуете полноту существования, ясность мысли и молодость. Все это происходит не в результате сознательных усилий, а благодаря системе автоматического переключения режима работы целого ряда контрольных систем организма, регулирующейся уровнем нагрузок.

Вы свободно машете руками, вы дышите глубже, а ваши ноги трудятся без устали. При устойчивом превышении 65-процентного барьера частоты сердечных сокращений вы ощущаете прилив сил. Добро пожаловать в область интенсивной аэробики. Ваш организм только что приступил к работе на новом топливе — глюкозе, эквиваленте высокооктанового бензина для автомобиля. Вы вряд ли преодолеете в таком режиме большое расстояние, но ваших ресурсов достаточно для мощного скоростного рывка. Наряду с глюкозой ваши мышцы продолжают сжигать и жир, обеспечивающий базовый уровень функционирования, однако именно глюкоза является источником дополнительной энергии, необходимой для функционирования в новом режиме.

Длительные тренировки малой интенсивности, которыми вы занимались до этого момента, можно сравнить с этапом сборки более мощного и совершенного двигателя в вашем собственном теле. И теперь, при переключении на работу на глюкозе, все заново построенные митохондрии и капилляры получают возможность показать себя в деле. Именно для этого необходимо начинать с тренировок низкой интенсивности. Природа придумала эту хитрость для того, чтобы вы могли ловить антилоп, и именно ради этого программа подготовки любого настоящего спортсмена обязательно начинается с длительных тренировок с малой нагрузкой.

«Долгие и медленные» упражнения необходимы, так как без заложенного ими фундамента невозможен переход на более высокий уровень активности. Именно так работает каждая олимпийская звезда, каждая мировая рекордсменка, и так должны работать вы. Помните Бонни Блэйр? Она блистала в 500-метровом спринте на коньках — 38 секунд на эту дистанцию с максимальной скоростью и мощью, 30 километров в час на ледовой дорожке! Она стала самой титулованной олимпийской чемпионкой в зимних видах спорта за всю историю Соединенных Штатов (не только среди женщин, но и в общем зачете), но на самом деле в вашем случае ставки еще выше. Олимпийские спортсмены гонятся за медалями и рекордами, вы гонитесь за собственной молодостью.

Чем дальше, тем лучше ваше тело готовится к переходу на другой уровень нагрузок, и в конце концов, достигнув его, становится еще более подвижным и сильным. При переходе к интенсивным занятиям ваши мышцы накапливают больше глюкозы непосредственно в своих клетках, где она всегда готова предоставить вам энергию для серьезных нагрузок.

С точки зрения нашей животной природы тренировки с большой нагрузкой эквивалентны действиям сильного, ловкого хищника, способного во главе стаи молодняка преследовать на просторах саванны быстроногую добычу. Может, вы и не чувствуете себя даже отдаленно похожим на хищника, но именно такова ваша сущность, от которой вы не можете просто так отказаться. Вы устроены так, чтобы обладать способностью часами кружить вокруг стада антилоп, без устали заставляя их бегать, чтобы в конце концов отбить от группы старых и слабых. Человек в хорошей спортивной форме имеет в мышцах запас глюкозы, достаточный примерно для двух часов работы в напряженном режиме. Это не предел, однако очень неплохое достижение. Два часа без передышки гнать стадо.

Благодаря всему этому упражнения влияют не только на тело, но и на разум. При интенсивной физической нагрузке мозг автоматически также переходит в режим повышенной функциональности. Нет, он не стремится написать «Гордость и предубеждение», он стремится насытиться. Он думает о том, как выследить добычу, как выбрать из нее подходящих для охоты особей, как оценить их состояние, как не потерять и как настичь их. Именно такие функции мозга включаются при значительном физическом напряжении. Он автоматически переключается на повышенное внимание, ощущение подъема и возбуждения, сознание собственной силы, готовности на риск и тяжелый труд ради достойного вознаграждения. Все эти реакции — признак вашего физического и умственного здоровья. Они должны доставлять вам глубинное наслаждение, которое испытывали на охоте наши предки. Естественно, что чем больше вы охотитесь, тем успешнее функционирует ваш мозг в этом аспекте.

Интенсивные упражнения, работа до седьмого пота должны стать вашим приоритетом, поскольку «охотничий» метаболизм обеспечивает омоложение и правильное функционирование всех систем. Благодаря регулярным нагрузкам вы будете чувствовать себя сильной, быстрой, энергичной и радостной на протяжении всего времени бодрствования. Итак, подводя итог, можно рекомендовать два дня в неделю уделять исключительно тренировкам с малой нагрузкой, а в остальные дни переходить от них к серьезному труду. Скажите своему организму, что пришла весна, а также не забывайте о том, что Антидискриминационная поправка в природе работала всегда. Волчицы преследуют и ловят жертву, прилагая точно такие же усилия и с той же эффективностью, что и самцы-волки; у львов в охоте вообще участвуют преимущественно самки; самки дельфинов могут развивать при преследовании добычи скорость до 45 км/ч. Женщины созданы для того, чтобы быстро бегать, плавать, танцевать до упаду и вообще трудиться до седьмого пота. Пол тут совершенно ни при чем. Значение имеет лишь то, насколько часто и упорно вы будете заниматься.

Анаэробный метаболизм: последний рывок

В нашем отделении от природы есть по крайней мере один положительный момент: сегодня большинству людей уже не нужно охотиться для того, чтобы прокормить себя и своих детей, или беспокоиться о том, как бы не быть съеденным. Но в прошлом, пока это было для нас актуально, мы обзавелись еще одним дополнительным источником энергии, последней, третьей, «передачей», которая давала нам возможность совершить финальный рывок в ситуации, которая у натуралистов обычно зовется «убежать или схватить».

Потребление глюкозы мышцами растет до того момента, когда частота сердечных сокращений достигает примерно 85% от максимума, но здесь вы неизбежно сталкиваетесь с пределом аэробного метаболизма. Продолжать движение в еще более быстром темпе вы не в состоянии, однако у вас еще есть несколько секунд для последнего отчаянного рывка. Совершая свою пробежку по пляжу и внезапно ощутив прилив юношеского энтузиазма, вы можете совершить такой рывок и промчаться последние сто ярдов, отделяющие вас от вершины дюны. В эти секунды ваши усилия возрастают вдвое. Ваше сердце колотится со скоростью, в четыре раза превышающей нормальный ритм в покое, однако оно все равно больше не в состоянии обеспечивать вашу мускулатуру требуемым количеством крови и кислорода. На этот последний запредельный рывок у вас уходит хранящийся до такого критического момента резерв энергии, которую вы последним усилием сообщаете мышцам через контролируемый биохимический взрыв. Вы переключаетесь на третью — анаэробную — метаболическую «передачу», пересекая границу бескислородной зоны. Песок летит из-под ног, руки движутся, словно поршни, сердце готово выпрыгнуть из груди, мышцы ног горят огнем, и вы чувствуете, что больше не выдержите, — и вот вы стоите на вершине дюны, физически вы выжаты, как лимон, но вас переполняет восторг жизни.

Такую нагрузку нельзя отнести к аэробике; не относится она и к тренировкам на выносливость и вообще к чему-либо из области ваших обязательных ежедневных занятий. И тем не менее иногда бывает забавно и полезно поиграть в такие игры. Анаэробные тренировки происходят в отсутствие кислорода в мышцах. Такой тип метаболической активности — древнейший из существующих в животном царстве, он уходит корнями в невообразимо далекие эпохи, когда кислорода в атмосфере нашей планеты не было вообще, а бактерии еще не изобрели митохондрии. Анаэробный метаболизм гораздо примитивнее аэробного, гораздо менее эффективен и далеко не так изящен с биохимической точки зрения, однако на коротких рывках он может обеспечить вам последний резерв мощности за пределами ресурсов аэробной биохимии. Способность переключаться в критической ситуации на третью метаболическую «передачу» бесчисленное количество раз спасала жизни нашим предкам или давала им возможность настичь и прикончить упрямую добычу.

Испробовать переход на анаэробный уровень имеет смысл, если вы уже набрали оптимальную форму. Анаэробный метаболизм — последний контрольный сигнал для охотника или жертвы. Он не имеет никакого отношения ни к долголетию, ни, вероятно, к общему состоянию здоровья, это чистая мощь, напор и свидетельство прекрасной спортивной формы. Пока вы не почувствуете, что действительно достигли такого уровня, вам не стоит и забивать себе этим голову; если же вы чувствуете себя готовым, можете добавить подобные тренировки пару раз в неделю. В испытании себя на прочность анаэробными рывками не кроется никаких секретов омоложения, однако, раз уж вы возвращаетесь к естественному состоянию человеческого существа как хищника, вам стоит время от времени вспоминать, что такое ситуация «убежать или схватить». Нет ничего плохого в тех ощущениях, которые вы будете испытывать, завершив свою «охоту», стоя на вершине холма и провозглашая собственную победу.

Действуйте сознательно

Занимаясь физкультурой, вы обводите природу вокруг пальца — правда, вполне дружелюбным способом. Ваше тело рассчитывает на то, что вы будете каждый день заставлять его проходить по десять миль, час-два двигаться в ускоренном темпе со значительной нагрузкой и так далее, однако оно не отличается слишком уж высоким уровнем сообразительности. Вы вполне можете убедить его в том, что в саванну пришла весна и вам не требуется больше одного часа интенсивных нагрузок в день. И что этого будет вполне достаточно для того, чтобы оставаться в хорошей форме, прекрасно себя чувствовать, жить полной и энергичной жизнью и сохранять еще долгие годы здоровье и оптимизм.

Природа — это не беговая дорожка в спортзале. Настоящая, не искусственно созданная, среда обитания — это постоянно меняющийся набор факторов, так что нет ничего удивительного в том, что разнообразие упражнений дает лучший результат, чем занятия каждый день одним и тем же. Мне известно по собственному опыту, что очень многие люди чрезмерно привязываются к какому-то определенному типу упражнений, так что я буду настоятельно рекомендовать вам не давать себе так зацикливаться и время от времени разнообразить свои тренировки. Закон нашей природной сущности крайне прост: *делай каждый день что-то реальное.* Не обращайте внимание на досужие разговоры о том, что вам хватит и трех-четырех тренировок в неделю. Не слушайте их! Подобно прочим официально установленным нормам, медицинские рекомендации о трех-четырехразовых тренировках — не более чем жалкий минимум, выбранный искусственно, от безысходности перед лицом нации, превращающейся в сообщество овощей, не слезающих со своих грядок-диванов. Не забывайте о том, что ваш организм нуждается в *ежедневной* биохимической диете, которую обеспечивает лишь ежедневная физкультура. Принципиально важна не интенсивность тренировок, а именно их «ежедневность»: вы должны заниматься шесть дней в неделю и ни днем меньше! Поэтому вам стоит познакомиться с различными вариантами занятий в спортзале и на свежем воздухе, чтобы подобрать для себя набор того, что вам по душе. Возможностей для выбора действительно очень много. Занимаясь в спортзале, старайтесь поддерживать свой сердечный ритм в зоне высокой интенсивности, а совершая физкультурную вылазку на природу — низкой, и прекрасный результат вам обеспечен! Всегда помните о том, что конечная цель всех ваших действий — передать телу и мозгу устойчивый сигнал к омоложению. И не так важно, будет ли этот процесс идти медленно или быстро, — времени у вас достаточно. Важно лишь двигаться в правильном направлении.

Привыкайте

Люди выбиваются из спортивной колеи не потому, что выполняют в спортзале неправильные упражнения. Это может произойти с вами только в том случае, если вы поддадитесь искушению пропустить хотя бы одну-две тренировки, а в итоге больше вообще не вернетесь в спортзал. У меня были тысячи пациентов, и, наблюдая за ними, я убедился, что только *привычка и распорядок* ведут к успеху.

Это не так уж и легко. В нас заложено стремление есть, заниматься сексом и отдыхать в любой подворачивающийся момент, потому что в природе никогда не известно, когда в следующий раз вам представится такая возможность и представится ли она вообще. Сегодня, в эпоху изобилия и лени, такие инстинкты приносят нам только вред, однако преодолеть их очень сложно.

К счастью, мозг можно перепрограммировать, используя для этого порядок и привычку. Вам нужно просто воспользоваться тем замечательным умением, которое вы начали постигать еще в далеком детстве, впервые отправившись в детский сад. Теперь вам нужно всего лишь направить это умение на новую цель. Так же, как вы ходили каждый день в детский сад, школу, университет, на работу, вы теперь должны привыкнуть ходить в спортзал. Воспринимайте это как замечательную работу, чем это по сути и является. Новая привычка должна изменить вашу жизнь, медленно, но наверняка, потому что, раз уж вы пришли на свое новое «рабочее место», вы обязательно проделаете там что-нибудь полезное. *Но даже если в этот день у вас почему-либо ничего не выйдет, вы все равно придете сюда завтра.* В этом суть — привыкнуть ходить на занятия каждый день и делать это до конца жизни.

Воспринимать занятия в спортзале как работу имеет смысл потому, что после пятидесяти занятия физкультурой уже не могут считаться необязательным развлечением. Вы *обязаны* заниматься, в противном случае вас настигнет дряхлость и беспомощность. Просыпаясь с утра, Крис не думает о том, пойдет он сегодня в спортзал или нет, точно так же, как до выхода на пенсию он не думал, просыпаясь, пойдет ли на работу. Как бы он себя ни чувствовал, он встает и идет. Когда это входит в привычку, делать это становится гораздо легче, и в результате он молодеет все больше и больше.

Чем раньше начать, тем больше окажется выгода, а значит, стоит задуматься о ежедневных занятиях лет за десять до выхода на пенсию, то есть еще в тот период, когда вы с головой погружены в профессиональную деятельность. Выкроить в напряженном рабочем графике время для тренировок может поначалу казаться невозможным, но это неверный взгляд. В конце дня мы чувствуем усталость не потому, что занимались слишком много, а напротив, потому, что не занимались *достаточно*. Мы испытываем умственное, эмоциональное и физическое утомление из-за того, что большую часть времени проводим без движения. Если каждый вечер вы чувствуете себя выжатой, как лимон, уже к семи часам — вы не живете, вы лишь выживаете под сильнейшим давлением существования, которое кажется вам единственно возможным. Кстати, многочисленные исследования подтверждают, что продуктивность и радость жизни значительно выше у тех, кто находится в хорошей физической форме. В этом случае вам требуется и меньше сна! Если вы готовы вкладывать хоть какие-нибудь средства в качество своей жизни, то можете быть уверены: время, затраченное на занятия физкультурой, — это выгодное помещение капитала. На самом деле все обстоит так, что вы не можете позволить себе *не* заниматься. Единственная настоящая проблема в том, что нелегко сохранить мотивацию к занятиям физкультурой под давлением обязанностей и проблем, которыми заполнена жизнь современного человека. Поэтому я и предлагаю рассчитывать преимущественно не на мотивацию, а на порядок и привычку. Вырвите из своего расписания время на тренировки, объявите его неприкосновенным и никому не позволяйте отобрать его у вас.

С чего начать

В случае Криса стратегия «глубоко вдохнуть и прыгнуть» оказалась успешной, однако при таком старте вы рискуете навредить себе, если ваша форма далека от оптимальной. Начинать лучше с нагрузок, которые заставят вас потеть, однако не будут превосходить пределы ваших возможностей на данный момент. Чем старше вы и чем хуже ваше состояние, тем важнее для вас тщательно следить за тем, чтобы ваши ежедневные тренировки соответствовали безопасному уровню. Это означает, что первое время предпочтительнее заниматься аэробикой «легкого» уровня, а основное внимание уделять постепенному увеличению продолжительности тренировок. Вы еще не забыли о биохимии воспаления? Помните, как на протяжении десятков лет вездесущие агенты С-6 посылали вашим суставам приказы к распаду? В наше время артрит — одна из самых распространенных болезней воспалительной природы, связанная в первую очередь с малоподвижным образом жизни; его можно назвать болезнью С-6. Поэтому после нескольких десятилетий распада ваши суставы *постарели* — в гораздо большей степени, чем сердце, артерии, легкие, мозг и мускулатура. Если бы ваши суставы и ваши мышцы устроили состязание между собой, суставы бы наверняка проиграли. Занимайтесь каждый день, но не бегите впереди паровоза. В конце концов, если вы совершенно не уверены в своих возможностях, пойдите к врачу и посоветуйтесь с ним, а при необходимости пройдите тест на допустимые нагрузки.

Пределов нет

Для здорового человека поддержание и улучшение спортивной формы — приятное и увлекательное занятие, а для человека нездорового это просто жизненная необходимость. Даже если вы совсем расклеились или если с вами когда-то в жизни случилось нечто по-настоящему плохое, возьмите себя в руки — это может каждый. У меня были пациенты, которые начинали регулярно заниматься только *после* того, как с ними случался инсульт, рак или инфаркт, и все равно, стоило им начать, их здоровье существенно улучшалось. Артрит, кровоизлияния, сердечные приступы, опухоли мозга, переломы и множество других бед способны ограничить *выбор* доступных для вас упражнений, однако ни одна из них не способна остановить вас.

Мой путь на работу лежит через Центральный парк Нью-Йорка (по-моему, один из лучших маршрутов в мире!), и по меньшей мере лет десять я наблюдаю там занимающегося бегом пожилого мужчину. Должно быть, он перенес в прошлом серьезный инсульт, потому что его походка исключительно странна и неестественна. Фактически, бегать способна только здоровая половина его тела, а другую, пораженную, он просто упорно бросает вперед шаг за шагом. Вероятно, в результате инсульта у него нарушилась и терморегуляция, потому что он никогда не бегает в рубашке. Но каждый день он на своей дорожке — худая костлявая старческая грудь, голый торс даже в снег и двадцатиградусный мороз... Он выглядит доисторическим ископаемым и, насколько я понимаю, борется за жизнь с нечеловеческим упорством. Каждый раз, видя, как его полуобнаженная фигура показывается в снежном вихре, нелепо подпрыгивая при каждом шаге, я искренне радуюсь и восторгаюсь его способностью *жить*. Мне не важно, кто он такой, я хочу сказать вам лишь то, что ему приходится в сотни раз труднее, чем вам, мне или Крису, и тем не менее он каждый день выходит на пробежку, год за годом, а значит, он — победитель. Если когда-нибудь вы решите, что не в состоянии заниматься, вспомните об этом человеке. Он перенес инсульт и с трудом передвигается, так что он-то как раз *по-настоящему* не в состоянии заниматься. Однако он занимается, и я уверен, что ему это доставляет удовольствие. Значит, вы тоже сможете.

ГЛАВА 8

Основа основ: аэробика

Задумайтесь о том, что только что рассказал вам Крис. Оказывается, мы можем в любой момент по собственному желанию переключать наш внутренний «двигатель» с одного вида топлива на другой, с дизельного на бензин. По-моему, это совершенно удивительно. На наших дорогах не встретишь машины с подобными возможностями. А кроме того, у нас есть в запасе еще одна возможность — сжигать ресурсы вообще без доступа кислорода! Это вообще чудо. И лично мне кажется, что мы просто обязаны обеспечить этому чудесному механизму пристойные условия для работы. И вовсе не из чистого альтруизма — ведь если мы перестанем за ним следить и допустим, чтобы он засорился, он в конце концов взорвется. И убьет вас. (А даже если и не убьет моментально, то по крайней мере надолго, если не навсегда, сделает вас пациентом кардиологической клиники.) Гарри случайно не рассказывал вам о кардиохирургии? Думаю, нет. Буду с вами честен: эта глава — не самая занимательная, и вместе с тем, я настоятельно рекомендую вам ознакомиться с ней. То, о чем мы будем говорить, все же гораздо веселее, чем кардиохирургия. В наши дни кардиохирурги не сидят без работы, потому что огромное количество людей предпочитают надеяться на их искусство, а не заниматься физкультурой.

Да, сегодня врачи могут выполнять сложнейшие операции, в том числе и на сердце. Хирургу для этого нужно всего лишь разрезать вам грудь скальпелем, а затем взломать грудину с помощью огромных ножниц, почти как панцирь омара. Щелк, щелк, щелк. А потом его ассистенты (не переживайте, они это делали уже тысячу раз) отогнут кости вашей грудной клетки, чтобы хирург смог залезть туда и… Что, вы не хотите об этом читать? Вам кажется, что это все жутко и отвратительно? Ну ладно. Некоторые пациенты уверяют, что на самом деле все оказывается не так страшно, как кажется, однако нельзя не признать, что это все же весьма, скажем так, радикальное вмешательство. Да и шрам остается, кстати… Ну конечно, физкультура тоже радикальна — она требует от вас целого часа в день, а ведь это так много! Так что дело ваше, можете отказаться от нее, и от прочтения этой главы заодно. Но тогда вам с большой вероятностью предстоит рано или поздно познакомиться на собственной шкуре с тем, как вскрывают омаров. Вы спрашиваете, что порекомендовал бы я? Ну, сдается мне, я бы почитал еще немножко, но это всего лишь мое мнение. И кстати, если вы будете бегло пролистывать эту главу, все-таки не пропускайте «Снежные законы» в конце: это любопытно.

Долгосрочные перспективы

Предположим, мысль о кардиохирургии вызывает у вас приступ тошноты. Что же в таком случае делать? Само собой, заниматься физкультурой. Вы должны послать своим клеткам те самые жизненно важные сигналы. Вам будет легче, если вы с самого начала установите для себя достаточно отдаленные цели и будете последовательно к ним приближаться. Первостепенная по значимости цель должна быть такой: достичь через год такой формы, чтобы быть в состоянии спокойно выдерживать длительные тренировки с малой нагрузкой (если помните, при таких упражнениях частота вашего сердечного ритма не должна превышать 60–65% максимума). Длительные — значит час, два, три и, возможно, больше. Это вполне реальная цель для тех, кому за шестьдесят, за семьдесят, за восемьдесят… и даже отчасти за девяносто. Тип упражнений выбирайте на свой вкус: может быть, вы предпочтете всю первую половину дня крутить педали велосипеда, а может быть, отправитесь на пешую прогулку. Проделывать что-нибудь подобное вы должны приблизительно раз в месяц. Иногда можно ограничиться и двумя часами, но три все-таки лучше. Вы должны настраиваться именно на это. Тренируясь, не выпускайте цель из виду, регулярно напоминая себе о том, зачем вы делаете все это. Если вы сумеете достичь такого уровня подготовки и поддерживать его, то, вероятно, ваше самочувствие ощутимо улучшится, и вы будете успешно противостоять подводным течениям возраста. Но мы считаем, что останавливаться на этом не обязательно. Будет прекрасно, если на следующем этапе вы введете в свою программу силовые тренировки. Мы подробно рассмотрим их в 10-й и 11-й главах, так как с ними связан целый ряд особенностей. Помимо силовых упражнений вы должны включить в программу своих занятий и аэробику с более высоким уровнем нагрузки, чтобы ваш организм осваивал другие источники энергии. Но не забывайте о Джоне из Флориды, который ходил по пляжу. Он так и не вышел за пределы «долгой и медленной» аэробики, тем не менее мы по праву считаем его одним из наших героев.

Пойдем дальше. Вторая ваша цель — переход к упражнениям более высокой интенсивности. В конечном итоге вы должны быть способны выдерживать в течение часа такие нагрузки, при которых уже не сможете спокойно поддерживать разговор. Показатель этого уровня — частота сердечных сокращений, составляющая 70–85% от максимальной. Если у вас получится довести продолжительность таких тренировок до двух часов, это просто великолепно. Но знаете, это уже смахивает на программу подготовки настоящих атлетов, а для нормального человека часа вполне достаточно. Если вы достигли этой цели, значит, вы в превосходной форме.

И, наконец, последняя, наименее обязательная цель: спринтерские рывки или какая-либо иная краткосрочная активность на предельном, анаэробном уровне. Продолжительность таких рывков — не более одной-двух минут (после чего двигаться дальше уже *действительно* некуда). Повторяю, эта цель совершенно не обязательна, однако задуматься о ней стоит. Вы уже знаете, что при нагрузках такого уровня в работу включается новая энергетическая система, которой не требуется для работы кислород, а поддерживать в рабочем состоянии все три механизма выработки энергии в мышцах совсем не вредно. Также не вредно знать, что при необходимости ваш древний предковый механизм «драки или бегства» сможет включиться. Лично мне нравится время от времени устраивать ему «учебную» тревогу, но это дело вкуса. Исходя из того, что лично мне приходилось видеть в спортзалах, я бы сказал, что к такому типу упражнений больше склонны мужчины, однако точно есть и женщины, которым это нравится. Как я уже говорил, это далеко не самая важная часть нашей программы; здесь — воля ваша. Однако, по-моему, это достаточно занимательно.

Необходимость приобретения сердечного монитора

Итак, цели определены. Как же их достичь? Только не удивляйтесь: в первую очередь вы должны приобрести сердечный монитор. Если до этого вы никогда не занимались спортом, то все рассуждения о «процентах от максимального ритма сердечных сокращений» для вас, скорее всего, китайская грамота, и осознать их реальную значимость вам тяжело. Откуда вообще человек может знать, какой у него максимальный сердечный ритм и сколько процентов от него включено в настоящий момент? На самом деле это просто обязан знать любой, кто, приступая к тренировкам, испытывает хотя бы минимальную ответственность за собственный организм, — и, как правило, знает. Сегодня практически все, кто регулярно посещает спортзал, *постоянно* контролируют степень нагрузки именно с помощью сердечного монитора. Так же должны поступать и вы.

Как вычислить основные показатели сердечного ритма

Предлагаю вам заняться некоторыми подсчетами, потому что, несмотря на свою простоту, они имеют очень большое значение. Для начала отнимите ваш возраст от 220. Допустим, вам шестьдесят, тогда в ответе получается 160. Считайте это вашим теоретическим максимумом. Теперь вычислим 60% от этого числа. (Не надо хвататься за карандаш и бумагу: 60% от 100 — это 60. Так? А 60% от 60 — 36. Сложите и получите 96 — это и есть 60% от вашего максимального сердечного ритма. Теперь точно так же вычислите 70%. А затем 80 и 90. Запомните эти числа. Или при необходимости снова проделайте те же вычисления. Пусть ваш мозг работает. Боритесь с болезнью Альцгеймера.) Как вам уже известно, три уровня тренировок — это длительные занятия с малой нагрузкой (60–65% от максимума), упражнения высокой интенсивности (70–85%) и анаэробные рывки (85–100%). Ваши личные значения этих трех показателей вы всегда должны знать.

Современные программы занятий обязательно включают в себя тренировки разной интенсивности (то есть с разной частотой сердечных сокращений), определенным образом спланированные по времени и направленные на определенные цели. Сердечный монитор позволит вам установить и поддерживать прочную основу для своих занятий. Это наилучший из всех приборов и методов, которыми вы можете воспользоваться, к тому же с ним весь процесс тренировок становится гораздо занимательнее.

Монитор сердечных сокращений — несложный прибор, который показывает, сколько раз в минуту сокращается ваше сердце. Это главное. Вы, конечно, можете приобрести модель с кучей дополнительных функций, который будет анализировать ваши плевки и помнить девичью фамилию вашей матери, но все это вам не нужно. Вам нужен самый простой и дешевый прибор. Но нужен обязательно — считайте, что он необходим для занятий физкультурой не меньше, чем пара хорошей спортивной обуви.

Люди почему-то упорно противятся этому совету. Может быть, потому, что идея для них столь нова. Или это кажется им неудобным. К тому же это *компьютер*… а некоторых это до сих пор пугает. Однако все эти доводы лежат в той же области, что и самообман по поводу тренировок. Вы можете придумать для себя самые разнообразные оправдания, однако все они одинаково нечестны и некрасивы. Имейте в виду: *каждый, кто всерьез занимается физкультурой и спортом, обязательно будет рекомендовать вам приобрести сердечный монитор.* Буквально каждый, от Ланса Армстронга до вашего покорного слуги. Только этот прибор дает вам возможность точно спланировать программу тренировок.

Сердечный монитор состоит из двух частей: маленького дисплея, который носится на ремешке на запястье, как часы, и пояса, который надевается на грудную клетку под одеждой. Проще некуда. В пояс вмонтированы датчики, улавливающие сокращения вашего сердца и передающие данные на дисплей. Вы постоянно можете видеть, с какой именно скоростью (в ударах в минуту) бьется ваше сердце. Самый дешевый сердечный монитор можно приобрести на распродаже долларов за семьдесят. По сравнению с его ценностью для вас это ничто.

Прочитайте инструкцию (она совершенно очевидна), наденьте прибор… и попробуйте потренироваться с ним пару дней. Увидите сами, что получится. Максимальный ритм сердечных сокращений можно приблизительно вычислить по формуле «220 минус ваш возраст». Но очень скоро вам наверняка захочется более точной информации. Получить ее можно, хотя и чертовски трудно, но поверьте, на первое время приблизительных подсчетов по вышеприведенной формуле вполне достаточно. Теперь, занимаясь, время от времени поглядывайте на монитор и отслеживайте, какой уровень нагрузки вы испытываете. И даже не пытайтесь достичь теоретического максимума, по крайней мере пока не будете в отличной форме.

Наверняка вам захочется узнать и ваш сердечный ритм в покое. Бывают такие тусовки, в которых считается хорошим тоном обсуждать сердечный ритм за коктейлем. Вы тоже должны быть готовы в любой момент поддержать подобный разговор. Сердечный ритм покоя служит грубым показателем вашей физической формы. И, что еще важнее, его ежедневные *колебания* отражают изменения вашего самочувствия. Вот как получить эту информацию. Ложась спать, положите прибор рядом на прикроватный столик. Проснувшись наутро, сразу же наденьте пояс с датчиком и положите дисплей так, чтобы вам было его видно. Постарайтесь снова заснуть. Когда вы почувствуете, что проваливаетесь в сон и уже едва способны открыть глаза, заставьте себя проснуться и взглянуть на дисплей. Что он показывает? Что-нибудь около 50? 60? 70? Прекрасно. Это и есть ваш сердечный ритм в покое. Можете сообщить его всем окружающим. Со временем, когда ваша физическая форма благодаря тренировкам улучшится, он должен понизиться. А если как-нибудь утром вы обнаружите, что он ненормально подскочил, значит, вас настигла простуда. Или вчерашняя вечеринка была слишком бурной. Или вы перетренировались. Или через некоторое время ваше сердце остановится совсем (шутка). Если ваш сердечный ритм покоя слишком высок, на некоторое время снизьте интенсивность нагрузок, пока он снова не придет в норму.

Гарри придает сердечному ритму покоя очень большое значение. Если вы согласны с ним, то вам захочется проверять его каждое утро. Здесь вы можете обойтись без монитора — несмотря на все наши странности, мы все же не станем советовать вам каждую ночь засыпать с сердечным монитором в обнимку. Пользуйтесь простым дедовским способом — нащупайте пальцами пульс на шее, сразу за адамовым яблоком. Держите в поля зрения часы с секундной стрелкой или секундомером и считайте. Этот способ не слишком подойдет для использования на ходу или во время велосипедной прогулки, но один раз в сутки, в кровати, им вполне удобно пользоваться.

То, что я собираюсь сказать теперь, гораздо более важно. Когда вы ощутите себя в действительно достойной форме, вам захочется узнать свой *реальный* максимум сердечного ритма. Не исключено, что реально он выше, чем вычисленный вами по приблизительной формуле. Если вы будете продолжать пользоваться неверным исходным значением, значит, неверными окажутся и установленные вами критические переходные пороги, а значит, потеряют смысл и все наши замечательные советы.

Узнать истинный максимум частоты сердечных сокращений можно, подвергнув себя предельной нагрузке. Когда вы будете в по-настоящему прекрасной форме, попробуйте как-нибудь увеличивать нагрузку до тех пор, пока не достигнете, к примеру, 90% вашего теоретического максимума. Как вы себя при этом будете чувствовать? Осталось ли у вашего организма еще 10% запаса? Попробуйте пойти дальше. Так постепенно вы можете нащупать свой истинный максимум, но, повторяю, это возможно только в том случае, если вы действительно чувствуете себя прекрасно. Не забывайте, что это реальный предел, на котором вы сможете остаться вряд ли больше минуты, прежде чем рухнете на землю. Если вы пока не готовы добраться до настоящего максимума, остановитесь чуть ниже и примите отмеченное значение частоты сердечных сокращений за 90 или 95% от максимального. Пересчитайте на основании этих данных все процентные пороги. На это стоит затратить время и силы. К примеру, мой теоретический максимум — 150 ударов в минуту. Но истинный оказался равен 170. Это огромная разница, и если бы я не узнал о ней, все мои усилия пошли бы прахом.

Вам может казаться, что другой удачный способ проверки вашего реального максимума — это медицинский тест на нагрузку. То есть вы можете просто тренироваться буквально «до упада», а рядом с вами будет находиться милый врач-кардиолог, который в нужную минуту придет на помощь. Однако на самом деле так у вас вряд ли что-то получится. Врачи, которые проводят такие тесты, не интересуются вашими показателями сердечного ритма. Им они ни на что не нужны, а такая проверка требует больше времени и усилий не только с вашей, но и с их стороны. Так что, вероятно, вам придется справляться самостоятельно.

Скорость восстановления

Могу рассказать о других цифрах, которые имеют для вас значение. Полезно вычислить скорость восстановления сердечного ритма: это число, показывающее, на сколько падает частота сокращений через шестьдесят секунд после перехода от максимального напряжения сил к спокойной ходьбе. Это наилучший и наиболее просто определяемый показатель вашей спортивной формы.

К примеру, вы занимаетесь на велотренажере и доводите уровень нагрузки до 130 ударов в минуту. Допустим, это составляет

80% от вашего максимума. Теперь перейдите к неторопливому вращению педалей и смотрите одновременно за секундной стрелкой часов и за дисплеем вашего монитора. Как только ритм вашего сердцебиения начнет падать (обязательно дождитесь этого момента, так как сразу же после уменьшения нагрузки он может вначале повыситься), начните отсчет времени. Отметьте, с какой частотой будет биться ваше сердце спустя минуту. После этого сравните зафиксированную частоту с той, что была у вас во время интенсивной нагрузки. Если за минуту частота сердечных сокращений упала на 20 и более ударов в минуту, считайте свое состояние более-менее нормальным. Если же она упала менее чем на 20 ударов, значит, вам стоит еще поработать над формой на первом уровне аэробики. Если ваша скорость восстановления составляет 30–40 ударов в минуту, можете рассказать об этом всем на свете. Они умрут с тоски, выслушивая вас. Когда этот показатель достигнет значения в 50, пожалуйста, позвоните Гарри и сообщите ему эту новость. Мне тоже было бы интересно об этом узнать, но боюсь, я буду в тот момент занят.

Час на горной тропе

А сейчас я хочу показать вам работу сердечного монитора на жизненном примере; возможно, так вы лучше поймете принцип его действия и убедитесь в его необходимости. Часть этой книги была написана мной прошлой зимой, в Аспене, куда я специально уехал, чтобы поработать и покататься на лыжах. Обычно утром я около часа занимался физкультурой, а потом садился за компьютер. Вот описание одной из моих утренних тренировок.

Это был четвертый день моего пребывания в Аспене. Я уже привык к перепаду высот, однако с разницей часовых поясов справиться пока не мог, так что в пять утра был уже на ногах. Я уже позавтракал, а за окном все еще царила ночная мгла, но все равно я увидел, что за ночь выпало несколько дюймов снега. Тепло одевшись, я взял с собой собаку и поехал к подножию спуска. Пока я завязывал ботинки, мой пес Энгус, тоже уже немолодой, носился кругами по свежевыпавшему снегу. Ему очень нравились такие прогулки. Мне тоже. Старички вышли поразмяться.

Спуск, который местные жители называют Тропой Контрабандистов, начинался на высоте около 9000 футов, а заканчивался примерно на 7800, и с него открывались великолепные пейзажи маленького городка и высящихся вокруг заснеженных гор. В тяжелых ботинках по снегу я мог подняться по тропе до вершины примерно за час. Местным ребятишкам на это требовалось, вероятно в два раза меньше времени. Приготовившись к подъему, я посмотрел на часы и дисплей сердечного монитора. Ритм в покое — 65. Прекрасно.

Я хорошо знал дорогу и поглядывал на монитор, чтобы соразмерять скорость ходьбы. Первые пять минут я разогревался, доведя частоту сердечных сокращений до 100–105 ударов в минуту, что составляет 60% моего личного максимума. Потом, за следующие пять минут, я чуть ускорился, поднимая ритм сердцебиения до 120 ударов (70% максимума). На этом этапе мне вдруг показалось, что я слишком напрягаюсь, но, взглянув на дисплей, я обнаружил на нем всего лишь 112. Упс! Я вздохнул поглубже и еще поднапрягся. Так случается на удивление часто: вы *считаете*, что достигли определенного уровня нагрузки, а на самом деле ваша оценка оказывается завышенной. Пройдя около трети подъема, я решил повысить интенсивность, доведя частоту сердцебиения до 130 с небольшим ударов в минуту (с 70 до 85% моего максимума). Дорога здесь становилась более крутой, да и воздух уже был достаточно разрежен. Я рассчитывал выдержать такой темп в течение 10–15 минут, добравшись за это время до столба телефонной линии, который отмечал примерно 2/3 пути. И мне действительно удалось добраться до столба с показателем частоты сердечных сокращений ровно в 140. Хорошо!

Хороши был и окрестности. Мне были видны маленькие снегоуборщики, расчищающие большой спуск, где проводятся соревнования, автобусы и автомобили, везущие людей на работу из лежащей ниже долины. От красот природы захватывало дух. Вот они, занятия с максимальной нагрузкой и максимальным удовольствием.

Дорога стала еще чуть круче, и я продолжал увеличивать нагрузку. Еще чуть шире шаг… и мой ритм сердцебиения достигает почти 150 ударов в минуту. Мой личный максимум — 170, так что 145 — это примерно 85%, серьезная нагрузка. Мне захотелось напоследок совершить анаэробный рывок и перейти за отметку в 150 ударов. Для меня это составляет 90% максимума. Если вы в приличной форме, 90-процентная нагрузка не грозит вам разрывом сосудов, даже на значительной высоте в горах. Она лишь прочищает их. Мы добрались до последней широкой дуги серпантина. Я шумно пыхтел, очки у меня запотели. Я чуть сдвинул к затылку свою меховую шапку, пытаясь хоть немного освежиться.

Все в том же темпе я приблизился к финальному повороту и, приложив последние усилия, перешел с шага на легкий бег, осторожно ступая по снегу и льду. Тяжело топоча ботинками по тропе, пыхтя, как паровоз, я одолел последний поворот и взбежал на маленькую ровную площадку на вершине. Финиш! Что ж, я уложился в 28 минут, что очень неплохо для меня на такой дороге. А еще более важно — мой сердечный ритм достиг 157, то есть около 92% от максимального. Превосходно. Я мог всего несколько минут выдерживать анаэробные нагрузки, но это нормально. Зато я дал организму возможность интенсивно потренироваться на аэробном уровне — более интенсивно, чем смог бы, не будь у меня монитора, — а заодно и доставил себе приятные минуты. Это тоже считается.

Теперь восстановительный этап. Незамедлительно, как только мой пульс сдвинулся с отметки 157 ударов, я засек время и с удовлетворением обнаружил, что за минуту он упал до 120, то есть на 37 ударов. Это было просто восхитительно. Я понимал, что это свидетельствует о том, что я действительно в весьма приличной форме. Может, конечно, мне суждено сегодня въехать на лыжах в дерево, зато сердечного приступа у меня, скорее всего, не будет. Не наверняка — сердце может сыграть злую шутку с каждым, — но все-таки это маловероятно. Я отправился в обратный путь вниз, не стараясь сдерживать шаг, но частота сердцебиения у меня едва достигала 60% от максимума. Если бы дорога была не такой скользкой, я побежал бы, чтобы немного увеличить нагрузку, но мне не хотелось ломать себе шею. Очень важно ничего не ломать. Будьте разумны. Пару раз мы останавливались, потому что мне приходилось очищать от налипших льдинок лапы Энгуса, но к машине он все равно прибежал раньше меня. Тренировка заняла около часа. Как настоящие выносливые хищники, мы остановились, чтобы купить местную газету, выпить чашечку кофе, а уж потом ехать домой. Там еще все спали. Мы урвали кусок дня у ночи, а еще мы преодолели течение. И все это — с помощью маленького приборчика ценой меньше семидесяти баксов.

Базовая программа тренировок

Ну ладно, теперь вернемся к основам. Мы постоянно возражаем против того, что данный труд — описание комплексов упражнений, однако следующие несколько страниц как раз очень на это похожи. Мы пошли на это потому, что многие из пациентов Гарри и прочие наши знакомые часто просят нас составить для них простую программу тренировок на первые несколько недель и месяцев. Поэтому мы и разработали трехуровневый курс, более-менее подходящий для всех. Не забывайте, однако, что на самом деле одна программа *не может* идеально подходить всем, так что вам все равно придется подстраивать ее под себя. К примеру, кое-кому — возможно, многим — придется провести долгое время на первом и втором уровнях, вне зависимости от того, какую форму им удастся набрать. Мы думаем, что всем рано или поздно нужно вводить в программу занятия с весом (а это как раз второй уровень), но после того, как вы это освоите, вы можете предпочесть остаться постоянно на стадии «долгой и медленной» аэробики (хотя нам есть что сказать в пользу высокоинтенсивных и даже анаэробных тренировок). Но выбор за вами. Единственное предостережение, которое мы хотим сделать всем: не обманывайте сами себя. Начинайте с того, с чего должны начать, и не стремитесь двигаться дальше, пока не будете по-настоящему готовы к этому. Упорство и постоянство всегда предпочтительнее лишних непродуманных усилий.

Если вы уже и так в хорошей спортивной форме, вы, возможно, сразу же выбьетесь из нашего графика. Ну и хорошо. Занимайтесь по собственной программе под руководством тренера или ориентируясь на какую-либо из книг, посвященных серьезным тренировкам на выносливость, о которых упомянуто в авторских примечаниях. Однако вне зависимости от уровня вашей начальной подготовки есть одно правило, общее для всех без исключения: необходимо *чередовать* разные виды упражнений из рекомендованных нами (со временем ваш режим может стать таким: четыре дня занятий аэробикой на разных уровнях нагрузки, и как минимум два дня силовых тренировок в неделю). Чередование различных видов упражнений имеет очень большое значение, и для того, кто уже достаточно хорошо подготовлен, даже большее, чем для всех прочих. Если вы сосредоточены исключительно на каком-то одном виде спорта, вы неизбежно тренируете одни группы мышц в ущерб другим. С годами устойчивость вашего организма к такому одностороннему напряжению будет все больше и больше падать. Группы мышц, которые не задействованы в ваших упражнениях, будут постепенно атрофироваться и оказывать крайне отрицательное воздействие и на весь организм. Чтобы предотвратить это, и необходима смена типов тренировок; это очень важно.

В приложении к этой книге кратко изложены основные принципы нашей программы тренировок, но вам, вероятно, будет полезно узнать некоторые дополнительные детали. Во-первых, неважно, кто вы — спортсмен или развалина: порядок действий для всех одинаков. Вы надеваете спортивную форму и сердечный монитор, идете в спортзал или на открытый воздух и начинаете с *разминки.* Лично я по своему темпераменту не отношусь к людям, любящим разогреваться постепенно, однако я на собственном опыте убедился в необходимости этого. Мой возраст помогает мне улавливать разницу. Возможно, вы уже это заметили, а возможно, вам это только предстоит, но где-то после 50 или 60 вы неизбежно почувствуете, что вашей крови требуется теперь более продолжительное время для того, чтобы начать течь активнее, а мышцам и суставам — для того, чтобы разогреться. Мне сейчас требуется на это пять, а то и десять минут. Ориентируйтесь на собственные ощущения, только не рвитесь в бой раньше времени, если вам не терпится или кажется, что вы сегодня исключительно бодры. Даже профессиональные спортсмены, зарабатывающие миллионы своими выступлениями, начинают с разминки, чтобы избежать травм. И вы никак не можете быть исключением из этого правила.

Это очередной важный момент: хорошая разминка *значительно* снижает травматизм, а чем вы старше, тем большее значение это для вас имеет. Ведь получить травму с годами становится все проще, а восстановиться после нее — все труднее. Итак, разминайтесь.

После разминки начинайте постепенно увеличивать интенсивность вращения педалей, бега или иных действий, которые вы выполняете. Ваш ритм сердечных сокращений должен постепенно увеличиться до 60–65% от максимума. В первый день занятий вы должны поддерживать этот уровень на протяжении 10, 15 или 20 минут — руководствуйтесь собственным состоянием, не перенапрягайтесь. После этого несколько минут отведите на то, чтобы остыть. Можно проделать какие-нибудь упражнения на растяжку. А теперь идите домой. Вы только что вступили на священный путь накопления потенциала омоложения своего организма. В ваших мышцах уже появилось немного новых митохондрий, начали тянуться к клеткам новые капилляры, и ваше тело начало получать первые новые сигналы роста. Может быть, первый, пусть пока и едва заметный, фонтанчик С-10 освежил вашу кровь. Прекрасная работа. Можете себя поздравить.

На следующий день проделайте то же самое. Если самая первая тренировка совершенно выбила вас из колеи, уменьшите нагрузку и продолжительность занятий. Если вы чувствуете себя превосходно, увеличьте. Пока ваша задача — осторожно двигаться вперед на «долгом и медленном» уровне, следя за тем, чтобы ваш сердечный ритм не превышал 60–65% от максимума. Этот этап займет у вас всю первую неделю, а может быть, и гораздо больше времени. Вы должны стремиться к тому, чтобы спокойно выдерживать тренировки на таком уровне в течение 45 минут. (Естественно, со временем вы захотите увеличить время тренировок до двух-трех часов.) Если через одну, две или три недели вы так и не сможете выдерживать нагрузки, соответствующие 60–65% максимального сердечного ритма, на протяжении 45 минут, не беспокойтесь. Все нормально. Просто продолжайте занятия. Это самое лучшее, что вы можете предпринять. Спешить вам некуда. То, чем вы сейчас заняты, — это самый важный аспект всей программы. Не построив прочной базы аэробного метаболизма, вы не сможете двигаться дальше. Фактически, у вас вообще ничего не получится с новой жизнью без этой базы. Если вы не захотите больше ничего почерпнуть из этой книги, то запомните хотя бы это. Это уже очень много. Очень важно в деле предотвращения инфарктов, инсультов и многих типов онкологических заболеваний. Прочная база аэробного метаболизма — вещь первостепенной важности, средство, по-настоящему способное спасти вашу жизнь. И к тому же — приносящее много удовольствия.

Один из способов точно узнать, когда пора остановиться, — это внимательное наблюдение за сердечным ритмом по монитору. Если вы занимаетесь с нагрузкой, дающей 60–65% максимума сердечного ритма, и неожиданно он подскакивает в минуту на 10–15 ударов, хотя вы не прилагали никаких дополнительных усилий, — значит, на сегодня достаточно. Замедлите темп, или лучше прекратите занятия вовсе. На следующий день вернитесь к тренировкам на том же уровне.

Здесь я имею в виду именно резкий скачок ритма сердцебиения, а не постепенный его подъем на 5–6 ударов в минуту. Начав тренироваться, каждый в какой-то момент начинает испытывать такие слабые волны сердечного ритма, вне зависимости от уровня начальной подготовки. Вот вам свежайший пример: как раз сегодня утром я приступил к долговременной тренировке с малой нагрузкой, запланировав провести несколько часов в седле велосипеда. Ближе к концу пути я заметил, что мой сердечный ритм поднялся с 60–65 до 70% от максимума, хотя я не повышал степень прилагаемых усилий. Но это произошло не вдруг, а постепенно, поэтому я не стал ни замедлять темп, ни останавливаться. Но если ваш сердечный ритм участится до 75–80% максимума, это сигнал к тому, что стоит сбавить темп или остановиться и отложить тренировку до завтра. Если вы только что приступили к тренировкам после длительного перерыва, это может произойти с вами уже через 10 минут после начала тренировки.

На определенном этапе вы должны увеличить нагрузки, чтобы перейти на второй уровень. Об этом мы будем говорить в 9-й и 10-й главах, но здесь я упоминаю об этом, чтобы у вас сложилось общее впечатление о нашей программе. Прежде чем приступить к силовым тренировкам, внимательно прочитайте главы, посвященные им, и постарайтесь не откладывать в долгий ящик знакомство с весом.

Постепенно стандартное время ваших занятий дойдет до 45–60 минут, считая вместе с разминкой и расслаблением. Это относится и к аэробике, и к силовым тренировкам. Со временем вы можете увеличивать продолжительность занятий и дальше, но будьте уверены, 45 минут или час шесть раз в неделю — это уже очень много. Мы здесь не призываем вас становиться настоящими спортсменками, мы просто помогаем вам обрести здоровую жизнь.

Вы — хищница: не забывайте об этом

Когда вы овладеете «долгими и медленными» упражнениями настолько, чтобы спокойно выполнять их на протяжении 45 минут, наступит время добавить в свою программу некоторое количество более серьезных нагрузок. Это переход на следующий уровень, где частота ваших сердечных сокращений во время тренировки будет достигать 70–85% от максимальной. Переходить на этот уровень не строго обязательно, но в общем имеет смысл. Во-первых, потому что при таких нагрузках в вашем организме включается совершенно иная энергетическая система, а лучше поддерживать в рабочем состоянии все механизмы. Во-вторых, вы узнаете наслаждение, получаемое при поступлении в кровь повышенных доз С-10 (а вырабатывается в достаточных количествах это вещество лишь при тренировках высокой интенсивности).

Перейти на этот уровень стоит хотя бы на время, даже если вы потом решите, что он вам не подходит. Вы должны познакомиться с работой системы сжигания глюкозы, чтобы принять осознанное решение о дальнейшем режиме занятий. Заметьте, если бы в наличии этой системы не было смысла, она и не развилась бы в ходе эволюции.

День интенсивных тренировок должен напоминать нечто подобное. Конечно, начинать и здесь необходимо с разминки: это правило неизменно. Потом — пять-десять минут работы на 60–65% максимума. После этого увеличьте нагрузку до 70–75% от максимальной и постарайтесь не снижать темпа в течение 5–10 минут. Прислушивайтесь к своим ощущениям. На первых порах, когда вы только начинаете тренироваться на новом уровне, этого будет достаточно. А может быть, вам и не стоит двигаться дальше. Попробовав поработать на новом уровне, снова возвращайтесь к привычным 60–65%. Время от времени меняйте характер упражнений. Они не должны быть настолько легкими, чтобы не вызывать никакого интереса, но в то же время не нужно и чрезмерно напрягаться. Постепенно вы приучите организм выдерживать повышение сердечного ритма до 70–75% от максимума на протяжении двадцати минут, не испытывая сильного дискомфорта. А затем, как я уже говорил, будете работать на этом уровне (от 70 до 85% максимального сердечного ритма) по часу или два и при этом не разваливаться на кусочки.

Если у вас не получается самостоятельно дать себе такую нагрузку, возможно, имеет смысл записаться в какую-нибудь физкультурную группу. Я лично тоже порой не могу заставить себя работать на более высоком уровне, хотя знаю, что это очень полезно и что я сам при этом буду себя лучше чувствовать. Тем не менее, занимаясь в одиночестве, я не всегда в силах противостоять искушению остаться на уровне 60–65% от максимума. А вот в велотренажерной группе я *всегда* тренируюсь с высокой нагрузкой; такие занятия преследуют именно эту цель. Есть и другие разновидности аэробики, способные дать тот же эффект.

В качестве альтернативного пути можете попробовать отправиться в сложный велосипедный или пеший поход, наподобие того, о котором я рассказывал вам выше. Гулять по собственному двору с большой нагрузкой довольно непросто, однако есть множество путей достичь желаемого, причем не все они требуют соседства других измученных индивидов и необходимости выслушивать вопли тренера.

Борьба или бегство: последняя уловка

Последняя, анаэробная стадия — добавление к программе упражнений настоящих спринтерских рывков или иных кратковременных нагрузок соответствующего уровня (85–100% от максимального сердечного ритма) — абсолютно необязательна, и тем не менее, если вы в хорошей форме, она может подарить вам дополнительное удовольствие. Никак иначе вам не удастся почувствовать такой выброс эндорфинов. Или испытать удовлетворение от знания, что, услышь вы в непроглядной штормовой ночи древний призыв «драться или бежать», вы не были бы обречены стать мертвой тушей на радость врагам. Однако переход на этот уровень нельзя совершать необдуманно и без правильного руководства. Мы лишь вскользь упоминаем о нем, поскольку большинство людей старше определенного возраста не должны и пытаться им овладеть. Если же вы полны решимости покорить и эту вершину, вам придется подождать, пока вы не наберете действительно прекрасную форму, и обязательно вначале посоветоваться с врачом.

Чтобы вы примерно поняли, о чем идет речь и как, хотя бы в теории, можно достичь этого уровня, я вкратце опишу основные шаги. Итак, вы решили попробовать на вкус предельные нагрузки. Первым делом, как и всегда, вы разминаетесь. Может быть, немного дольше, чем обычно, потому что вам вряд ли захочется получить травму в полушаге от желанной вершины. Потом вы доводите нагрузку, скажем, до 75% максимума. При анаэробных («спринтерских», или «прерывистых») тренировках 75% должны быть базовым уровнем, на который вы будете возвращаться для отдыха. Спустя минут десять вы поднимаете нагрузку с 75 до 80–85%, и в таком режиме трудитесь минут пять-шесть. После этого на пару минут возвращаетесь на базовый уровень (75%), а затем собираете все имеющиеся силы и устремляетесь вперед и вверх. Две (или всего одна) минуты крайнего напряжения — и возвращайтесь снова на пару минут к 75%, чтобы немного отдохнуть. И снова минута максимального напряжения. На этот раз, вы, скорее всего, преодолеете 90-процентный барьер. Расслабьтесь в течение минуты — и снова бросайтесь на штурм. Такой прерывистый режим способствует повышению частоты сердечных сокращений. Следуя ему, вы во время второго или третьего рывка сможете поднять свой сердечный ритм выше 90% от максимального. Возможно, вам удастся сделать лишь два рывка, а возможно, и три-четыре, но в любом случае очень скоро вам будет необходим более длительный отдых. Вы не должны останавливаться резко, сначала пусть ваш ритм сердечных сокращений понизится до 75%, затем — еще ниже. Если хотите, можете совершить еще один рывок, а потом опуститесь на отметку 65%. Продолжайте выполнять действия в спокойном темпе, пока ваш сердечный ритм не упадет ниже 60% от максимума. Вы прекрасно поработали. Вы справились.

Вот вы и познакомились в общих чертах с нашей программой аэробики. Приступая к тренировкам, пользуйтесь намеченными в приложении рекомендациями, а затем выберите собственный путь. До конца жизни продолжайте заниматься аэробикой четыре дня в неделю. Могу поклясться, вы это полюбите.

День Снежных Законов

Возможно, сейчас, продравшись через все вышеизложенное, вы думаете: «Хорошо, но стоят ли все эти мучения того на самом деле?» Знаете, стоят. Вы точно будете себя лучше чувствовать — *постоянно*, — а нередко не просто лучше, а действительно превосходно. По этому поводу хочу рассказать вам еще одну поучительную историю из жизни. Может, ее стоило отложить на потом и рассказать уже после глав, посвященных силовым тренировкам, так как к ним она тоже имеет отношение, но вы и так уже усвоили слишком много скучной теории, вот я и решил немного вас отвлечь.

Однажды ночью в Аспене (это было в ту же зиму, о которой я уже рассказывал) выпал снег — и не просто выпал; это был невиданный еще в этом году снегопад. Наутро толщина снежного покрова достигала почти трех футов. Лыжный патруль поднял на перевале вымпел EPIC, что случалось нечасто, и на склоны высыпали снежные гончие, заполнив окрестности эхом своих звонких голосов. Снежными гончими в тех местах называют молодежь, способную по-настоящему кататься при таких условиях. Они живут в грязных гостиницах и зарабатывают на жизнь в барах, на парковках и при спортивных сооружениях; они готовы вытерпеть все ради того, чтобы в редкие дни, похожие на этот, быть на месте.

Они первыми заняли вагончики канатной дороги и, добравшись до вершины, ринулись на самые крутые склоны. Летя вниз, они по старой традиции испускали отчаянные вопли и завывания, кувыркаясь в доходившем почти до пояса снегу, переполняемые восторгом и энергией. Респектабельные туристы и здравомыслящие местные жители, в это время только садившиеся завтракать, слышали эти дикие голоса, проникающие сквозь стены, и испытывали некоторое раздражение. Молодые официанты, принимавшие у них заказы, казалось, забыли об обычной услужливости — доносившиеся со склонов крики были прекрасно слышны и им, и пусть не телом, но сердцем они уносились туда же, в белое снежное царство.

Мое сердце было там же, на заснеженных склонах. Да и мое стареющее тело тоже. Потому что я услышал новости по радио еще до того, как рассвело, и направился прямиком к нашей подруге Лоис. (Моя жена Хилари не каталась.) Я вытащил Лоис буквально из постели, несмотря на слабые протесты ее мужа и детей. В такие дни обычные обязанности и договоренности перестают выполняться. Ваша машина или платье не будет готово к четырем. Салли и Фред не придут в бистро в полдень. В общем, действительно, все правила перестают работать, потому что вступили в силу «Снежные Законы». Таблички, оповещающие о вступлении в силу «Снежных Законов», появляются в такие дни в витринах, в то время как хозяева запирают двери и отправляются в горы. Так я и сказал Лоис и Тому, когда явился к ним в дом в восемь утра без предварительного оповещения. Местным жителям не нужно объяснять всего этого. Том сказал, что согласен сегодня побыть хорошим парнем, потому что у него все равно много работы. Лоис на ходу схватила пончик, и мы отправились. «Спасибо, Том! Пока, Вилли! Пока, Чарли!»

Лоис сорок пять лет, это увлеченная (всем), веселая и спортивная женщина. У нее серьезная работа в *New York Times*, она занимается йогой, а еще домом и детьми. Но в то утро ничего этого как будто и не существовало. Очередь сидеть с детьми выпала ее мужу, а для нас вступили в силу «Снежные Законы».

Всем известно, что катание по рыхлому снегу должно быть очень веселым занятием, но в действительности большинство не способно веселиться таким образом. Человек, решивший попробовать, что это такое, обязательно будет падать на каждом шагу, а подняться оказывается очень проблематично, потому что под ногами отсутствует твердая опора. Такое положение пугает, и незадачливые горнолыжники в растерянности садятся на пятую точку и ждут, пока их кто-нибудь спасет, а если продолжают барахтаться, то только снова и снова тонут в сугробах. Когда они наконец добираются до дома, у них ломит все тело, и они зарекаются выходить на улицу, пока снег не растает окончательно. Мы с Лоис были не из таких. Мы были там. Со всей этой молодежью. И кое с кем из взрослых ее возраста. И с одной дамой моего. Я не был с ней знаком, но мы кивнули друг другу при встрече. Между пожилыми людьми, занимающимися спортом, всегда существует некая тайная общность, и мы часто приветствуем друг друга, даже если никогда не встречались раньше. Так и в это утро мы приветствовали друг друга с этой пожилой дамой, и она улыбнулась мне. Потому что в небе реял вымпел и мы были здесь. Я улыбнулся в ответ и представился. Мы пожали друг другу руки в перчатках, и она сказала: «Ну, поехали!» Вот оно!

Когда мы поднялись на вершину, над нами раскинулась чистейшая синева, а внизу, там, откуда мы приехали, на укутанных в тяжелые шубы деревьях искрился снег. Это было настоящее чудо природы, которые порой случаются здесь, в Скалистых горах. Нам стоило бы размяться на более простом спуске, но это казалось нам непозволительной тратой времени. Всю прелесть катания по рыхлому снегу можно ощутить только на спуске с крутыми обрывами и глубокими впадинами, прикрытыми белым покрывалом. Мы поспешили сразу к «Северной звезде» — склону с широкими пологими виражами в верхней части и более крутыми отрезками ниже. Нас опередили какие-то двое других лыжников, но свежего снега пока хватало на всех с избытком. Перед нами лежала девственная целина. Спуск по такому склону — всегда медленный процесс. Это похоже на танец. Очень, очень медленно… и вдруг очень, очень быстро. Вы проваливаетесь с головой в сугроб. «Прямое попадание», как говорят здесь. В канадских Скалистых горах горнолыжники иногда надевают маску с трубкой, чтобы дышать под снегом. Здесь, конечно, снег не бывает таким глубоким, но его все же немало, и он очень легкий.

Мы катались по скоростным крутым склонам, хотя неподалеку были и трассы могула, но в тот день они лежали под толстым снежным одеялом, словно медведи в берлогах. Мы направляли лыжи на самые крутые участки, не тревожа спящих медведей. Сила тяжести тащила нас вниз, снег увлекал ввысь. Мы исполняли свой танец где-то между стихиями. Мы летели вниз вместе с Лоис, смеясь и завывая от восторга. До самого подножия. По крутому открытому склону, а потом между огромных деревьев. Снова наверх, и через перевал Белла опять к склонам.

Мы одолели в тот день все «дважды черные» склоны на нашей горе. Везде лежал глубокий снег, пока его не успевали укатать все прибывающие и прибывающие лыжники. Мы, стараясь потерять как можно меньше времени, неслись обратно наверх и снова кидались вниз с горы. Половину всего времени нам приходилось судорожно хватать ртами воздух, пытаясь прийти в себя после бега. Кое-где, в тех местах, где склон порос деревьями, сугробы были совершенно непролазными, и нам приходилось трудновато. Более искусные лыжники одолевали и эти участки столь же технично, как и любые другие, но мне порой приходилось опускаться на четвереньки, чтобы контролировать направление скольжения. К середине утра мы уже были насквозь мокрые и донельзя довольные. И останавливаться не собирались. При этом я с восторгом сознавал, что все эти усилия для меня ничуть не болезненны. Десять лет назад после таких сумасшедших развлечений я развалился бы на части, а двадцать лет назад, вероятно, вообще не смог бы проделать ничего подобного, но сейчас я чувствовал себя прекрасно. Даже Лоис жаловалась на боль в суставах. Правда, немного. Но я все равно внутренне торжествовал. Йога, конечно, прекрасная вещь, но ее недостаточно для подготовки к таким нагрузкам. Ничто не заменит обычной занудной аэробики и упражнений с весом.

К двум часам пополудни мы наконец спеклись окончательно. Мы носились по склонам целых пять часов, практически не останавливаясь; глоток жидкости, кусочек чего-нибудь съестного — и опять на склон. В конце концов после очередного спуска мы не бросились очертя голову обратно к подъемнику, а взяли по пиву и присоединились к молодежи, которая, как и мы, отдыхала после бурного утра. Мы были совершенно измотаны, но в восторге от себя и от чудесного дня. Словно школьники, мы наперебой вспоминали вслух то об этом, то вон о том спуске. Мы хвастались личными достижениями и хвалили друг друга. Мы считали себя замечательными. И мы однозначно *замечательно* себя чувствовали. Придя домой, я лег и проспал три часа.

Когда я открыл глаза, уже стемнело. Лет сорок назад моему организму не потребовался бы этот дневной сон, но ничего страшного в нем нет. В это утро, когда над перевалом взвился вымпел EPIC, мне шел семидесятый год. И я в свои годы был одной из снежных гончих в Скалистых горах Колорадо. И я танцевал на склоне и завывал на виражах. Вопил от восторга, которым наполняла меня жизнь. Может быть, мои вопли были слышны в городке… где приличные взрослые люди заказывали завтраки в кафе.

ГЛАВА 9

Хитрость кеджинга

В этой сплошь веселой и оптимистичной книге иногда тоже должно находиться место для серьезных и откровенных моментов. Такой момент настал: давайте признаемся честно, что постоянно, на протяжении долгих лет, заниматься физкультурой по шесть дней в неделю нелегко. Мы можем оступаться. Мы можем завернуть в магазин и купить пачку сигарет. Или начать поглощать пирожные с масляным кремом. Прихватить бутылочку бурбона и засесть перед телевизором. Одним словом, каждый из нас может послать все к черту и осесть на диване. И сидеть там до конца жизни, почесываясь и больше не вспоминая о физкультуре. Иногда каждому из нас требуется помощь. И, к счастью, у нас с Гарри есть что вам предложить. Мы хотим познакомить вас с волшебством «кеджинга». Никогда не слышали? Ничего удивительного. Никто еще этого не слышал, и тем не менее это действительно удивительная вещь.

В древние времена — до изобретения паровых двигателей, подвесных моторов и изменяющих сознание веществ — парусные корабли нередко попадали в штиль, и команде приходилось сидеть на месте, постепенно впадая в уныние. Иногда ничего страшного в этом не было, но не всегда. Иногда рядом оказывались вражеские суда, дрейфующие к вам с неприятными намерениями. Или вас относило на скалистый берег. Или матросы окончательно сходили с ума от скуки. Может быть, вспомните, что именно в таких обстоятельствах Агамемнон, который никак не мог отправиться на Трою целых десять лет, принес в жертву свою дочь Ифигению, чтобы вызвать ветер. Ну и что вышло из этого «гениального» решения? На какое-то время это помогло, но в итоге все кончилось плохо и для него, и для его жены (которая, само собой, должна была его убить), и для его детей, и для всех окружающих на долгое-долгое время. Но я не об этом. Просто признайте, что иногда человек совершенно застревает на месте и необходимо принимать радикальные меры. «Кеджинг» — одна из лучших подобных мер. Гораздо лучше, чем убивать собственного мужа.

Происходит это так: капитан судна, попавшего в штиль и подвергающегося опасности, помещает легкий якорь («кедж») в шлюпку и посылает матросов отплыть на ней примерно на милю от корабля. Команда шлюпки бросает якорь, убеждается, что он прочно зацепился за дно, а те, кто остается на судне, отчаянно тянет за канат, притягивая корабль к якорю. И так повторяется снова и снова. По всей видимости, матросам в такой ситуации приходилось очень сильно напрягаться, но вероятно, это было оправданно, если это был единственный способ спастись от морских разбойников или не дать течению выбросить вас на те самые скалы, где поджидают чайки и крабы…

Итак, кеджинг: вырваться из плена обстоятельств, поставив перед собой цель и трудясь, как проклятая, над ее осуществлением. Ради спасения собственной жизни. Страшно? На самом деле все варианты кеджинга, которые мы хотим вам предложить, очень симпатичны. Да, они требуют некоторых усилий, но вы обязательно получите и удовольствие. Например, можно отправиться в «авантюрное путешествие», лучше всего — такое, где мужчин рядом с вами не будет. Можно поехать куда-нибудь на велосипеде или на лыжах (это мои любимые варианты), вплотную заняться йогой (один из любимых вариантов Хилари), отправиться в пеший поход или провести неделю на «серьезном» спа-курорте. Подготовка к такому путешествию и затем — его осуществление *с полной отдачей* — один из лучших способов осуществить кеджинг. Предварительные тренировки и ожидание самого события способны невероятно поднять ваш дух и придать новый смысл и форму вашим ежедневным занятиям. Само же путешествие доставит вам немало приятных минут и — если оно будет по-настоящему непростым — поможет вам достичь такой формы, какой было бы очень сложно добиться обычными повседневными тренировками. А потом вам останутся воспоминания и воодушевление, которое будет сопровождать вас на протяжении долгих месяцев. В общем, это средство, полезное во всех отношениях.

Другой, несколько окольный, но все равно эффективный путь — приобрести слишком дорогой и классный предмет спортивного оборудования — новейшую модель велосипеда, лыж или еще чего-нибудь — и посмотреть, заставит ли он вас приняться за тренировки с новой силой. Если вы любите кататься на велосипеде и решите купить крутой новенький велик, я вам *обещаю*, это вдохнет в вас новую жизнь. Но чем бы вы ни занимались, найдите свой собственный вариант кеджинга. Потом вам, возможно, захочется проделывать это два-три раза в год. Понимаю, что на первый взгляд это может показаться потаканием собственным прихотям, но это не так. Ваша жизнь должна быть очень долгой, и вам нужны какие-то маленькие хитрости. Вам нужен по-настоящему классный «якорь» для кеджинга.

Мы с Хилли только что вернулись из прекрасного, крайне серьезного велотура по Айдахо. В нем принимали участие двадцать пять человек в возрасте от тридцати (дети участников) до семидесяти (я). Большинству было от пятидесяти до шестидесяти с лишним, преимущественно это были супружеские пары, многие из которых оправляются в подобный тур примерно раз в год на протяжении последних двенадцати лет, с тех пор как несколько друзей решили организовать велосипедную группу для подобных путешествий. Начиналось все как поездки по выходным по дорогам Коннектикута, а превратилось в проект, охватывающий разные страны мира. Для многих из нас это стало одним из лучших занятий в свободное время. А последняя поездка вообще получилась на редкость удачной.

Айдахо, на мой взгляд, одно из лучших мест на Земле, и компания подобралась лучше некуда. Но программа собственно кросса оказалась слегка жесткой. Помните Патрицию, мою знакомую спортсменку? Она и ее муж живут как раз в тех местах, и именно ей поручили составить программу пробега. Это было смелое решение. Например, в первый день мы проехали шестьдесят пять миль. *До обеда.* А потом все стало совсем плохо. Слава богу, для сошедших с дистанции были предусмотрены автофургоны. Их было, вообще-то, три: два для пострадавших и один для погибших. Патриция предусмотрела абсолютно все! Прелесть велотура в том, что каждый может ехать так, как ему больше нравится, и выбирать продолжительность дневной поездки на свой вкус. Вам нужна мотивация, но помирать-то никто не хочет! Но вот как раз об этом-то Патриция думает не всегда! Мы с Хилари делали столько, сколько считали приемлемым — иногда шли с лидерами, иногда отставали. А иногда присоединялись к особой группе, которую я выдумал несколько лет назад: их программа несколько жестче, чем у «тихоходов», несколько легче, чем у группы лидеров, а в обед им разрешается выпить вина. Просто превосходно!

Но лучше всего были вечера. Особенно для меня, потому что я как раз вовсю работал над книгой, и большую часть времени тратил на обсуждение ее с женщинами. С нами была дюжина женщин, все в приличной или в прекрасной форме, все интересные и приятные собеседницы. Они вдумчиво относились ко всем вопросам — от менопаузы до сексизма на работе, от взросления детей до секса в пожилом возрасте. Конечно, у каждой из них был разный жизненный опыт, но всех их объединяло удивительное упорство, какой-то непоколебимый центр масс. Например, все они в один голос подтверждали, что после пятидесяти наступает прилив сил и активности, о котором я говорил в первой главе. Абсолютно все. И все упоминали об исключительной пользе и приятности путешествий в чисто женской компании.

Женская компания

Понятно, я никогда не участвовал в чисто женских поездках, но много о них слышал, и мне кажется, что для дам это идеальный вариант кеджинга. К счастью, это в последнее время стало распространенным вариантом досуга. Идея в том, что вы с подругами заранее планируете отправиться кататься на лыжах, на велосипедах или в пеший поход, поехать куда-то, чтобы всерьез заняться йогой или теннисом, — словом, совершить полезную и приятную акцию в чисто женском обществе и в каком-нибудь замечательном месте.

Самая большая хитрость — подобрать группу совместимых членов (с женщинами это проще, чем с мужчинами, но все-таки не раз плюнуть), разработать тщательный план и осуществить его. Как мне объяснили, физкультурная часть очень важна, но она составляет лишь одну из граней волшебства. Вот что говорит моя приятельница Тина, дама за пятьдесят, занимающая солидный пост в бизнесе: «Я по-настоящему верю в такие путешествия. В них женщины имеют возможность насладиться “свободным временем”, которого им так не хватает в жизни. Они могут сбросить привычную личину — жены, матери, деловой леди, исполнительницы, кого угодно, — и просто побыть личностью, нуждающейся в собеседницах. С женщинами, которые собираются в компанию вне обычной среды, происходит чудесная перемена: они становятся открытыми, откровенными. Они смеются над собой и друг над другом; это восхитительно!» Тина дальше рассказала мне о недавнем приключении, которое они с подругами устроили себе на Салмон-Ривер, здесь же, в Айдахо. Однажды они все разделись и сидели, болтая и смеясь, в горячем источнике. А потом снова взялись за весла и гребли действительно изо всех сил, радуясь тому, что *могут* это делать. Тина считает, что путешествие в женской компании — «куда угодно, на сколько угодно, — это настоящая, целительная роскошь». А знаете, что еще я могу сказать об этой женщине? Она очень, очень умна. Так что послушайте ее.

Группа йоги, в которой занимается Хилари, выезжает в местечко где-то в Мексике, на мой взгляд, больше всего похожее на большую миску с пылью (я там не был, видел лишь фотографии), и плотно тренируется по четыре-пять часов в день. В группе двое руководителей; одна из них — исключительная женщина по имени Колин. Я тоже немножко занимался йогой под ее руководством и поехал бы в Мексику, чтобы посмотреть, как она играет в пачиси. Но в общем они там занимаются серьезной йогой с легким элементом соревнования — очень многие из этих дам просто в превосходной форме, — и Хилари всегда возвращается домой из этих поездок загорелой и подтянутой. Питаются они там, на мой взгляд, кошмарно — преимущественно одними овощами и бобами, — зато по вечерам позволяют себе промочить горло «Маргаритой», что, по-моему, более чем логично после дня, проведенного на старом коврике. Но, насколько я понимаю, главное и в этом путешествии — общение и единение. Конечно, я могу судить об этом лишь со стороны, но я вижу, что в подобных женских затеях уровень близости и открытости превышает таковой в любом совместном, а тем более чисто мужском, путешествии. Интересно, кстати, что среди мужчин это распространено гораздо меньше. А если уж мужчины куда-то отправляются своей компанией, то как часто все сводится к выпивке, картам и пальбе по дичи! Да, мы — дефективный пол. Женщины тут намного впереди нас, так что на вашей стороне все преимущества. Поезжайте куда-нибудь с подругами!

Рецепт Серотты

Покупка серьезной новой игрушки тоже может стать замечательным кеджинг-якорем. Вот — прекрасный пример. Давным-давно, когда мне было пятьдесят, мои дети с друзьями скинулись и подарили мне на юбилей обалденный гоночный велосипед. Я уже некоторое время не катался на велосипеде, да и вообще не делал ничего существенного, и они решили, что ситуацию пора исправлять. Они обратились за помощью к человеку по имени Бен Серотта. На юбилейной вечеринке, где присутствовало множество народу, мой сын Тим неожиданно выкатил в зал это волшебное желто-голубое создание. Гости ахнули. Я до сих пор помню одну фразу из поздравительной речи Тима: «Если бы Бен Серотта занялся политикой и стал губернатором, под его руководством люди были бы счастливы и богаты. Но, к счастью, он не стал политиком, а занялся производством велосипедов...» Прекрасный был вечер! Велосипед был настоящей гоночной модели — со слишком короткой рамой и тонким механизмом для моих скромных способностей. Но он был так хорош — по-моему, на свете мало вещей красивее, чем классический стальной велосипед, — что я просто не мог не кататься на нем. Я серьезно занялся велоспортом и никогда об этом не жалел. Это до сих пор сердцевина моих занятий физкультурой. За прошедшие годы у меня были и другие машины, но я продолжаю время от времени ездить на «Серотте», а все остальное время держу его в своей беркширской студии (прямо сейчас он стоит за моей спиной), потому что я благодарен ему за то, что он вернул меня к активной жизни.

Этой весной, поймав себя на том, что я начал слишком часто задумываться о пирожных, я отправился в Саратога-Спрингс в штате Нью-Йорк и наконец познакомился с Беном Сероттой лично. Он читал нашу первую книгу и уже приглашал меня приезжать к нему в любое время. Он и сейчас так же увлечен велосипедами и совершенно чудесный человек. Мы вместе ездили в дальние маршруты, часами обсуждали велосипеды, и в конце концов он занялся сборкой для меня ярко-зеленого «Серотта-Оттрот». Профессиональные велосипедные издания признали этот велосипед не больше и не меньше, как лучшим в мире сделанным на заказ. Радость-то какая! Как только он попал ко мне в руки, весь мутный туман рассеялся, как по волшебству, и я увлеченно окунулся в свои тренировки. Преимущественно с участием своего нового железного коня. Теперь Хилари жалуется, что *у нее* период упадка (врет!), потому что ей тоже хочется такую машину. Ну да, в нашей сложной жизни иногда требуется *два* якоря. Два ярко-зеленых приспособления, которые будут тянуть вас вперед следующие двадцать лет.

Райское наслаждение

Еще одна история про взрослые игрушки. Гарри говорит, что греблей больше никто не занимается, за исключением разве что кучки выпускников некоторых восточных колледжей, так что рассказывать в этой книге о моем «Уайтхолле» будет нелепо, или, хуже того, *элитарно.* Я не согласен. В гребле нет ничего элитарного. Достойные люди занимаются греблей ради собственного удовольствия испокон веку. Это одно из замечательнейших достижений человечества. Тот парень, который первым придумал сесть верхом на бревно и погрести через реку, пока его враги, открыв рты, стояли на берегу, был настоящим гением. Точно так же, как и тот, кто первым придумал грести веслами, сидя лицом назад. А что вы скажете о том, кто изобрел сдвигающееся сиденье и выносные уключины, чтобы в гребле принимали участие не только руки, но и ноги? Способность к передвижению по воде на веслах сидит глубоко у нас в крови, и счастливы те, кто и сегодня может этим заниматься. Я не говорю, что тот, кто живет на побережье и не знаком ни с чем, кроме надувных или моторных лодок, не знает ничего о море. Но можно точно сказать, что известно ему немного.

Сколько себя помню, я всегда мечтал о «Скифе» с подвижным сиденьем и выносными уключинами. О лодке, на которой можно плавать при достаточно плохой погоде на открытой воде. Когда мы с Гарри продали нашу книгу, я уже написал главу об экономии, так что не промотал аванс понапрасну. Я купил штормовку причудливого фасона, о которой мечтал с шестнадцати лет, и замечательную голубую лодку, изготовленную хорошими людьми из компании Little River Marine, которую я назвал «Йейтс», в честь поэта. У нее была изящная узкая корма и весла, напоминающие формой томагавк, девять футов длиной и легкие, как лыжные палки. И у нее был великолепный ход — едва ли я когда-нибудь испытывал подобное наслаждение от движения по воде. Гребля на скифе, или одиночном ялике, или любой другой хорошей весельной лодке — лучшая физкультура в мире. Конечно, она относится к аэробике, но помимо этого гребля позволяет тренировать все тело, одновременно наполняя вас ритмом и унося в приятные для души места.

Вот, к примеру, что было со мной как-то на День Благодарения. Погода для этого сезона выдалась удивительно тихая и солнечная, так что я предпринял трехчасовую прогулку на веслах от Сэг-Харбора на Лонг-Айленде до острова Шелтер и обратно. На всем пути мне не попалось ни одного гребца. Большую часть времени мой сердечный ритм держался на стабильном уровне в 60–65% от максимального, так что я обогатил свою энергетическую систему сотнями новых митохондрий и километрами новых капилляров, но я об этом даже не задумывался. Я думал о плывущих неподалеку лебедях, о шуме их огромных крыльев, когда они срывались с поверхности воды. О тюлене, который некоторое время сопровождал меня, любопытный, как собака. О таинственных притоках, устья которых скрывались в высокой прибрежной траве, куда я заплыл и немного посидел, невидимый ни для кого. О всепроникающем ровном ритме движения весел и о гладком скольжении лодки по воде. А еще — о добром и верном чуде омоложения в этом году, в День Благодарения, на воде, в «Йейтсе». Думал и испытывал глубокую благодарность. Такая лодка — идеальный якорь, который может помочь вам добраться до... ну да, до вечности.

И, кстати, некоторые из самых здоровых и красивых женщин во всем мире — вне зависимости от возраста и всего прочего — это женщины, занимающиеся греблей. Этот вид спорта делает с женским телом что-то такое, на что не способен никакой другой. Причем на всю жизнь.

Помню, как недавно летом мы с другом Терри совершали велопробег по Скалистым горам. Мы сделали за день сотню миль и въехали в маленький городок Фриско, конечный пункт нашего маршрута. Посреди города обнаружилась ярмарка, развернутая прямо на главной улице. И на этой ярмарке мы вдруг с изумлением увидели потрясающую женщину, продающую новый, ярко-зеленый одиночный скиф. Было совершенно непонятно, что она делает в этом горном городишке с такой лодкой. Конечно, мы разговорились с ней. Оказалось, что этой весной она стала национальной чемпионкой по гребле на «восьмерке». Выглядела она, надо сказать, прекрасно. Просто потрясающе, если честно. Такая сильная и гармоничная. Мы поговорили немного, а потом она изящно вскинула над головой свое двадцатифутовое судно и непринужденной походкой направилась в сторону горного озера.

Широкоплечая, узкобедрая, мускулистая, с весело покачивающимся «хвостиком» волос. Я не мог оторвать от нее взгляда, пока она не скрылась. Попробуйте, дамы. Это кеджинг на все сто.

Слово о снаряжении

Есть одно немаловажное правило, о котором вы должны знать и выполнять его, становясь старше: *приобретайте качественное снаряжение.* Этот совет, конечно, не настолько первостепенен, чтобы заносить его в «Правила Гарри», однако он имеет немалый смысл. В конце концов, не так уж легко проехать сотню миль в день на велосипеде, когда вам за шестьдесят, ходить под парусом на крутой волне, когда вам за пятьдесят или кататься по свежевыпавшему снегу на лыжах, когда вам за семьдесят. Если подумать, не *так уж* легко просто выбраться из постели и отправиться на тренировку, и делать это шесть раз в неделю. И раз уж вы это делаете, значит, заслуживаете качественного снаряжения. Лучше сэкономить на посудомоечной машине и прочей подобной ерунде, зато приобрести экипировку получше.

Имейте в виду, что за последние двадцать лет снаряжение для большинства видов спорта значительно усовершенствовалось. Например, параболические лыжи совершили в своей области настоящую революцию. С таким снаряжением существенно легче достичь среднего любительского уровня и ощутимо проще — высокого. Может, ваши деревянные лыжи и были последним писком в 1975 году, когда вы их купили, но сейчас они не более чем небезопасный для жизни и здоровья мусор. То же самое верно и в отношении велосипедов. Как бы я ни обожал своего старого «Серотту», но его нельзя сравнить с новым. И хотя благородное сердце может продолжать хранить привязанность к старой доброй стали (особенно если супермодные новинки не по карману), большинство велосипедов со стальной рамой не могут сравниться с изделиями из композитных материалов или титана на серьезной трассе. К тому же эти новые машины настолько отзывчивы, что кажутся почти живыми. Кажется, они готовы взбрыкнуть и заржать, едва вы поставите ногу на педаль. И то же самое можно сказать практически о любом спортивном снаряжении. Так что покупайте новое!

Я выдержал немало споров по этому поводу с Гарри, который все-таки слишком консервативен. С детских лет он серьезно занимался велокроссом и до сих пор ездит на том самом велосипеде, на котором двадцать пять лет назад проехал через всю страну. Сегодня, с моей точки зрения, эта машина — просто любимый кусок хлама. Понимает ли это Гарри? Представьте себе, нет! Он набит типичными новоанглийскими добродетелями, в том числе и той, которая мешает спокойно тратить деньги на что бы то ни было и заставляет испытывать душевный подъем от ношения старой одежды и починки древних приспособлений. У Гарри всего один свитер. Что за черт! Неужели он совсем не понимает, насколько он отстал от времени? Но мне все же удалось добиться некоторых сдвигов — он увидел нового «Серотту» и о чем-то задумался… Давай-давай, Гарри!

Покупки — это хорошо. Я отношусь к тем немногочисленным мужчинам, которые прекрасно понимают, как могут быть необходимы, к примеру, новые туфли. Я даже сам затаскиваю Хилари в обувные магазины, а не вытаскиваю из них. Так что импульс шопинга мне понятен. А что касается нового спортивного инвентаря, то здесь необходимость обновления превосходит обувную. Хорошее спортивное снаряжение — вовсе не «игрушки», и никак не каприз, как нередко говорят о новых туфлях глупые мужчины. Это жизненно важное оборудование. С этим не поспоришь. А если ваш супруг станет спорить, уходите от него.

Страшное путешествие

Ну ладно, раз уж мы в этой главе решили говорить обо всем откровенно, то и заключительная история будет выдержана в том же ключе. Кеджинг-путешествия могут быть прекрасными (как, например, мои любимые велотуры от Butterfield and Robinson). Но могут и не быть. Порой они бывают даже небезопасны. Так что я призываю вас быть готовой к любым неожиданностям. Как довелось узнать мне прошлой зимой, случаются и не слишком приятные вещи. Вот вам душераздирающая история. Однажды мне позвонил Чиб, человек, которого я знаю с детства, и сказал, что у него есть идея для нашей книги. Он приглашал меня приехать в декабре в Стоу, штат Вермонт, на ежегодную оздоровительную конференцию для лыжников-ветеранов, которую он устраивал. Мне представлялась возможность понаблюдать за немолодыми мастерами, самому потренироваться и провести время с пользой и удовольствием. У меня было еще шесть месяцев в запасе, так что я мог готовиться заранее. Идея мне понравилась.

Я лет тридцать не бывал в Стоу, с тех пор, как открыл для себя западные лыжные места, и теперь мне хотелось вернуться туда и блеснуть обретенным мастерством. Я сознавал, что до Чиба мне и сейчас далеко, но по сравнению с 1970 годом я многого достиг; я горел желанием заткнуть за пояс призрак себя бывшего. К тому же у меня в тех краях были родственники. Дальние. Квакерская родня моей матери фермерствовала в Стоу еще лет за сто до того, как там впервые услышали о лыжных гонках. С их последними отпрысками, тремя «девочками Бигелоу», я виделся в 1941 году, когда мы ездили туда с матерью на ее зеценой «Ла Салле».

Та поездка мне понравилась. Мать рассказывала о старом Элиахиме Бигелоу (дядюшке Лайке), который косил в этих местах траву для быков в конце прошлого (уже позапрошлого) века. Я научился доить корову (до сих пор помню ощущение вымени в своей дрожащей руке, хотя не прикасался к нему уже шестьдесят пять лет). Познакомился с «девочками Бигелоу» — троицей, вечно восседающей на веранде за каким-нибудь рукоделием и беззлобно переругивающейся между собой на своем смешном квакерском диалекте. «Сьюзи! Где твой эхостехон?» Она имела в виду *слуховую трубку*. (Только представьте — я видел женщину, которая пользовалась слуховой трубкой!) Теперь, должно быть, «девочки» покоились на маленьком кладбище позади большой белой церкви в центре городка. А ферма, скорее всего, стоит на своем месте. Можно будет съездить посмотреть на нее. И заехать на кладбище почтить память родни.

Сам я видел ту ферму всего пару раз, но, как ни странно, она занимала важное место в моей жизни. Мать в детстве проводила там много времени и часто рассказывала о тех временах и о «девочках Бигелоу», которые помогали ее воспитывать. Я часто представлял себе симпатичный деревенский домик с видом на горные склоны и полдюжины других, похожих на него, ферм в Денвере, Тивертоне и Нантакете, тоже принадлежавших родственникам матери, о которых мне довелось только слышать. Где-то в подсознании эти образы постоянно были со мной. Должно быть, они немного помогали мне выжить в этом безумном мире…

Кладбище было засыпано снегом. Ферму я так и не нашел. Да и лыжная часть оказалась не такой уж замечательной: я боялся и стеснялся. Все дело было в Чибе и его товарищах. Это были действительно серьезные лыжники. Не в смысле «Кто последний съедет вниз, тот вонючка!», а в смысле адской серьезности суровых ветеранов спорта. Со всеми этими воротцами, чудными костюмами и опасностью.

В какой-то степени я заранее это предчувствовал и по мере того, как приближались сроки поездки, пытался дать задний ход. Я говорил, что не в лучшей форме. Я много болел. Я много путешествовал. Мое домашнее задание съела собака. Я пожаловался Хилари, и она забеспокоилась, что я могу получить травму.

«Ох, да не в этом дело! — сдуру начал разубеждать ее я. — Я просто стесняюсь. Я буду там выглядеть полным идиотом».

Хилари потребовалась ровно секунда на то, чтобы осмыслить сказанное.

«То есть ты бросаешь все дело из-за того, что представляешь, как смешно будешь выглядеть?»

Я раздраженно возразил, что ничего не «бросаю», я не хочу даже начинать. Потому что я недавно болел. И, кажется, набрал лишний вес. И вообще не в лучшей форме.

«Но в этой своей книге, — сказала мне Хилари, — вы с Гарри только и делаете, что заставляете бедных старичков слезать с дивана и идти в спортзал, где над ними будут смеяться не один месяц. И при этом ты собираешься остаться дома, потому что боишься, что нам тобой посмеются в течение нескольких дней. Это нечестно!»

Вот тебе и на! А потом она позвонила Гарри, и он продолжил в том же духе. Вот гадина!

«Если дело и вправду в этом, — заявил он, как только я взял трубку, — то я тоже думаю, что ты зря ломаешься. Если кто-нибудь чуть-чуть над тобой посмеется, это будет для тебя ценный жизненный опыт. И для книги полезно. Хилари верно говорит, что мы местами бываем чересчур высокомерны».

«Говоришь, ценный опыт для *меня*!? А как насчет тебя, а? Да ни в одном создании на Земле нет столько высокомерия, как в симпатичном докторе, который сидит у себя в кабинете и прописывает физкультуру на свежем воздухе толстому запуганному джентльмену, которому не надо в жизни ничего, кроме своего кресла и телевизора! Если нам надо поучиться скромности, то почему бы тебе не поехать в этот вонючий лыжный лагерь?»

«Я не могу, — простодушно отозвался Гарри. — По возрасту не подхожу. К тому же, если ты забыл, я работаю. Я не говорю, что это именно ты особенно высокомерен… — Он помолчал немного, обдумывая свои слова. — Но это ведь на самом деле пойдет на пользу нашей книге. Нам обоим. И нашим читателям. Это добавит всему делу человечности».

«Мне *не надо* добавлять человечности! Уж чего-чего, а этого во мне с избытком! Поедешь *ты*». — И так далее в том же духе. Но он, конечно, никуда ехать не мог. Или не хотел. Они с Хилари ополчились на меня вдвоем. Я подтвердил свое участие. И последние три недели отчаянно тренировался, чтобы быть в приличной форме.

Здесь я хочу сказать еще немного о тренировках, хотя все это очень нудно. В тот раз я повел себя неверно с самого начала, потому что взвалил на себя слишком много. Не в такой уж я был плохой форме, но для лагеря профессиональных спортсменов действительно был слабоват. Это люди совершенно иного, чем я, склада и уровня. Поэтому я очертя голову впрягся в тяжелейшие тренировки вместе с группой молодежи (там не было никого старше тридцати пяти). Все они занимались по этой программе уже не один месяц, но я подумал, черт побери, я выдержу, у меня гораздо больше опыта, чем у них!

Проблемы начались сразу же. Я самонадеянно решил, что мои мышцы достаточно подготовлены к любым нагрузкам — ведь я так давно занимаюсь велоспортом. Однако на деле выяснилось, что для того, чтобы крутить педали, и для тех упражнений, которые мне пришлось выполнять здесь, нужны совсем разные типы мышечных усилий. Вначале было интересно. Тренировки включали самые разнообразные прыжки, наклоны, отжимания и тому подобные вещи. Вот, к примеру одно упражнение: нужно было перепрыгнуть через девятидюймовое препятствие, приземлиться как можно дальше, причем на корточки, касаясь руками пола, а потом сразу же прыгать обратно. И так раз двадцать. Ладно. Это я сделал. Но на это у меня ушло минуты две, а тренировка продолжалась час. Со временем все становилось хуже и хуже. Одно упражнение я запомню на всю жизнь: десять раз подпрыгнуть, а потом тут же упасть на пол и десять раз отжаться. Мне повезло, что сейчас я могу сделать эти чертовы десять отжиманий — значительный прогресс по сравнению с тем, что было пять лет назад, когда я не смог бы отжаться ни разу. Но это, как выяснилось, было только начало. После отжиманий надо было снова прыгать, еще девять раз. И еще девять раз отжаться. И так далее. А после того, как ты доходил до одного раза, обливаясь потом и кровью, думаете, наступал конец мучениям? Черта с два! Считайте снова до десяти. И так пять раз, туда и обратно. Я не смог выдержать до конца. Так что пришлось стоять и смотреть. Я сломался гораздо раньше, чем остальные закончили упражнение, причем подвело меня отнюдь не дыхание и не недостаток сил. У меня просто дико заболели все мышцы.

На долгое время я выбыл из игры. Мне было так плохо, что я с трудом ходил. Даже спать было больно. И вот вам три морали из всего этого. Во-первых, если вы уже немолоды, не нужно резко приступать к совершенно новым для вас тренировкам. Ваши мышцы должны постепенно приспосабливаться работать в ином режиме, даже если в целом вы в неплохой форме. Во-вторых, включите в программу своих ежедневных тренировок разнообразные виды активности, чтобы расширить спектр возможностей вашего тела. А в-третьих, забрасывая якорь, отпускайте веревку раньше, чем он коснется воды и потянет вас на дно.

Что было в Стоу: развлечение для настоящих женщин

Лагерь ветеранов-лыжников — это сборище пяти или шести десятков сумасшедших, в данном случае жителей Новой Англии, в возрасте от сорока пяти до восьмидесяти восьми (sic) лет, обожающих лыжные гонки. До безумия обожающих лыжные гонки. Вам, конечно, известно, чем отличается сырок от мелка? Так вот, простой лыжник-любитель (к примеру, я) отличается от настоящих гонщиков (собравшихся там) настолько же, насколько мел отличается от сырка. Я на этом собрании был не более к месту, чем какой-нибудь приблудившийся пес на элитной собачьей выставке. Во-первых, я все-таки разумный человек. А эти лыжники — абсолютно ненормальные, причем женщины в этом отношении еще хуже мужчин.

Вот вам картина из третьего (и самого страшного) дня в Стоу. Время — 7:45, место — обогреваемый домик рядом с канатной дорогой. Не забывайте, это катание на лыжах *по-восточному*. То есть в данном случае обогреваемый домик — это огромное, весьма спартанское по обстановке строение, типа таких, которые в Аспене используются для размещения тяжелой техники или крупного скота. В крошечной пристройке можно купить какую-нибудь отвратительную еду по ценам, которые могли бы порадовать, будь эта еда хоть сколько-нибудь съедобной. Но это здесь не имеет абсолютно никакого значения, потому что те достойные люди, которые катаются здесь на лыжах — жители Новой Англии, и еду они привозят с собой в коричневых бумажных пакетах. Причем после опустошения эти пакеты аккуратно складываются и берутся с собой для последующего использования. Еда, которую они привозят с собой, тоже отвратительна, но за нее, по крайней мере, они не платят. Хотя, вообще-то, на еду им наплевать, все, что их волнует — это лыжи. Слишком сильно волнует. Я еще вчера имел возможность это понять, но сегодня синоптики пообещали дождь. Большинство лыжников захватили с собой на этот случай огромные мешки для мусора, чтобы надевать на себя. У меня мешка не было. Я думал, он мне не понадобится.

В одном углу строения экипировались мои новые друзья, спеша выехать на склон к 8:00, когда, вероятно, должно было рассвести. Я катался на лыжах практически всю жизнь и знал множество маленьких ритуалов, бытующих в этих кругах, но здесь мне довелось увидеть кое-что новенькое. Я не говорю о мешках для мусора. Хуже.

Кучка симпатичных дам в возрасте глубоко за шестьдесят невозмутимо закрепляли под подбородками пластмассовые протекторы. Прочие с таким же олимпийским спокойствием приделывали подобные приспособления на руки. Я сам некоторым образом сдвинут на лыжной экипировке, и сложно найти такой ее вид, которого у меня не было бы в нескольких вариантах, но ничего подобного мне до сих пор видеть не приходилось. Более того, мне не приходилось о таком даже *слышать*. Тут я узнал, что это называется у них «броней», и оказывается, она популярна у слаломистов во всем мире. Для них это настолько само собой разумеется, что на моих глазах одна из пожилых дам, которая забыла свою броню дома, взяла картонную коробку и стала вырезать из нее ножом импровизированную замену. Приспособив картонку к подбородку, она закрепила ее скотчем. Который зачем-то взяла с собой. Мне стало слегка дурно.

В уголке сидел восьмидесятишестилетний мужчина и колдовал над своим шлемом с помощью такого же, как у дамы, ножа. Он проверял, хорошо ли затянуты винты на лицевом протекторе. Никогда раньше я не видел лыжный шлем с решеткой. Но здесь такие были у всех, кроме меня. «Что за безумие?! — горестно вопросил я, обращаясь к Чибу. — Что мы делаем в этом мрачном помещении с этими престарелыми лунатиками? И что они все делают?»

Чиб жизнерадостно объяснил, что нам предстоит «день слалома», поэтому мы и здесь, и поэтому окружающие соответствующим образом снаряжаются. Дальше он сказал, что мне, возможно, и не нужна такая защита, потому что я не буду ездить слишком быстро, но все эти дедушки и бабушки в ней нуждаются, так как полны решимости носиться по трассам сломя голову, врезаясь в шесты, отмечающие места поворотов. Оказалось, что эти шесты, которые, на мой взгляд, только мешались на дороге, установлены на гибких основаниях, и катящийся с горы слаломист может их сгибать. Нужно, чтобы его ботинки обогнули шест с «правильной» стороны, а прочие части тела при этом могут войти в опасный контакт с шестом, который, естественно, в этом случае требуется оттолкнуть с дороги. Поэтому они и защищают свои руки, ноги и челюсти, чтобы без особого риска отпихивать ими шесты. Им очень нравится такой спорт, поэтому они с нетерпением ждут выезда на склоны.

Про меня сказать этого было нельзя. Я хотел домой и рискнул намекнуть Чибу, что может быть, мне не стоит сегодня к ним присоединяться. «Ерунда, — сказал Чиб, — у тебя все получится. Я же видел, как ты катаешься».

Тут он несколько покривил душой. Ну да, я «катался». Я несся со старой доброй горы со скоростью, которая казалась мне совершенно немыслимой, вопя, влетая и вылетая из ледяных желобов, врезаясь (случайно) в шесты и часто совсем вылетая с трассы и застревая где-нибудь в лесу. Я чувствовал себя перепуганным, неуклюжим и крайне смущенным. Как, собственно, я и предсказывал. Вы даже не представляете, насколько опасно и неприятно кататься по этим глубоким желобам с ледяными стенками, даже на минимальной скорости, под критическими взглядами людей, которые занимаются этим самым по доброй воле вот уже пятьдесят или шестьдесят лет. Нет, больше никогда!..

Но во всем этом было кое-что удивительное.

Все эти люди — многим из которых было за шестьдесят, а некоторым и за семьдесят, и даже за восемьдесят — были замечательными лыжниками. Там была одна элегантная дама шестидесяти пяти лет, которая была в запасе олимпийской сборной 1960 года, и, ей-богу, по ней это было видно. А еще трое людей старше восьмидесяти — я просто не верил своим глазам, глядя на их мышцы. Они отнюдь не ковыляли в сторонке, не пытались что-то изобразить в память о былых днях. Они просто прекрасно катались наравне с прочими и явно получали от этого удовольствие. Была еще дама, на вид лет под шестьдесят, которая показалась мне одной из самых красивых лыжниц, которых я встречал в жизни. Это была высокая, привлекательная женщина скандинавского происхождения, которая съезжала по трассе, вписываясь в воротца с невероятной грацией. Чиб сказал, что точно так же она катается на скорости в пятьдесят миль в час, и это для нее обычное дело. Я никогда не развивал на лыжах такой скорости и совершенно не горел желанием это делать. Но тут я задумался, что, возможно, стоит еще раз приехать сюда, чтобы посмотреть, как это получается у нее.

А еще, *может быть*, стоит приехать сюда еще раз хотя бы на денек-другой потому, что никогда раньше мне не удавалось научиться столь быстро столь многому. В этом мне отчасти помогли замечательные инструктора, но больше — те, с кем вместе я катался. *Никто* из них не стеснялся делать замечания такому неумехе, как я. Они вели себя, как взрослые в пору моего детства, которые никогда не стеснялись поучить уму-разуму любого чужого ребенка. Одна пожилая дама как-то резко повернулась ко мне и сказала: «Ради бога, расставьте ноги!» — «Они и так расставлены!» — проскулил я. «О, господи! Вот так, смотрите». — И она элегантно уплыла прочь. Оказалось, что это была как раз та дама, что едва не попала на Олимпиаду. Так что я стал ставить ноги чуть пошире.

В один из вечеров в скромном шале постройки пятидесятых годов состоялся прием с коктейлями — типичная вермонтская вечеринка с пятью сортами картофельных чипсов и соусом из сублимированного лукового супа. Это оказалось очень занятное мероприятие. Присутствующие, члены клуба лыжников-ветеранов, знакомые друг с другом уже лет двадцать, непринужденно болтали о лыжах, о спорте и общих знакомых. Смотреть на них было приятно. Позже мы еще поговорим о том, как важно, становясь старше, заводить новые знакомства (и поддерживать старые). Казалось, гости приема это прекрасно сознавали. Вот вам, кстати, полезный совет по жизни: превратите группу своих приятелей по спортивной секции в группу настоящей дружеской поддержки. Пусть у вас будет нечто вроде клуба книголюбов. Только серьезнее.

Вы еще ищете что-нибудь жизнеутверждающее? Там был один приятный пожилой джентльмен, недавно женившийся и впервые появившийся с супругой в этом обществе. Оба они были серьезными лыжниками и в восторге от новой совместной жизни. Джону было восемьдесят восемь, а его «молодой» супруге — восемьдесят пять, но на вид и в общении они производили впечатление пары слегка за шестьдесят. Чиб сказал Джону, что я некоторое время прожил в Аспене, и он тут же заинтересовался. Оказалось, что он имеет к Аспену своеобразное отношение. Он, можно сказать, присутствовал при рождении этого курорта. Во время Второй мировой войны он входил в состав знаменитой Десятой Горной дивизии, вместе с другими десантниками-лыжниками отчаянно сражался в горах Италии, а потом стал одним из родоначальников американского лыжного спорта. Именно он руководил одним из подразделений во время учений в Кемп-Хейле и вел его ночью к Аспену, тогда вымирающему шахтерскому поселку. Одним из солдат его подразделения был тогда молодой (а ныне легендарный) Фридль Пфайффер, который сказал: «Здесь мог бы быть великолепный лыжный курорт. Я вернусь сюда, когда война кончится». И он вернулся, и сотворил здесь историю лыжного спорта. А что молодая жена? Пока супруг рассказывал, она просто светилась, слушая его, и время от времени вставляла то, что он пропустил. Прекрасная пара, прекрасно проводящая вместе время! В такие-то годы! И они такие не единственные.

На четвертый день я совершил прорыв. Пошел снег. И его выпало много, фута на два как минимум. Почти рекорд для этого ледяного ада. И это был настоящий рыхлый снег, а не обычная восточная гадость. При таком снеге ни о каких гонках речи быть не могло, так что все развлекались кто как мог. Конечно, все эти лыжные монстры могли кататься при любых условиях, в том числе и по рыхлому снегу, но, по крайней мере, он как-то всех уравнивал. Мы катались до самой темноты, веселясь, как сумасшедшие. В том числе и двое из тех, кому было за восемьдесят, — они были с нами до самого последнего спуска. Я не в силах описать, что я чувствовал, несясь с горы по рыхлому снегу бок о бок с этими людьми.

Так вот, какую мораль можно отсюда почерпнуть? Иногда имеет смысл делать то, что до жути пугает вас — или до крайности смущает, или заставляет чувствовать себя идиотом. Как правило, это не опасно для жизни, зато может невероятно многому вас научить. Это заставляет вас раскрыться по-новому в таком возрасте, когда вам хочется вообще не высовывать носа в мир. К тому же страх сложно забыть. Одно из проклятий пожилого возраста — в том, что время течет все быстрее, а дни ничем не отличаются один от другого. Хотите замедлить время? Хотите, чтобы в жизни снова возникло что-то запоминающееся? Поезжайте в лыжный лагерь, если вы не лыжник. Отправляйтесь в долгий велопоход, если вы не велосипедист. Я точно буду помнить эту неделю в Стоу до самой смерти.

И последнее: ролевые модели. Я ни на секунду не предполагал, что Чиб и его товарищи ставят себе цель как-то намеренно влиять на жизнь простых людей типа нас с вами. Однако невозможно отвертеться от того факта, что там были трое людей старше восьмидесяти. И они катались на лыжах. Может, они и не выглядели все время великолепно, но они выглядели чертовски хорошо. Моя цель? Я не хочу быть ветераном-лыжником, но я точно хочу быть таким же активным, когда мне будет восемьдесят пять. Или девяносто. И я хочу, чтобы вы могли составить мне компанию.

На самом деле главное в кеджинге — иметь стремление к чему-то. Вариантов кеджинга может быть сколько угодно, но общее для всех одно: относитесь к этому серьезно и заинтересованно. И по-настоящему стремитесь вперед.

ГЛАВА 10

Мир боли: силовые тренировки

Скажите, часто ли к вам подходит кто-нибудь и говорит: «Привет! У меня есть прекрасная идея! Давай пойдем в спортзал и будем поднимать тяжести, пока не выдохнемся окончательно?» Раз в неделю? Раз в год? Дайте догадаюсь! Никогда? А почему? Потому что поднятие тяжестей — это нелепо, неудобно и болезненно.

Я помню, как рискнул в первый раз зайти в зал тяжелой атлетики. Это было в Аспене, где «качалки» обычно спрятаны в спа-салонах, которые снаружи выглядят подозрительно невинно. Много дорогого фитодизайна и стекла. Милая девушка, поджидающая прямо за дверью, которая берет вас за грудки и записывает на год. Так бывает сплошь и рядом. Милая девушка отбирает у вас кредитную карту и сообщает: «Кстати, меня зовут Шантрель. Пойдемте, я покажу вам бассейн». И показывает. Бассейн хорош. За ним следует зал, полный радостных людей, занимающихся аэробикой. Потом беговые дорожки и велотренажеры. Чудесно. Просто чудесно.

Наконец, вы решаетесь перейти к делу. «А, это, у вас есть... тяжелоатлетические снаряды?»

На лоб Шантрель набегает облачко. «Конечно, конечно. Давайте посмотрим». Она бросает быстрый взгляд на конторку и шепчет одними губами: «Проверь счет». Потом ведет вас по обитым резиной ступеням куда-то в подземелье, похожее на гибрид машинного отделения древнего эсминца и пыточной какого-нибудь диктатора-маньяка. Много кафеля и зеркал. Стоки в полу, чтобы все можно было смыть из шланга, когда с вами разделаются. Огромные стальные машины с черной обивкой. Машины для подъема веса, машины для скручивания в разные стороны… машины для вырывания зубов у гусеничного трактора. И много блестящих тросов, соединяющих все между собой. Тросов, которые, кажется, здесь служат для того, чтобы связывать по рукам и ногам симпатичных девушек, которые пытаются вырваться на волю, сильно потея, но не сильно преуспевая. И симпатичных молодых людей тоже. Людей с рельефно проступающими на руках и шеях венами. Как будто жирные черви под кожей. И с бицепсами, готовыми взорваться. Вот это жуткое место!

«Послушайте, наверное, у вас много работы. Я просто…»

«Нет, нет, — поспешно прерывает Шантрель. — Вы уже оплатили занятия. Вы одеты. Сейчас, я только найду Ланса. О, вот и он…»

К вам подходит загорелый парень с таким количеством зубов, которое вам никогда еще не приходилось видеть во рту у одного человека. Он вроде бы симпатичный, и все-таки что-то в нем не то. Какое-то отсутствие логики кроется в его фигуре. И черты лица какие-то… чересчур угловатые, что ли? Такое ощущение, что этот парень…

«Привет, давай я тебе все здесь покажу». Это Ланс, который тут же начинает тараторить что-то о снарядах и о своем особом методе тренировок. Но вы его не слушаете… вы просто нервно озираетесь кругом. Смотрите на его тело и постепенно начинаете понимать, что он почти наверняка киборг. И что производитель упустил кое-какие жизненные мелочи, которые так важны в настоящем человеке. И может, это был иностранный производитель, потому что одет он тоже как-то странно. Маленькие красные шортики кажутся слишком крохотными для его огромных бедер. А у майки такие огромные проймы, что через них просто невозможно не видеть его грудные мышцы, или как там это называется. И его подмышки. Такие глубокие и мохнатые, каких вы не видели ни у одного живого человека. Там может запросто устроить берлогу какая-нибудь росомаха. Вам хочется отступить назад, чтобы его тестостерон не забрызгал ваши кроссовки. Вам хочется бежать отсюда, очертя голову…

Зачем, спросите вы, нам рассказывают обо всем этом в книге, рекламирующей занятия физкультурой? Затем, чтобы заставить вас найти тренера по тяжелой атлетике — может, не такого страшного, как Ланс, но все-таки страшного — и научиться работать с весом. А после этого заниматься этим по два раза в неделю до конца вашей жизни. И хочу, чтобы вы знали: мы с Гарри тоже вовсе не думаем, что это та идея, которая сразу должна всем понравиться. Регулярные силовые тренировки на протяжении всей оставшейся жизни представляются чем-то нелепым, жестоким и жутким. И мы не стали бы даже упоминать о них, если бы это не было одной из самых важных тем этой книги. Особенно этой — потому что женщины больше мужчин подвержены опасности остеопороза. Силовые тренировки улучшат ваше самочувствие и обеспечат здоровую жизнь — надо только преодолеть стыд, ужас и отвращение, связанные с «качалкой». Значимость их так велика, что Гарри посвятил этому свое «Третье правило»: *Занимайтесь интенсивными силовыми упражнениями с весом два дня в неделю до конца своей жизни.* Возможно, лучше даже три; можно в какой-то из дней сочетать аэробику и силовые тренировки. Дело ваше.

Время расплаты

Вероятно, вы помните наш разговор о течении, которое начинает увлекать вас, когда ваш возраст переваливает за полсотни лет? Которое угрожает выкинуть вас на берег на поживу чайкам и крабам? В этом течении есть кое-что, особенно опасное именно для женщин. Это учащающиеся падения, портящее фигуру искривление костей и все прочее, что является следствием несправедливого процесса потери костной ткани со скоростью 2% в год, о чем расскажет вам Гарри в следующей главе. И он скажет вам о том, что поднятие тяжестей — единственный действенный способ противостоять всем этим ужасам и сохранить функциональность скелета. Понимаете, как это важно? Вы не должны теперь на всю жизнь запираться в спортзале, но кое-какую работу с весом выполнять, само собой, стоит, и начинать имеет смысл прямо сейчас.

Помимо костей, существуют и мышцы. Мышечная масса также теряется. Уносится течением. Оно превращает ваши прекрасные молодые мускулы в обвисшие старческие складки. Вы слабеете и уже не способны на многое. Например, на то, чтобы при необходимости быстро перебежать улицу. Или выбраться из ванны. Или кататься на лыжах. Хотите вы этого или нет, но с годами ваши мышечные клетки разрушаются, и вы ничего не можете с этим поделать. Зато вы можете подпитать оставшиеся клетки, которые еще на многое способны, и предотвратить последствия необратимых изменений.

Суставы — это переплетение косточек, связок, хрящей и прочих приспособлений, заставляющих их работать — еще более важны в вашем возрасте, так как именно они первыми летят к черту, если ничего не предпринимать. Миниатюрные «зажимы», присоединяющие связки к костям, с возрастом слабеют и теряют эластичность. Они атрофируются и могут развалиться в любой момент без предупреждения. А мягкие прокладки между костями высыхают и издают похрустывание при движениях. И вы испытываете боль. Все это в общем — старение суставов, и оно определяет общее старение организма едва ли не в большей степени, чем что-либо другое. Если у вас поражены суставы, вы постоянно страдаете от боли. У вас появляется странная походка. Вы легко падаете. Вы стареете.

Звучит мрачно, да? Но вот что интересно — поднимая тяжести, вы можете практически остановить все эти процессы. Если вы будете поднимать тяжести регулярно, по два раза в неделю, вы практически остановите разрушение скелета, остановите (или сильно замедлите) потерю мышечной массы, остановите ослабление связок, сохраните в рабочем состоянии суставные прокладки и избавитесь от боли. Аэробика в большей степени способствует продлению жизни, но именно силовые тренировки могут сделать эту жизнь достойной. Они не дадут вашим мышцам превратиться в тряпки, вашему скелету — в пыль, а вашим суставам — в источник постоянной боли. Вот в чем суть. Мы бы не стали пугать вас силовыми тренировками, если бы они не были так важны. Вот вам еще кое-что странное. Позанимавшись этим какое-то время, вы втянетесь. К этому мы еще вернемся.

Итак, план действий. Наймите тренера, по крайней мере для начала. Да, это недешево, но это того стоит. Научиться правильно поднимать груз несколько сложнее, чем кажется на первый взгляд, и вы даже не представляете, сколько людей из тех, что вы видите в спортзале, делают это неправильно. А это, во-первых, бесполезно, а во-вторых, опасно. Не смертельно, конечно, но болезненно, причем настолько, что вполне может отбить у вас любую охоту к продолжению занятий. Поэтому хотя бы на первые несколько тренировок обзаведитесь инструктором. И время от времени обращайтесь к нему и после, чтобы исключить любые сомнения. К тому же для большинства из нас мир тяжелой атлетики настолько непривычен, что небесполезно иметь рядом человека, который протянет вам руку помощи на этом странном пути.

«Ваше тело не может быть ходячим противоречием!»

Вот моя любимая тренерша, Одри, — низенькая, ничем внешне не примечательная женщина с Ямайки в возрасте слегка за пятьдесят. Ее фигуру нельзя назвать скульптурной, но она точно знает, что делает и как заставить вас делать то, что должны делать *вы*. Интересно, что именно она считается самым лучшим тренером в большой сети спортклубов. Характер у нее прямой, она любит хорошо посмеяться и совершенно безжалостна. Когда я сказал ей, что собираюсь выступить на телевидении с рассказом о своих книгах, она начала вдвое больше издеваться надо мной. «Кри-и-ис! — говорила она со своим тягучим ямайским акцентом. — Это же серье-о-озное дело! Крис, ваше те-е-ело… ваше тело, — пауза для пущего эффекта, — не может быть ходячим противоречием! Кри-и-с, они же поймут, что вы лжете!» И так далее.

Если финансовая сторона дела для вас совершенно критична — а она критична *всегда,* — можно для начала познакомиться с хорошей литературой по предмету. Есть немало книг, где можно найти полезные рекомендации и наглядные картинки, показывающие, как и что нужно делать. Но от книг, которые обещают успех за пять минут в неделю или вроде того, нужно держаться подальше. Также не поддавайтесь на телерекламу всяческих приспособлений, которые якобы сделают за вас всю работу, не доставляя вам никаких неудобств. Вы же взрослый человек, правда? Значит, не будьте идиоткой. Никакие приспособления, да и спортивные снаряды сами по себе, не сделают за вас вашу работу.

Итак, отправляйтесь в спортзал и найдите для себя самого симпатичного и разумного тренера, которого только сможете. По поводу Ланса я, конечно, по большей части шутил. Но таких действительно хватает. А есть, и их также немало, настоящие профессионалы, всерьез увлеченные тем, как работает человеческое тело, и способные научить ваше работать лучше. Сегодня это вполне выгодное дело, и в него идут многие хорошие люди.

Не совершайте ошибку, нанимая в тренеры человека, который будет с вами только говорить. Или слушать. В спортзалах полно женщин, готовых платить большие деньги как раз за то, чтобы с ними кто-нибудь общался и разве что изредка для порядка давал в руки легонькую штангу. Разговоры — это прекрасно. Мы посвятим еще почти целую главу разговорам и их роли в жизни женщины. Но к поднятию тяжестей они не имеют никакого отношения. Никакого. Если вы хотите кого-то обмануть под видом упражнений, идите играть в гольф. А если уж решили поднимать тяжести, поднимайте тяжести.

Несколько полезных советов

Мы с Гарри не будем рассказывать вам, какими тренажерами или снарядами пользоваться и как именно это делать; это мы оставляет вашему тренеру и авторам пособий. Но кое-что мы все же хотим вам сказать. Во-первых: вам сорок, или пятьдесят, или шестьдесят, а не двадцать или тридцать. Во-вторых: вы собираетесь становиться моложе *с каждым годом*, а не *с каждой неделей.* И вам не нужно все портить в первые же несколько дней. Поэтому, хоть это и не соответствует моему темпераменту, я обязан сказать вам: не напрягайтесь. Если вы — одна из немногих, кто в вашем возрасте сохраняет прекрасную форму, *не слишком* напрягайтесь. Если же вы — одна из большинства, не напрягайтесь *совсем.* В следующей главе Гарри расскажет вам, что восстановить мускулатуру можно очень быстро, даже в вашем возрасте, но с суставами придется повозиться намного дольше. Сильные мышцы могут разорвать слабые суставы в клочки. Поэтому в первые несколько месяцев тренировок берите вес меньше, чем можете, но при этом увеличивайте число повторов — к примеру, двадцать вместо стандартных десяти-двенадцати. Дайте своим суставам время втянуться в процесс.

Женщины бывают разные — вот уж сюрприз так сюрприз! — но, по моим наблюдениям, женщины чаще, чем мужчины, склонны к самообману в вопросе силовых тренировок. Мне приходилось видеть очень часто, как женщины в «качалке» занимаются с очень маленьким весом, поднимая его очень медленно, с большими перерывами между подходами. Они постоянно прерывают занятия, чтобы попить водички, вытереть пот со лба и все такое. Но рано или поздно вы поймете, что такой номер не проходит. Вначале можно заниматься с легким весом и большим количеством повторов, чтобы развить очень важную «мышечную память». Но потом придется выкладываться по полной. Будьте сильной и выполняйте свою работу.

Оказывается, работа с весом отчасти похожа на освоение нового вида спорта — пусть и не такого сложного, как горные лыжи или теннис. Ваши мышцы должны понять, как это делается. Это в меньшей степени относится к тренажерам, поэтому «свободный» вес для вас лучше. Для этого требуется равновесие и тонкая подстройка движений, в которых участвуют целые группы других мышц и, что еще важнее, это укрепляет дополнительные нервные связи, без которых невозможно адекватно функционировать в этом сложном мире. Важна не сила сама по себе, но и *контакты.* Та самая удивительная система связи, благодаря которой мы знаем, где находимся, и можем адекватно реагировать на то, что происходит вокруг. Поэтому для начала можно заниматься на тренажерах, но затем необходимо включить в программу и «свободный» вес.

Кстати (хотя это несколько не входит в тематику данной главы, но тем не менее имеет отношение к вопросу «свободного» веса), хочу сказать об использовании тренажеров вообще. Занятия на велотренажере аналогично использованию машин для силовых тренировок. Это замечательно, но все же не настолько, как катание на настоящем велосипеде на свежем воздухе (аналогично занятиям со «свободным» весом). Когда я еду на велосипеде по дороге, мой сердечный ритм стандартно на 15% выше ритма, который я отмечаю у себя в спортзале, при «езде» на тренажере. Не потому, что на настоящей дороге я больше напрягаюсь, а просто потому, что настоящий велосипед так или иначе требует чуть больших усилий — и поэтому чуть лучше для вас, чем «велосипед» стационарный. Это зависит и от необходимости поддерживать равновесие, и от изменений в ландшафте, и от дополнительной активности, которая возникает во время поездки, когда вы, например, оглядываетесь по сторонам и т. д. Все это требует дополнительных энергетических затрат. И это дополнительное преимущество для вас. Именно благодаря этому все ваши нейротрансмиттеры возвращаются к активной жизни и становятся сильнее. Тренажер не способен дать вам этого. Мораль: *«свободный» вес сложнее и гораздо полезнее для вас.* Так что со временем необходимо переходить на такие занятия. Но давайте скажем честно: силовые тренировки достаточно мучительны в любом виде, и, если вы способны только на занятия на тренажерах, ограничьтесь ими. Я сам на большинстве тренировок этим и ограничиваюсь. Ненавижу «свободный» вес. И боюсь его. По вполне понятным причинам.

Постепенно вы будете переходить к большему весу и меньшей повторности. Время от времени вы будете брать «предельный» вес — то есть такой, который сможете поднять, к примеру, раз десять, и больше будете просто не в состоянии. Это будет больно. Но не думайте, что это слишком жестоко. Не думайте, что все это подходит только мужчинам. Это не так. Этот процесс одинаков для всех. Тела мужчин и женщин в этом отношении ничем не отличаются друг от друга.

При больших нагрузках мышечные волокна действительно слегка травмируются. Но, восстанавливаясь, они становятся мощнее и сильнее. Одновременно наращивается масса скелета. И укрепляются связки. А также нервные связи, что, может быть, важнее всего прочего.

Чтобы достичь реального прогресса на ниве тяжелой атлетики, вы можете отвести ей три дня в неделю. (Мой тренер говорит, что два дня — это для поддержания уровня, а три — для реального роста.) Если вы выберете такой режим, меняйте типы нагрузок. Вашим мышцам необходим хотя бы день, а то и два, на восстановление после серьезной силовой тренировки. Если вы не будете достаточно отдыхать, разрушение возьмет верх над восстановлением. И пользы никакой не будет. И не забывайте об аэробике. В любом случае вы должны не меньше четырех дней в неделю посвящать ей.

Специально для женщин: главное — мышцы бедер

Если вам никак не хватает времени (или решимости) заняться тренировками с весом, то по крайней мере выполняйте какие-нибудь упражнения для ног, особенно для мышц бедер. Это могут быть приседания или занятия на тех тренажерах, где требуется поднимать груз ногами в положении сидя. Есть и другие снаряды, рассчитанные именно на развитие и укрепление бедренных мышц. Также нужно уделить внимание и мышцам голени, например с помощью тренажеров, где поднимать груз нужно пятками.

Очень многие ограничиваются гантелями для развития бицепсов и какими-либо снарядами для мышц груди и совершенно забывают про ноги. Это неразумно. Если вам откажут ноги, это конец. Это значит — трость, костыли, инвалидное кресло. *Особенно для женщин.* Если не заботиться о прочности своего скелета, с возрастом возрастает угроза падений и перелома бедра. Не забывайте о том, что тяжелая атлетика помогает укреплению костей. Бедренных в том числе. Переломы бедра — это немощь и смерть. Нет ниче-

«Накачанные» фантазии

Стоит мне заговорить на эту тему с женщинами, как я слышу одно и то же: они боятся, что занятия с весом сделают их слишком «большими», «перекачанными». Это совершенно нелепо. Во-первых, потому, что так не бывает. Во-вторых, что такого, если бы даже и бывало? И в-третьих, это самое глупое оправдание ничегонеделанию даже там, где глупость — норма.

Полагаю, корни этого страха в том, что женщины бояться выглядеть мужественными и таким образом потерять привлекательность для мужчин. Или же в том, что они боятся испортить фигуру. Однако тренировки не сделают ваши бедра толще. Они помогут мышцам лучше функционировать. И стать сильнее. Фигура ваша от этого только выиграет. И вам уже не нужно будет бояться, что ваши бедра и ягодицы превратятся в уродливые обвислые подушки. И вообще, женщинам, у которых сильные бедра и икры, на самом деле очень повезло! Ведь мы с вами — млекопитающие. А основополагающая способность любого млекопитающего — это способность к движению. Да-да, на своих ногах. Если вы предпочитаете отрастить колючки и пустить корни на одном месте, как какая-нибудь елка, — дело ваше. Но вообще-то, нам это не свойственно. Мы созданы для движения. И именно оно для нас лучше и полезнее всего. И одно из главных достоинств нашей человеческой природы — это сильные ноги, благодаря которым мы можем двигаться и получать от этого удовольствие.

И наконец, взгляды на женскую привлекательность тоже, слава богу, меняются. Антидискриминационная поправка действует, и спорт, в том числе даже тяжелая атлетика, сегодня стал частью жизни многих женщин. Вы больше не должны томно валяться на кушетке, как Дейзи в «Великом Гэтсби». Сегодня женщины ведут активную жизнь и выглядят соответственно. И мужчинам, если они не полные идиоты, это нравится.

го более важного, чем постараться избежать такой перспективы. И ничто не поможет вам в этом больше, чем серьезные нагрузки на мышцы бедра и голени.

Укрепление мышц бедра также наиболее полезно для здоровья коленных суставов. Бедра — своего рода «шокоуловитель» для всего тела; то есть если у вас крепкие бедра, то вероятность падений и травм значительно снижается. К тому же, здоровые и активные мышцы бедра — самые крупные мускулы вашего тела — сжигают больше всего калорий, даже в «покое». А чем больше сжигается калорий, тем больше производится тестостерона. Итак, если вы в сомнении, тренируйте как минимум мышцы бедра.

Чудеса в доме престарелых и другие поучительные истории

Начать серьезно заниматься силовыми тренировками никогда не поздно. Как раз наоборот. С возрастом они приобретают все большее значение. Некоторое время назад в одном доме престарелых было проведено исследование. Все его обитатели, в том числе те, кто передвигался на костылях, и те, кто вообще был прикован к постели, были вовлечены в программу силовых тренировок. И начались настоящие чудеса. Очевидные сдвиги в состоянии произошли даже у тех, кому было уже за девяносто. Практически все, кто не мог подняться с постели, начали передвигаться хотя бы на костылях. Те, кто опирался на костыли, стали обходиться тростью, и так далее. Мораль: тренировки с весом оказывают серьезный терапевтический эффект, замедляя или обращая вспять процессы старения. Если начать раньше, вы можете так никогда и не столкнуться со значительной частью неприятностей, связанных с возрастом. Если начать позже — большую их часть возможно обратить вспять. Все это я знаю и по собственному опыту тоже.

Вот еще одна замечательная история, случившаяся пару месяцев назад в Нью-Йорке. Как-то утром я выгуливал у Ист-Ривер своего пса Энгуса. Было градусов пятнадцать, светило солнце, с реки дул ветерок. И мне неожиданно захотелось припуститься бегом. Не ради тренировки и не ради того, чтобы перед кем-то покрасоваться (тем более что вокруг не было ни души), а просто так. И я побежал. Бросался то в одну, то в другую сторону, как какой-нибудь сумасшедший дед-футболист. Моя собака удивилась, но тут же присоединилась ко мне. Это было непривычно. Это было великолепно. Потом я вспомнил, как однажды Энгус сам точно так же начал носиться вокруг меня по лужайке, словно потеряв голову. Тогда я сказал Хилари: «Черт возьми, вот бы и мне так». И вот теперь я сам бегал по берегу Ист-Ривер, как лунатик, увлекаемый избытком эмоций. Просто потому, что мне так захотелось.

Все это — результат силовых тренировок. Они влияют и на ваше внутреннее состояние, и, кстати, на внешний вид тоже. Неважно, сколько вам лет. В любом случае, раздеваясь вечером перед тем, как запрыгнуть в постель к старине Фреду или кому-нибудь еще, вы будете куда больше довольны собой. Знаете, милые дамы, по-моему, это стоит того, чтобы потерпеть боль.

Действительным вознаграждением за труды в «качалке» должно быть устойчивое улучшение общего самочувствия. А особенно — состояния суставов. Это не наступает мгновенно, на то, чтобы результаты стали действительно ощутимы, могут уйти месяцы, однако эти результаты реальны и очень важны. Возьмем, к примеру, меня: к тому моменту, как я всерьез взялся за дело, у меня была целая куча больных суставов: бедра, плечи, локти, запястья… А еще ахиллово сухожилие — словом, полный набор. У меня уже появилась типичная старческая походка, несмотря на то что тогда я уже серьезно занимался аэробикой. Мне все это не нравилось, и мне казалось, что я выгляжу как столетний дед. Иногда даже при сравнительно несложных действиях — например, доставая что-нибудь с верхней полки, — я испытывал боль. Старость. Я начал стареть. И вы тоже начнете, если только не…

Когда я начал тренироваться с весом, *все это исчезло*! Мои искривленные артритом руки, правда, остались, зато от всего прочего не осталось и следа! И я не преувеличиваю. Я помню, как я скрипел, пошатывался и покряхтывал от боли, первый раз спускаясь с утра по лестнице. *Все ушло!* У меня больше не ломило бедра. И лодыжки. И даже плечи, которые были в самом плохом состоянии и на которые ушло больше всего времени. Даже ахиллово сухожилие, которое я порвал еще в 1982 году и которое с тех пор причиняло мне постоянную боль, не осталось безучастным, и я снова смог бегать. И все это благодаря тяжелой атлетике. Гарри предупреждает, что с возрастом мои боли могут вернуться, но по крайней мере это будет нескоро и они не будут такими сильными. Я уж об этом позабочусь.

Отчасти то, от чего я себя вылечил, было легкой формой артрита; артрит же есть не что иное, как воспалительный процесс, порожденный нередко малоподвижным образом жизни. Поэтому, когда некоторые мои приятели говорят, что не могут поднимать тяжести потому, что страдают артритом, я отвечаю им на это, что, скорее, они страдают артритом оттого, что не поднимают тяжести.

Знаете, что при большинстве форм артрита врачи прописывают шестинедельный курс лечебной физкультуры? И эта лечебная физкультура по большей части представляет собой именно силовые тренировки под надзором специалиста. Но не стоит ограничиваться шестью неделями, на которые распространяется ваша медицинская страховка. Вам нужно продолжать это всю жизнь. Два раза в неделю. Именно это оградит вас от большинства форм артрита, если у вас его еще нет. И значительно улучшит ваше самочувствие, если вы уже им страдаете.

Вот еще одно кардинальное изменение: я перестал падать. После шестидесяти больше всего в моем состоянии меня пугало то, что я начал ни с того ни с сего падать на ровном месте. Я спотыкался на совершенно незначительных неровностях тротуара, наступал сам себе на пятки и летел, как будто внезапно разучился ходить. И ведь я еще не был *стар*. Я был в приличной форме и вел очень активную жизнь, но все равно я падал. Что-то уже говорилось о приближающемся шуме водопада? Так вот у меня было такое ощущение, что я уже лечу в пропасть.

Однажды я с сумками в руках и Энгусом на поводке перебегал через Парк-Авеню, чтобы успеть на зеленый свет. Неожиданно я споткнулся и грохнулся. Светофор переключился, и я оказался посреди потока машин. Энгус сорвался с поводка и смертельно перепугался. Вокруг меня рассыпались порванные пакеты. Автомобили гудели, и я услышал крик какой-то женщины, которая решила, что я уже мертв. Честно говоря, я думал так же.

Нечто подобное случилось со мной и во время прогулки в горах примерно десять лет назад. Самый крутой и трудный участок пути был уже позади, и все было в порядке. Мы шли по ровному месту, до парковки оставалось всего полмили, и неожиданно я пошатнулся и скатился с тропы. В результате — перелом голени, гипс и никаких тренировок целое лето. Я понял, что действительно старею. Превосходно!

К счастью, это не обязательный вариант развития событий, и теперь в моей жизни все уже не так. Гарри объяснил мне, что причиной моих падений было разрушение нейротрансмиттеров, участвующих в поддержании равновесия. Именно из-за них вы перестаете твердо стоять на ногах и попадаете во всякие идиотские ситуации. Оказывается, что для любого человека обычная ходьба — это серия «почти-падений» с постоянной компенсацией отклонений равновесия. С возрастом эта система постепенно разлаживается, и вы постоянно рискуете получить травму. Вы уже не можете неосознанно выравнивать свое положение в пространстве. Но есть, как водится, и хорошие новости. Поднятие тяжестей приводит эту систему снова в норму, и проблема исчезает. Как утверждает Гарри, не окончательно, но почти. По крайней мере, у меня такое впечатление. Я уже много лет не падаю. И даже не слишком часто спотыкаюсь. Само собой, именно благодаря проклятым тяжестям. Еще раз призываю вас, займитесь этим!

Кстати, вы не обязаны просто принимать это на веру, послушавшись какого-то старого чудака. Сейчас Гарри объяснит вам все с точки зрения точной науки, чтобы у вас не оставалось никаких сомнений в моих словах. А лично для меня все это уже давно стало священной заповедью. Потому что падать мне очень не нравится.

ГЛАВА 11

Биологические основы силовых тренировок

Аэробика имеет отношение преимущественно к способности мышц выдерживать длительное напряжение. Силовые тренировки направлены в основном на способность проявлять мускульную силу, но, что интересно, значение здесь имеет не только сила как таковая, но и особая форма нервной координации. И это очень важно. Силовые тренировки ведут к наращиванию мускулатуры, и это важно, однако меняет вашу жизнь именно скрытое улучшение этой координации. Это не та координация, что существует между зрением и движением; это связь всех мельчайших составных частей мышц через сложную систему нервных волокон, объединяющих тело и мозг.

Как правило, старея, человек не осознает разрушения своей нервной системы, но именно оно лежит в основе болезней суставов, ослабления мышц и снижения физической активности и упадка сил. Повернуть эти процессы вспять можно с помощью силовых тренировок.

Это проще показать на примере, так что давайте рассмотрим, что происходит, когда вы делаете шаг на одну ступеньку вверх по лестнице. Может, на ваш взгляд, это очень просто, однако на первом курсе медицинского института я прослушал двухчасовую лекцию, посвященную нервной координации, необходимой для проглатывания одного кусочка пищи.

Один шаг

Задумайтесь о том, что испытывает ваше колено при обычной ходьбе: каждый шаг связан с определенными изгибами и вибрациями. Теперь представьте себе, что вы стоите у подножия лестницы. Начните медленно подниматься по ступенькам. Обратите внимание, как в начале каждого шага напрягаются мышцы бедра и голени, и в первую очередь это служит тому, чтобы мгновенно зафиксировать в нужном положении коленный сустав *еще до того, как вы начнете движение.*

Вы можете подумать, что это — просто результат одновременного сокращения всех мышц, и отчасти это верно, но большое значение имеет и то, что каждый мускул сокращается именно в той степени, которая необходима для того, чтобы придать суставу положение, которого требует то действие, что вы ему задали. Так механик затягивает привод в моторе вашего автомобиля до определенной степени, а потом ставит его на место. Ваше тело устроено гораздо сложнее, и при каждом шаге так подстраивает свои «детали», чтобы обеспечить наибольшую эффективность и безопасность их работы.

А теперь возьмите эту книгу, держите ее перед собой обеими руками и медленно встаньте. Обратите внимание на точность соотношения усилий, прикладываемых к этому действию вашими мышцами. Оно требует участия всех основных мышечных групп нижней части спины, ягодиц, бедер, икр и ступней, а также многочисленных мелких стабилизирующих мышц области позвоночника, торса, плечевого пояса, живота и таза. Я всерьез предлагаю вам проделать это — медленно подняться со стула или кресла и проследить, как участвуют в этом движении мышцы всего тела, от макушки до пяток.

За день вы осуществляете десятки тысяч подобных скоординированных действий. В каждом шаге и в любом другом движении участвуют тысячи нервных волокон, формирующих общую нервную сеть. В вашем теле существуют миллионы потенциальных нервных сетей, и они сменяют друг друга в работе при каждом шаге. Каждое движение обеспечивает вашему организму малую толику роста, а вашему мозгу — малую толику новой информации для обучения. Это необходимо, потому что выделяющийся в фоновом режиме С-6 постоянно принуждает его что-то забывать.

Проблемы начинаются тогда, когда мышцы, контакты отделов мозга и рефлекторные дуги становятся ослабленными и непрочными в результате долгих лет относительно малоподвижного существования. Обычной повседневной активности недостаточно, чтобы включить ростовой механизм С-10. Процесс отодвигания кресла от стола — слишком банальное задание для вашего физического мозга, и с течением времени — лет и десятилетий — немалая его часть в знак протеста впадает в спячку. Помните о пороге, необходимом для включения синтеза С-10? Только при определенном уровне нагрузок можно преодолеть этот порог, за которым количество С-6 оказывается достаточным для того, чтобы начал образовываться С-10. Если же порог не достигнут, остается лишь С-6, сигнализирующий о хроническом распаде. Чтобы преодолеть этот порог и вернуть силы и координацию, обеспечить вашу нервную систему, а также ваши мышцы, суставы и сухожилия необходимым количеством С-10, вы должны заняться силовыми тренировками.

Аэробика дает возможность преодолеть порог в области выносливости, кровообращения и продления жизни, но для сохранения сил и координации требуются силовые тренировки. Обычный шаг на ровном месте не включает синтез С-10. Точно так же, как и подъем на несколько ступенек. Но вот если вы будете подниматься по лестнице до тех пор, пока у вас не начнут гореть мышцы ног, С-10 будет синтезироваться. А если будете поднимать тяжести, пока не поймете, что больше не можете… тогда тем более.

Связь между мозгом и телом

Силовые тренировки устанавливают тонкую связь между телом и головным мозгом. Рассмотреть ее проще всего, начав сверху —

с мозга и нервной системы в целом. Ваш физический мозг — исключительно сложная структура — собирает миллионы сигналов со всего организма и координирует их во всеми импульсами, которые посылает к мышцам. Нервные импульсы, обеспечивающие координацию и силу ответной реакции, прожигают путь в нервных сетях. Каждый раз, когда вы пользуетесь ими, вы укрепляете центры равновесия, силы и мышечной координации физического мозга. И эти пути становятся шире, ровнее и быстрее.

Спортсмены пришли к пониманию преимуществ силовых тренировок в последние тридцать лет. Но что интересно, в наибольшей мере этими преимуществами пользуются не те, кто занимается силовыми видами, такими, как толкание ядра или штанга, а те, чьи действия требуют точности и скоординированности движений — например, фигуристы и лыжники. Эти преимущества в основном сводятся к улучшению координации и мышечной интеграции, наряду с увеличением мускульной силы, необходимой для исполнения прыжков и других движений, — и все это развивается при силовых тренировках. То же самое может произойти и с вами. У вас еще сохранились нервные пути, необходимые для совершения тройных прыжков на коньках, или, глядя более реалистично, пробежек через теннисный корт и точных сильных ударов по мячу, но это лишь жалкие тени того, что могло бы быть. Ведь большинство из нас в последний раз пользовались этими нервными связями в полной мере где-нибудь классе в четвертом.

Регулярные силовые тренировки могут изменить всю картину, пробудив ваши нервные связи от спячки. Например, даже если вы *ощущаете*, что при ходьбе по ровной поверхности все участвующие в этом процессе мышцы сокращаются на 100%, на самом деле в эти минуты у вас задействовано лишь 10% мышечных волокон. В каждой мышце эти активные волокна равномерно распределены по всему объему, так что мышца действительно двигается вся, однако при этом 90% волокон отдыхают и, можно сказать, просто «катаются» за счет остальных 10. При более интенсивных упражнениях количество работающих волокон возрастает. Если вы поднимаетесь на крутой холм или лестницу, при каждом шаге может работать до 30% волокон. А поднимая предельный для вас вес, вы можете задействовать даже половину!

Способность выбирать, какие волокна «включать» — а также степень их сокращения, — дает нам уникальный физический потенциал. Когда вы бежите через теннисный корт за мячом, вам требуется тончайшая координация направления, угла, степени разворота и силы удара, то есть каждая мышца ваших конечностей должна играть свою роль в одновременном действии. Сотни тысяч нервных клеток контролируют сотни миллионов мышечных волокон. Вся эта крайне сложная гармония существует лишь долю секунды, пока вы наносите удар. Об этой суперскоростной трассе передачи нервной информации мы уже говорили — по вашему телу каждую минуту циркулируют с космической скоростью миллиарды нервных импульсов.

«Быстрые» и «медленные» волокна

Нервы, контролирующие ваши мышцы, состоят из тысяч отдельных клеток, каждая из которых снабжена сотнями тончайших веточек. Каждая такая веточка подходит к одному — и только одному — мышечному волокну. В крупной бедренной мышце более миллиона волокон и, вероятно, около десяти тысяч нервных клеток, объединенных в пару основных нервных стволов, которые и осуществляют контроль над всеми мышечными клетками.

Чтобы лучше во всем разобраться, давайте хотя бы немного углубимся в детали. Есть два типа мышечных клеток — ответственные за силу и за выносливость. Они отличаются по строению. Это очень важный факт, и я повторю его еще раз: в ваших мышцах есть клетки для силы и клетки для выносливости, отличающиеся по своему строению.

«Выносливые» клетки называются «медленными». В них больше митохондрий, они дольше сохраняют работоспособность, но не обладают такой мощностью, как клетки второго типа. «Сильные», или «быстрые», клетки имеют меньшее число митохондрий, быстрее устают, но их мощность значительно выше, чем у «медленных».

Каждая отдельная нервная клетка контактирует с помощью своих отростков *либо* с «быстрыми», *либо* с «медленными» мышечными волокнами, и никогда — с волокнами обоих типов. Это означает, что каждая нервная клетка передает сигналы либо мощности, либо выносливости. В самой крупной человеческой мышце — четырехглавой мышце бедра — более миллиона волокон. К ней подходит крупный нерв, состоящий примерно из десяти тысяч нейронов. Каждая нервная клетка контролирует работу нескольких тысяч мышечных волокон, которые объединены в так называемую моторную единицу.

Кому нужен пик формы?

При силовых тренировках не образуются новые мышечные волокна: фактически вы продолжаете медленно терять их с возрастом в любом случае. Вместо этого вы увеличиваете массу каждого отдельного сохранившегося волокна — вы увеличиваете содержание в нем белка, «мяса», проще говоря. Волокна обладают феноменальным потенциалом роста: несмотря на потери, те, что останутся, способны обеспечить вам прекрасную физическую форму до конца жизни.

Другими словами, вы можете потерять за всю свою жизнь половину мышечных клеток, половину своей пиковой спортивной формы, но при этом все равно в восемьдесят лет быть сильнее, чем в двадцать. И вообще, были ли вы когда-нибудь на этом самом пике формы? Ни один обычный человек, если он не олимпиец и не теннисист-профессионал, никогда его и не достигает.

Поднятие тяжестей — не самый популярный вид спорта, но именно в нем стоит поискать путей к пику силы. Самая сильная американка в весовой категории 165 фунтов[1] способна держать на плечах штангу весом в 407 фунтов[2]. Ей сейчас нет и тридцати, и посмотрите сами, какие сильные у нее ноги! Она может удержать на плечах пару пожарных. Рекорд для женщин старше шестидесяти лет — 231 фунт[3]. То есть тяжелоатлетка, которая в молодости поднимает 400 с лишним фунтов, через несколько десятков лет не сможет поднять больше 230. Иными словами, она теряет 40% от максимума своей силы. И что? Она все равно может поднять одного весьма упитанного пожарника.

---

[1] Около 200 кг.

[2] 317,5 кг.

[3] Почти 80 кг.

Теперь мы можем рассмотреть, как конкретно происходит движение. Ваш мозг может активировать любую комбинацию моторных единиц, необходимую для совершения нужного движения. Именно способность вашего физического мозга мгновенно выбрать нужные из тысяч моторных единиц каждой мышцы позволяет вам танцевать, кружиться, прыгать или хотя бы просто шевелить пальцами. При каждом шаге активируется лишь небольшая часть нейронов, но эта часть очень точно подобрана. Мысль о сложности этой регуляции, о миллионах решений, которые необходимо каждую долю секунды принимать мозгу даже для того, чтобы просто поддерживать тело в вертикальном положении, не говоря уже о том, чтобы танцевать, способна привести в некоторый трепет. К счастью, это не требует сознательного мышления, и мы принимаем это как должное. Жизненно важно осознавать, что все это постоянно происходит внутри нас, но если правильно заботиться об этом механизме, то можно прожить долгие годы, не переживая за него.

Крис считает горные лыжи спортом для сильных — и это не лишено справедливости, — однако не менее важно, что этот вид спорта требует наряду с силой и *координации движений.* Силовые тренировки помогают развить и мышечную силу, и координацию, которые в своей неразрывной связи дают Крису возможность прекрасно кататься на лыжах в семьдесят лет, и могут дать возможность вам вести достойную жизнь в любом возрасте.

Учитывая все вышеизложенное, давайте сравним силовые тренировки и упражнения на выносливость. При ходьбе в ваших мышцах работают преимущественно те волокна, что отвечают за выносливость. Складывающиеся из них моторные единицы функционируют по очереди, чтобы обеспечить каждой необходимый период покоя, так что на самом деле каждая единица выполняет лишь часть упражнения, которое вы задаете мышцам. Такой нагрузки определенно недостаточно для того, чтобы запустить интенсивный синтез С-10.

Если вы переходите на бег, с каждым шагом оказываются задействованы более многочисленные единицы выносливости. В таком режиме каждая моторная единица активна, скажем, при каждом третьем шаге, и такой нагрузки достаточно, чтобы повышенный уровень С-6 запустил синтез С-10. Если вы бежите вверх по склону, вы можете исчерпать ресурсы «медленных» мышечных волокон, и организм подключит к процессу «быстрые» волокна. Чем дольше вы бежите, тем меньше времени на отдых остается у «медленных» моторных единиц. Чем больше сил вы тратите, тем короче оказывается период отдыха у «быстрых» единиц. В какой-то момент предел их способности к восстановлению оказывается достигнут, и если вы заставляете их работать дальше, они утомляются и в результате повреждаются. При этом происходит мощный выброс С-6 — ваш организм испытывает полезный стресс, гарантирующий синтез большого количества С-10.

Кстати, именно поэтому вы должны потеть, занимаясь аэробикой; при невысоких нагрузках ваши «медленные» мышечные волокна слишком много отдыхают и не испытывают утомления. По той же причине поднимать тяжести также необходимо до состояния утомления мышц — до того самого ощущения «огня» в них, которое большинство из нас так не любят и которого хотели бы избегать.

Если у вас будет личный тренер, он рано или поздно заставит вас поднимать такие тяжести, чтобы ваши «силовые» мышечные клетки выработали весь резерв своих возможностей. Вам придется использовать их по 10–12 раз подряд, а затем практически без перерыва на отдых повторять упражнение снова. Если вы будете действовать правильно, вы истратите все энергетические ресурсы мышечных клеток, а *затем* заставите их сократиться еще несколько раз. Это очень важно — именно таким образом вы добиваетесь микротравм в мышечной ткани. Повреждаются не мышцы в целом, а именно отдельные клетки, причем в достаточно большой степени. Но вы должны делать это намеренно. Если рассмотреть мышечную ткань тяжелоатлета сразу после тренировки под электронным микроскопом, то можно увидеть значительные повреждения на клеточном уровне. И это полезно для организма. Повреждения вызывают освобождение большого количества С-6, появление многочисленных очагов воспаления, а затем — широкомасштабное восстановление и рост. Вам, может, и неприятно испытывать дрожь и жжение в мышцах, но при этом ваш мозг заставляет работать *все* «быстрые» моторные единицы. Повторите такую нагрузку трижды, и произойдет *повреждение* всех этих единиц, после чего организм обязательно *восстановит* их все. Рост, сила означают молодость.

Вот поэтому вы не должны заниматься силовыми тренировками шесть дней в неделю. Если вы не будете следовать правилам, вы причините организму слишком большой ущерб. В отличие от «медленных», выносливых мышечных волокон, которые способны за одну ночь восстановиться после занятий аэробикой, «быстрые», силовые волокна нуждаются в сорока восьми часах для завершения цикла восстановления. Двух дней силовых тренировок в неделю достаточно. Три — это максимум.

Поддержание равновесия

А теперь пришла пора задуматься о вашем мозге и о так называемой проприорецепции — чувстве, которое позволяет вам все время контролировать положение частей тела в пространстве. Оно сообщает нам о том, как поддерживается и меняется это положение. Когда вы стоите, вы устремлены вертикально вверх, ни на что при этом не опираясь. Это удивительное свойство. Попытайтесь поставить стоймя приставную лестницу. Чтобы она не упала, вам придется постоянно поддерживать ее. На самом деле ваше тело немногим отличается от этой лестницы. Только лестница гораздо проще устроена. И тем не менее — попробуйте-ка пробежать вокруг двора, удерживая лестницу вертикально. Или проделать что угодно другое, что привыкли делать каждый день, опираясь на две ноги, не уронив при этом лестницы. И наконец, попробуйте установить ее на одну ножку!

Ваше тело в каждый момент времени точно знает, какое положение в пространстве занимает каждый его член, благодаря тому, что от каждой мышцы, связки, сухожилия и сустава обратно, через спинной мозг и дальше к головному, ведут тысячи нервных волокон. Они передают информацию о малейшем изменении степени сокращения, усилия, тонуса мышц, ориентации, положения или движения. Закройте глаза и сосредоточьтесь на указательном пальце руки. Вы автоматически определяете, где он находится, с точностью до одного-двух миллиметров; точно так же вы можете определить положение большого пальца ноги или, к примеру, левого локтя. Не открывая глаз, бегло проследите, где в данный момент располагается каждая часть вашего тела. И попробуйте представить, что ваш мозг на бессознательном уровне каждую секунду, без перерывов, следит за расположением каждой мышцы и сустава в ожидании, когда вам потребуется эта информация. И посылает каждый день миллионы сигналов только для того, чтобы поддерживать ваше равновесие и сообщать вам о вашем местонахождении.

Силовые тренировки влияют на эти сигналы. Сильное напряжение мышцы посылает в мозг отчетливый сигнал. Не забыли еще о регулировке привода — то есть о том, как происходит мгновенная фиксация в определенном положении суставов, когда вы начинаете подъем на ступеньку? Для нас это очень важно. Если мозг отвлечется даже на долю секунды и происходящее в этот момент установление положения каких-либо частей тела нарушится, вы можете пострадать. Вы можете потянуть мышцу или связку, вывихнуть лодыжку или сломать ногу. В дикой природе от малейшей травмы вы могли бы погибнуть. Хищник, на две недели вышедший из строя из-за растяжения конечности, может уже никогда туда не вернуться. Поэтому при силовой тренировке сигналы, поступающие от опорно-двигательной системы в мозг, громкие и первоочередные. Эти сигналы вызывают рост — вначале в самих путях их проведения, закрепляя нужную «тропу» в дебрях нервных сетей, а затем и в мышцах, связках, сухожилиях и суставах. Этот рост обеспечивает обновление структур интеграции мозга и остального организма. Они всегда существовали в единении, просто мы об этом забыли. Тренируясь, вы восстанавливаете эту общность. В самом прямом физическом смысле: наращивая нервные волокна, которые можно увидеть в электронный микроскоп; изменяя биохимию мозга, которую можно проанализировать по данным томографии; улучшая время реакции, которое можно измерить в лаборатории. Благодаря этому обновлению вы лучше катаетесь на лыжах, чувствуете себя сильнее и в целом лучше.

А еще вы *перестаете* падать. Как уже рассказывал Крис, с возрастом значительно возрастает частота падений, если только вы не поддерживаете себя в форме. Это нельзя считать личной проблемой каждого — это проблема здоровья общества, так как в пожилом возрасте, падая, человек нередко получает серьезные травмы. Это все С-6 — тихое шипение в ночи. Проблема падений пожилых людей была тщательно исследована учеными, и оказалось, что с возрастом люди не начинают чаще спотыкаться, — то есть и в двадцать лет вы так же и столько же запинались носками о землю. Но если тогда вы легко восстанавливали равновесие, то теперь более вероятно, что вы грохнетесь. На это есть две причины. Во-первых, с возрастом снижается скорость передачи импульсов от проприорецепторов к мозгу и обратно. Ваш мозг начинает осознавать, что вы падаете, на мельчайшую долю секунды позже, но этой доли секунды достаточно, чтобы восторжествовали силы инерции и гравитации. А во-вторых, на то, чтобы восстановить положение тела после того, как вы запнулись о тротуар, требуются силы. Носок вашей ноги, врезаясь в землю, резко прекращает движение, но все тело еще продолжает стремиться вперед, причем, в полном соответствии с физическими законами, от толчка оно приобретает ускорение. К тому моменту, как ваша нога сдвигается с места, вы летите вперед и вниз все быстрее и быстрее. Это все равно, что прыжок с невысокой стенки. Если мышцам ваших ног не хватит сил на то, чтобы погасить импульс, вы упадете. А если вы позволяли своим костям разрушаться, то вы уже и не встанете.

Остеопороз: разрушение костей и жизней

Пока мы с вами будем постигать основы научного взгляда на остеопороз, обязательно повторяйте про себя заклинание: «*остеопороз — не приговор, остеопороз — не приговор, остеопороз — не приговор…*» Это необходимо, потому что то, что вы узнаете, может вас напугать. Так и должно быть. Это страшно. Начнем, пожалуй, с цифр.

- Остеопорозом — болезнью, которая поддается профилактике, — страдают двадцать миллионов американских женщин.

- Остеопороз ежегодно служит причиной полутора миллиона переломов, преимущественно у женщин.
- С вероятностью 50% вы — да, вы! — когда-нибудь получите перелом в результате остеопороза, причем скорее всего при падении, после которого в более молодом возрасте вы тут же вскочили бы на ноги.
- 300 000 американцев — вернее, большей частью американок — *ежегодно* становятся жертвами переломов шейки бедра.
- Переломы шейки бедра становятся причиной смерти среди женщин чаще, чем рак груди.
- Двадцать процентов женщин, сломавших шейку бедра, умирают в течение года после несчастного случая.
- Из тех, кто выживает, половина уже не может вернуться к полноценной жизни.
- Четверть женщин, получивших перелом шейки бедра, оказываются в доме престарелых.
- Другая четверть остается жить дома, но они вынуждены передвигаться в инвалидном кресле или на костылях и не могут обходиться без посторонней помощи.
- Ежегодно в США фиксируется около миллиона случаев перелома позвоночника и около 250 000 случаев перелома запястья, главным образом в результате остеопороза.
- Только в половине случаев кости позвоночника или запястья полностью восстанавливаются после переломов; другая половина ведет к пожизненной инвалидности пострадавших.

Осознайте получше эти мрачные цифры — прочувствуйте, что они означают для пожилых женщин, в том числе и для вас. А теперь попробуйте осознать, что большинство этих трагических случаев вообще *не должны были произойти*. Вы, как и почти все остальные женщины, можете избежать остеопороза, переломов и пожизненной инвалидности.

Все, что вам необходимо для того, чтобы противостоять этой эпидемии сломанных костей и сломанных жизней, — это 1) поддерживать прочность скелета и 2) не падать.

1) Прочность скелета. К тридцати годам масса костной ткани достигает максимума, а затем направление течения неожиданно меняется, и дальше до самого конца жизни вы неуклонно ее теряете. В среднем каждая американская женщина в период от тридцати лет до наступления менопаузы *ежегодно* теряет до одного процента костной ткани. А затем скорость разрушения начинает расти, и в первые десять лет менопаузы теряется уже по два процента массы костной ткани ежегодно. К шестидесяти годам вы, сами того не ведая, лишаетесь 30 процентов той костной ткани, которая была вам дана на всю жизнь. Это все равно, как если бы треть ваших пенсионных накоплений вдруг исчезла без следа. Причем вы и не подозреваете, что это с вами происходит, поскольку остеопороз —

Еще пара слов об артрите

Те, кто страдает артритом, часто считают эту болезнь помехой для силовых тренировок. Но артрит — не противопоказание для них, а как раз наоборот. Сочетание сильных мышц и улучшенной проприорецепции предохраняет суставы от дальнейшего повреждения и дает им возможность излечиться. После нескольких месяцев силовых тренировок большинство людей, страдающих артритом, сообщают о том, что боли и ограничение подвижности снизились у них примерно вполовину. Однако ясно, что боль и ломота в суставах затрудняют начало занятий, особенно если артрит у вас достиг тяжелой степени. В таком случае вам будет полезно найти специалиста по лечебной физкультуре, который поможет вам преодолеть первые этапы программы тяжелоатлетических тренировок. Если артритом поражены руки, обсудите со специалистом специальные упражнения для кистей рук. Но не позволяйте артриту препятствовать вашим занятиям, если только сам врач не посоветует вам их прекратить. (Вернее, не посоветует, а запретит, если они действительно будут способны принести вам больше вреда, чем пользы; ваши личные просьбы никакой роли для него не играют.) Действительно существуют такие виды артрита, которые лишь усугубляются физическими нагрузками, а боль может делать их для больных с особенно сильно поврежденными суставами совершенно невыносимыми. Но эти случаи составляют малую часть всех случаев артрита, и врач всегда скажет вам, если вы относитесь к этому меньшинству. Для всех остальных же напоминаю еще раз: артрит — это воспалительное заболевание. Это заболевание, вызываемое С-6, так что лечить его надо при помощи С-10.

это скрытая, практически бессимптомная болезнь. *При остеопорозе никогда ничего НЕ болит.* Сломанные кости, конечно, болят, и очень, но эта боль не имеет к собственно остеопорозу никакого отношения. Ваши кости распадаются на протяжении долгих лет, но вы при этом чувствуете себя прекрасно. До того самого момента, как первый раз не сломаете какую-нибудь из них.

Однако вы можете предотвратить или по крайней мере сократить потери костной ткани, если твердо будете придерживаться двух правил: потреблять достаточно кальция и заниматься физкультурой.

Только 10% женщин в Америке получают достаточное количество кальция с пищей. Если вы не знаете, в каких продуктах содержится больше всего кальция, то, по всей вероятности, вы принадлежите к оставшимся 90%. В приложении мы рекомендуем вам некоторые замечательные книги по диетологии, и тем не менее вы должны начать принимать кальцийсодержащие добавки и делать это до конца жизни. Они не слишком эффективны, однако безвредны, а вам нельзя пренебрегать никакой помощью. В период до наступления менопаузы женщины должны потреблять 1000 мг кальция в день (как правило, по одной 500-миллиграммовой таблетке утром и вечером), после — 1500 мг. Также для усвоения кальция требуется витамин D, так что ваши добавки должны содержать и это вещество (стандартная суточная доза витамина D — 400 МЕ). Есть данные, что кальций лучше усваивается в форме цитрата. Вообще, вы можете найти очень много информации о различных минеральных веществах, которые, *вероятно*, также необходимы для костной ткани (это магний, фосфор, селен и так далее). Но беда в том, что медицина пока не имеет достаточно сведений о них, чтобы давать стопроцентные рекомендации, так что пока можете ограничиться только кальцием и витамином D — их польза, по крайней мере, проверена и доказана. Простые витаминно-кальциевые добавки крайне дешевы, а принимать их вам предстоит до конца жизни, так что можете прямо сейчас сделать запас на следующий год.

Вот и все, что я хотел сказать вам о кальции: польза умеренна, но все-таки и ею пренебрегать неразумно. Но важнейшее средство *профилактики остеопороза* — это физкультура. Упражнения постоянно, понемногу, укрепляют ваши кости: во время прыжков и бега, поднятия тяжестей и занятий на тренажере. Аэробика с большой нагрузкой и дополнительным весом надстраивает ваш скелет, но, если вы хотите исключить риск остеопороза наверняка, вам вначале придется выудить из потока не всегда достоверной информации крупицы действительно важных для вас сведений. Так вот, что бы вам ни говорили, знайте: ходьба — это замечательная разновидность легкой аэробики, но к профилактике остеопороза она не имеет никакого отношения. Да, легкая аэробика замедляет процесс разрушения костной ткани, и это хорошо, но для большинства из вас этого не достаточно. По-настоящему *строит* костную ткань аэробика с большими нагрузками, большим количеством бега и прыжков, но такой ее тип слишком тяжел для суставов, и не очень много есть на свете людей старше сорока, которые этим занимаются. Ходьба — это упражнение со *средней* нагрузкой, и польза от нее тоже не более чем средняя. Если вы прошагаете пару миль, потратив на это полчаса или сорок пять минут, ваши кости не получат той нагрузки, которая необходима для запуска восстановительных процессов. Возможно, если вы пройдете не две, а четыре или шесть миль, вы сумеете достичь требуемого уровня, но в общем медицинские исследования показывают, что подобные занятия нельзя расценивать как лечебный метод, хотя и они, конечно, в определенной степени полезны.

В данном случае единственное, что реально помогает, — это силовые тренировки. Все предельно просто. У женщин, которые занимаются с весом, костная ткань с каждым годом *увеличивает* массу, в то время как у тех, кто ограничивается одной аэробикой, происходит лишь замедление ее потери. Влияние силовых тренировок на восстановление костной ткани доказано множеством научных исследований. Спортивные женщины живут дольше; сильные женщины живут качественнее. Не нужно отказываться от тяжестей из опасения испортить фигуру. У женщин, занимающихся тяжелой атлетикой, мышечная масса, как правило, увеличивается только в области плечевого пояса и груди, а бедра и ягодицы остаются прежними; словом, как я уже говорил, ваша фигура от таких упражнений только выигрывает.

В тех случаях, когда процесс разрушения костной ткани зашел уже слишком далеко, приходится прибегнуть к помощи лекарственных средств; однако если вы начнете вовремя и не свернете с пути, они никогда вам не понадобятся, и вы никогда не узнаете, что такое переломы.

2) Падения. Вторая часть уравнения еще проще: не падайте. Вы можете прожить всю жизнь, не повредив ни одной из косточек, если *не будете падать*. Интенсивные тренировки с весом придадут вам силы, необходимые для того, чтобы сопротивляться силе тяжести и крепко держаться на ногах. И даже если вы вдруг упадете, четкие рефлексы и тренированные мышцы помогут сделать падение мягким и неопасным. Подобно действию деформационных зон у автомобиля, слаженная работа мышц позволяет значительно смягчить удар. Если вы будете сильной, вы будете падать реже и будете падать проще, со значительно меньшим риском серьезной травмы.

Оставив наконец в стороне проблему падения, отметим также, что силовые тренировки снижают травматизм при любой активности. В немалой степени это зависит от скорости проприоцептивных рефлексов, но также и от укрепления сухожилий, связок и суставов. Сухожилия и связки — живая ткань, но с возрастом ее рост замедляется. Значительные растяжения связок в процессе тренировок укрепляют нервные связи, благодаря чему связки крепче прирастают к кости и лучше сопротивляются повреждениям.

Выбор силового спорта

Занятия с весом приносят удовлетворение, возможно, даже вызывают у кого-то легкое привыкание, но для большинства они все-таки не слишком увлекательны. Именно поэтому вам необходимо видеть эффект. Что бы я посоветовал? Выберите силовой вид спорта по своему вкусу: велосипед, лыжи, теннис, сквош, гребля — все эти занятия замечательно подходят для того, чтобы вы прочувствовали, чего достигли в спортзале. Очень многие замечают, что, начав заниматься силовыми тренировками, они стали лучше играть даже в гольф.

Когда вы наберете форму и силы, можете попробовать заняться йогой. В то время как работа с весом наращивает отдельные мышечные группы, йога помогает интегрировать силу и равновесие. Богатая сенсорная стимуляция при использовании групп мышц в различных сочетаниях и во взаимодействии с дыханием, определенным настроем и растяжкой позволяет достичь лучшей нейросенсорной и проприоцептивной интеграции, чем упражнения западной школы. *Но будьте осторожны:* йога для западного человека может быть связана с повышенным травматизмом. Чтобы начать ею заниматься, вы должны достичь приемлемой формы; ведь создавали ее люди, жившие весьма активной и близкой к природе жизнью. Кроме того, в нас силен дух групповой аэробики, заставляющий добиваться с каждым разом лучших результатов. Если вы решите заняться йогой, лучше будет на первые пять занятий нанять персонального инструктора. Это недешево, но вполне оправданно. Однако если вы заметите, что инструктор не учит вас прислушиваться к собственному телу, поищите другого. После того как вы освоите базовый уровень, можете записываться на групповые занятия.

Что бы вы ни решили делать, *делайте это.* Силовые тренировки имеют жизненно важное значение, и начать можно в любом возрасте. Несколько месяцев тренировок позволят вам вдвое укрепить нижние конечности. И возраст здесь абсолютно не помеха. В одном исследовании было показано, как в результате тренировок заметно возрастали силы и улучшалось общее самочувствие у женщин в возрасте более девяноста лет! Задумайтесь о пользе физкультуры и противопоставьте ее тому печальному факту, что всего 10% американцев старше шестидесяти пяти лет хотя бы *утверждают*, что регулярно занимаются *любой* из форм силовых тренировок.

Это очень плохо. Сегодня всем должно стать очевидно, что каждому — по крайней мере каждому старше пятидесяти — необходимо два раза в неделю заниматься силовыми тренировками. Вы можете ограничиться коротким получасовым комплексом упражнений, а можете, если втянетесь в процесс, заниматься по часу и больше, но вы не можете обходиться без этих тренировок. Аэробика спасает вам жизнь; силовые тренировки делают ее достойной.

Ослабленные престарелые

Это ужасный, но весьма описательный новый термин, обозначающий слабых старых людей. Это то, к чему вы НЕ должны прийти в итоге. Ослабленные престарелые характеризуются потерей мышечной массы. Они действительно дряхлы, немощны, словом... ослаблены. А если ты слаб физически, трудно сохранять силу духа и позитивный настрой. Есть, конечно, удивительные люди, которым это удается, чей дух настолько силен, что превозмогает физическую немощь. Но большинство из нас связаны по рукам и ногам зависимостью духовного здоровья от физического. Попробуйте промотать десять, двадцать или сорок лет вперед и представьте себя старой, но бодрой. Представьте, как вы ходите в походы с внуками или друзьями, ведете активную и интересную жизнь. А теперь представьте себя старой и *ослабленной*. Висящей на костылях. Уязвимой, бездеятельной... зависимой. Мы хотим, чтобы вы осознали эту разницу в полной мере. Мы хотим убедить вас сделать правильный выбор. Поэтому и твердим без остановки о ежедневных тренировках, активном образе жизни и сохранении дружеских связей.

Да, вы действительно, скорее всего, проживете достаточно долго для того, чтобы воочию увидеть претворение в жизнь одного или другого сценария. Вы почти неизбежно будете играть одну из этих ролей — активную или беспомощную. Выбор за вами. Помните: аэробика спасает вашу жизнь; силовые тренировки делают ее достойной.

ГЛАВА 12

«Ну что, как я выгляжу?»

Думаю, сейчас самое время ненадолго прерваться и отдохнуть от грозных предупреждений и нудных лекций. Предлагаю просто поговорить про разные штуки, которые случаются с людьми в Последней Трети жизни. Порассказывать друг другу истории — например, о том, как вы забыли имя собственной невестки или вдруг перестали слышать, что вам говорят. И про то, как резко изменился ваш внешний облик. Мы не будем слишком долго обсуждать эту тему: просто скажите, как вы, по вашему мнению, должны будете выглядеть в Последней Трети, которая, как мы не устаем повторять, может быть просто прекрасной? И как вы думаете, переживете ли вы эти изменения?

Вопрос этот настолько важен, что я хотел бы определиться с собственными правами на его обсуждение. В конце концов, вы легко можете подумать, что не пристало какому-то старому чудаку вторгаться в столь интимную сферу, как ваш облик в Последней Трети. Но подождите с выводами. Я считаю себя вправе говорить с вами об этом не потому, что обладаю особым талантом в этой области (хотя я им обладаю), и не потому, что меня эта проблема крайне волнует (а она меня волнует). Просто дело в том, что я получил серьезную практическую подготовку. Шестьдесят лет подряд я тратил массу сил и средств на овладение предметом женской внешности — не только в Последней Трети, но и в любом другом возрасте.

Я приступил к своему обучению рано, лет в десять, когда мои шикарные и уже такие взрослые сестры, крутясь перед зеркалом в предвкушении свидания, начали задавать мне вопрос: «Ну как я выгляжу?» И они спрашивали не из лицемерия, делая вид, что включают меня в свою жизнь. Нет. Их действительно стало интересовать мое мнение в данном вопросе. (А выглядели они, кстати, прекрасно, и тогда, и сейчас. Мои сестры — очень красивые женщины.) И я втянулся в эту науку с головой. Я всерьез объяснял им, что конкретно я думаю в данный момент об их внешности и одежде. И они внимательно меня слушали. Как будто я был настоящим экспертом.

Потом, на протяжении долгих десятилетий моих двух браков и промежутка между ними, мне часто (и чаще по вечерам) приходилось слышать все тот же вечный вопрос: «Ну что, как я выгляжу?» И я всегда подходил к нему с максимальной ответственностью. Я тщательно анализировал данные, прикидывал разные потенциальные возможности и давал обоснованный ответ. Иногда он был одобрительным, иногда я мог посоветовать что-то где-то поменять, а порой откровенно заявлял, что это никуда не годится. Я вовсе не был злюкой и не хотел никого обижать, я просто всегда считал этот вопрос крайне важным и требующим только чистосердечного ответа. И конечно, все эти годы я учился и учился.

Мне нередко приходилось практиковаться в индивидуальном порядке, причем не от случая к случаю, а каждый божий день, если предоставлялась такая возможность. Я украдкой разглядывал женщин, находившихся рядом со мной, и задавал *себе* все тот же вопрос: «Как она выглядит?» Я задавал его себе (как и все мужчины) не только из благосклонного интереса к ее состоянию, а под влиянием глубинных дарвинистских мотивов. В мужчине, менее интеллектуально развитом, чем я, их можно было бы счесть похотью или еще чем-нибудь таким же мерзким.

Не знаю, почему мужчин этот вопрос в отношении самих себя интересует значительно меньше, но это так. Не то, чтобы они вообще никогда об этом не задумываются, но такого значения, как женщины, они ему точно не придают. Черт их разберет, почему так! Ясно одно: практически все женщины до безумия озабочены собственной внешностью. Можете считать это правильным, можете относиться к этому, как к варварскому пережитку — но вы здесь ничего не измените. Такова наша природа.

Так каким же должен быть ответ? Как вы собираетесь выглядеть в Последней Трети? Отвечаю: хорошо. Не так, как в молодости, и все же хорошо. А если вы немного прислушаетесь к нашим рекомендациям по поводу физкультуры и активной жизни, то прекрасно. Вы должны выглядеть прекрасно, и это будет подтверждать вам каждый. Если только... — да, это важный момент! — ...если только вы не доведете себя до сумасшествия (и депрессии) необоснованными предположениями и надеждами. К сожалению, вас долгие годы этому учили, с самого детства, как женские журналы и индустрия моды, так и мужчины, менее понятливые и честные, чем я.

Мы с Гарри утверждаем, что, выполняя наши рекомендации, вы сможете избежать 70% признаков старения. Не так плохо. И главное — наверняка. Но, к несчастью, кое-что из оставшихся 30 никуда не спрячешь.

Ваша драгоценная кожа

Например, никакими физическими упражнениями нельзя предотвратить высыхание кожи и образование морщин. Эти перемены — одна из незыблемых вех, отмечающих процесс биологического старения организма; увы, как-то воздействовать на них (не беря в расчет оперативное вмешательство) мы не можем. То же самое относится и к образованию «мешков» под глазами и обвислым векам. Однако наша приятельница Робин Гмирек (дерматолог, которая много лет назад приложила руку к нашему с Гарри знакомству), говорит, что кое-что сделать все-таки можно. Можно, например, справиться с пигментными пятнами. Или с противными шершавыми красными отметинами на лице, от которых страдаю я. В этом случае вам может помочь дермабразия или лазерная терапия. Вероятно, эта идея заслуживает внимания, поскольку вышеупомянутые процедуры снижают риск заболевания раком кожи, а заодно и улучшают ваш внешний вид. Да, при этом вы должны иметь возможность на пару послеоперационных недель залечь на дно и не высовывать носа на свет, но лично я уже всерьез подумываю о том, чтобы выкроить эту пару недель.

Сама Робин постоянно советует всем пользоваться вместо увлажняющего крема каждый день солнцезащитным кремом. Лично я подозреваю, что с ее стороны это маленькая уловка, чтобы заставить использовать солнцезащитный крем (она в своей жизни насмотрелась на достаточное количество предраковых пациентов, в том числе и на тех, у кого все кончилось весьма трагично), и тем не менее дополнительное увлажнение коже никак не повредит. Сухая кожа больше подвержена образованию трещин и разрывов, а это может стать причиной экземы и еще бог знает чего. Сухая кожа постоянно раздражена, и вы не можете противостоять искушению расцарапать себе лицо. Вам это нужно? Выглядит это ужасно. Кроме того, у пожилых людей кожа выглядит менее привлекательной еще и потому, что становится тусклой, словно безжизненной. Это происходит потому, что процесс обновления клеток замедляется, и мертвая кожа на поверхности не достаточно хорошо отражает свет. Увлажняющие кремы не помогут коже лучше обновляться, но на степень отражения света влияют. Хорошо. К тому же крем заполняет морщины и тоже слегка улучшает тем самым внешний вид кожи. А также, наверное, и ощущение при прикосновении к ней. Так что мажьтесь увлажняющим кремом каждое утро, умыв лицо. Но не забывайте о том, что, занимаясь физкультурой на открытом воздухе, вы нуждаетесь в серьезной защите от солнечных лучей, поэтому наносить на открытые участки кожи специальный крем нужно каждые два часа. Имеет смысл применять кремы со значением SPF (уровня защиты от солнца) выше 15. Не забудьте сказать об этом и старине Фреду; пусть он пользуется солнцезащитным кремом после бритья.

Есть и еще пара вещей, которые вы можете предпринять ради улучшения внешнего вида вашей кожи: бросить курить и не выходить на солнце без достойной защиты. Если хотите убедиться воочию, как влияет курение на кожу, поищите поздние фотографии Уистена Одена или Лилиан Хеллман. Вы еще переживаете из-за каких-то там морщин?.. Курение просто кошмар для вашей кожи. *Кошмар, кошмар, кошмар!* А еще для сердца, легких, печени… Я действительно вас заклинаю: бросайте курить! Сейчас и окончательно!

Как это ни прискорбно, но враг номер два — старое доброе солнце. Что уж там говорить о всяком раке, который тихо и незаметно может вас прикончить; солнце становится причиной и морщин, и желтых «жировиков» на коже (гипертрофированных жировых железок), и бурых наростов, и разрывов кровеносных капилляров. Боже! Да, кстати, еще один кошмар для вашей кожи — это неправильное питание. Когда доберетесь до соответствующего раздела нашей книги, в список проблем, связанных с потреблением вредной для здоровья пищи, включите заодно и «ужасный внешний вид».

Что мы можем сказать о пластической хирургии? Робин (которая сама этим не занимается) высказала по этому поводу любопытное мнение. Она считает, что есть определенный процент мужчин и женщин, у которых «бзик» на чем-то одном, на какой-то мелочи в своей внешности — им не дают покоя морщины у рта, обвислые веки или еще что-нибудь. Таким людям с пластическими операциями обычно везет. Они идут к хирургу с конкретной задачей, и, как правило, уходят от него счастливыми. А вот те, кому просто хочется выглядеть красивее, моложе, по-другому и так далее, — обречены. К тому же пластическая хирургия ничем не способна помочь при разбитом сердце или депрессии. Надо же, почему так?

Помимо этого, Робин утверждает, что, вопреки расхожему мнению, мужчины в пожилом возрасте вовсе не остаются привлекательными в большей степени, чем женщины. Просто в нашем обществе к женщинам предъявляются особые (причем нелепые) требования. Так вот, пора преодолевать пережитки прошлого. С годами ваша внешность будет меняться… в той же степени, что и у ваших ровесников-мужчин. И никак иначе.

Лично меня не так волнует, что мое лицо за последние годы изменило свою конфигурацию, а то, как выглядит теперь кожа на моем любимом теле. Мне этот вид не слишком нравится. Я сейчас могу ущипнуть себя за кожу на бедре (которое на одном тренажере способно справиться с нагрузкой в 500 фунтов), и она будет выглядеть настолько помятой и нелепой, что создается впечатление, что из меня уже действительно сыплется песок. Как-то, садясь с матерью в машину, я решил ее поддразнить: «Мам, — сказал я, — у тебя чулки съехали». Она невольно взглянула на свои ноги, но чулок на ней не было, и я это прекрасно знал. Просто ее собственная кожа слегка собралась в складки над краем тапочек. Она даже не отшлепала меня, а просто рассмеялась, потому что у нее было превосходное чувство юмора, и ее очень легко было развеселить. Но как же мне не хватает ее сейчас, как хочется, чтобы она передала мне такое свое отношение к жизни. Да, теперь и у меня «носки» сползают.

Но вот что интересно. У матери были проблемы с ногами. Слава богу, она ни разу не упала с серьезными последствиями, но в последние десять лет жизни (а дожила она до 89) ей было трудно передвигаться, потому что она не могла похвастаться спортивной формой. Вот ТАКОГО варианта развития событий вы можете избежать. По крайней мере, если не полностью, то в значительной степени. А ЭТО — все. Да, хорошо выглядеть приятно, и вы можете к этому стремиться. Но главная и по сути единственная цель, которую стоит перед собой ставить, — *чувствовать* себя хорошо. И быть в состоянии что-то *делать*. Этому вы должны посвятить Последнюю Треть жизни. Я-то знаю, я уже там.

Другая незыблемая веха биологического развития человека, отмечающая старение, — это состояние ваших волос. Они становятся седыми, частично или совсем, ломкими или редкими. Да, понимаю, ужасно наблюдать, как ваши прекрасные волосы превращаются в нечто тусклое и непонятное. И тут уж тренажерами не поможешь. Цвет, конечно, можно сохранить с помощью краски, но и сама структура волос меняется. И их количество тоже. Иногда среди них мелькает розовый скальп. Вам это может как угодно не нравится, но с этим вы действительно абсолютно ничего не можете поделать. Эти две вещи — кожа и волосы — не поддаются воздействию наших замечательных методов омоложения. Так что предлагаю не зацикливаться на этом слишком сильно, а лучше сосредоточиться на том, что вы сами в силах изменить.

Например, на ваших глазах. Если вам повезло и у вас хорошее зрение, мои поздравления. Однако даже если вы через какое-то время мало что сможете разглядеть, ваши глаза могут остаться привлекательными и хранящими внутренний огонь. Совершенно справедливо глаза называют зеркалом души, так что, если только вы будете чувствовать себя прекрасно, будете полны жизни и счастья, люди по-прежнему будут восхищаться их глубиной и светом. А это в ваших руках.

Еще одна хорошая вещь — улыбка. Если вы достойно заботитесь о своих зубах (может, даже слегка отбеливаете их — это весьма разумная идея) *и* если ваше отношение к жизни остается в любом возрасте позитивным и любознательным, на вашем лице всегда будет сиять улыбка. И с ней ничего не случится, сколько бы лет вам ни было. На самом деле это все очень серьезно, и отнестись к этому надо соответственно: ваши глаза и улыбка — окна в ваш внутренний мир — сохраняют впечатление молодости, если именно таково ваше внутреннее состояние. Если же жизнь ваша становится скучна и бессмысленна, они выдадут ваше состояние с головой.

У нас с Хилари и Гарри есть приятельница — чудесная женщина, которая живет на острове Саттон в штате Мэн. Ей за восемьдесят; а надо сказать, что по каким-то причинам Саттон имеет крайнюю притягательность для женщин в этом возрасте: вы можете встретить их там в количестве нескольких штук на квадратную милю. Так вот, о нашей подруге: эта смелая женщина, всю жизнь бесстрашно ходившая под парусом, штурмовавшая горные склоны и осуществлявшая разнообразные благотворительные проекты, теперь страдает от резкого ухудшения зрения. И тем не менее ее глаза остаются одними из самых прекрасных, которые только можно найти среди людей. За их синеву по-прежнему многие могли бы отдать душу. И улыбка у нее тоже совершенно обезоруживающая и неповторимая. Любой, кто видит эту женщину, сразу же испытывает желание познакомиться с ней поближе. Несмотря на возраст и связанные с ним неприятности, она выглядит такой *живой*, что вы ни за что не дадите ей ее восемьдесят два года. Да вы ей и шестидесяти не дадите! Она просто восхитительна.

Фонтан молодости

Вот что вам нужно запомнить: выглядит *намного* привлекательнее прочих та женщина, которая выглядит здоровой. Нелепо думать, что вы сможете снова выглядеть, как в молодости. Вы ведь уже никогда не станете снова молодой. Если вы настроитесь на то, чтобы выглядеть на 28 или 38 лет, вы испытаете жестокое разочарование, что бы вам ни говорили производители косметики и пластические хирурги. Так не бывает. Максимум, чего вы сможете добиться, — это выглядеть, как женщина в точности вашего возраста, которая никак не может прийти в себя после того, как ценой огромных средств и усилий добилась неких странных изменений в своей внешности. По-моему, лучше ставить себе реальную цель: она гораздо проще, и достичь ее гораздо легче. Реальная цель — выглядеть, как достойное воплощение женщины своих лет.

А *это* вы сделать можете. И поверьте, люди не смогут глаз от вас оторвать. Вы ведь знаете, что я много времени провожу в спортклубе, сидя на велотренажере. И должен признаться, хотя мне и стыдно, что нередко я провожу эти мрачные часы тренировок, глазея на великолепных женщин, занимающихся рядом со мной. Женщин в возрасте от двадцати с чем-то до шестидесяти с чем-то. И можете мне поверить — те женщины, на которых я смотрю в потной и шумной атмосфере спортзала и при взгляде на которых у менее целомудренного мужчины, чем я, точно возникали бы искушающие фантазии, — это женщины в прекрасной спортивной форме. Именно это, на мой взгляд, и есть наиболее соблазнительная черта. Глядя на мускулистые руки, сильные бедра, постоянно находящиеся в движении и затянутые в промокшие от пота шорты, невольно думаешь: «*Да*, господи! Вот *это* было бы здорово!..» Ну да, привлекательные лица, конечно, тоже заслуживают внимания, но в этом особом мире, где все оказываются в той или иной степени обнаженными друг перед другом, именно тело, находящееся в прекрасной форме, возбуждает самые горячие фантазии. А для того, чтобы быть в прекрасной форме, быть молодой вовсе не обязательно. Совершенно.

В нашей велогруппе вы найдете не одно доказательство моих манифестов. Женщины, окружающие меня, все до одной выглядят сногсшибательно — и те, которым всего лишь сорок, и те, которым уже за шестьдесят. Правда, некоторые из них *все равно* мучаются из-за того, что они не выглядят на двадцать пять или что-то вроде того. Какая же глупость! Вот пример. Как-то в Айдахо я провел два часа поездки за беседой с одной знакомой, дамой лет пятидесяти пяти, которой удалось в жизни совершить почти невозможное — быть прекрасной женой и матерью, при этом делая серьезную карьеру. Ну и конечно, она увлеченная велосипедистка и поддерживает замечательную форму. Но при этом она с налетом самоуничижения сказала мне: «Тут все дело в расстановке приоритетов».

А началось все, по ее словам, с того, что она заметила, что слегка поправилась в талии и в бедрах. Хотя она каждый день тренируется. Она была в ужасе и обвиняла во всем менопаузу. Я же сказал ей на это три вещи: во-первых, что выглядит она абсолютно потрясающе; во-вторых, что менопауза тут ни при чем; и в-третьих, а чего она, собственно, хочет? «Тебе не двадцать пять, а пятьдесят пять, — сказал ей я, — и выглядеть ты должна соответствующе. Да, с возрастом ты будешь становиться чуть шире. Только очень ограниченная кучка спортивных маньяков умудряется этого избежать, но их можно по пальцам пересчитать. Так что радуйся тому, что выглядишь и чувствуешь себя хорошо». Просто удивительно, как на редкость умные женщины превращаются в полных идиоток, когда речь заходит о том, как, по их представлениям, они должны выглядеть в Последней Трети жизни.

Впрочем, на восьмом-девятом десятке это проходит. На худой конец, после девяноста уж точно. Как раз на прошлой неделе я познакомился с такой женщиной. Я был приглашен на обед к знакомому, и он сказал мне, что ему надо присматривать за своей девяностооднолетней матерью. Но сколько я ни разглядывал присутствующих, я так ее и не увидел. Наконец, я не выдержал и спросил у хозяина дома, где же его мать. И он ответил, что я только что целых пятнадцать минут с ней разговаривал. «*Что?*» — воскликнул я в крайнем изумлении. Я просто не мог ему поверить, но в конце концов вновь направился к той даме, с которой только что беседовал, и да, при самом пристальном рассмотрении оказалось, что ей действительно может быть за девяносто. Но как же она выглядела! Как искрилась ее речь! Ее покойный супруг был известным журналистом, а она в этот вечер кипела негодованием по поводу войны в Ираке. Такая твердость убеждений, эрудиция, четкость изложения мыслей и непредвзятость суждений производила бы впечатление в любом человеке, но в женщине девяноста одного года от роду!.. Она была *настолько* знающей и *настолько* яркой! А особенное впечатление производили ее глаза и улыбка. Так знаете, что оказалось? Эта женщина не только постоянно что-то читала, она еще и каждый день занималась физкультурой. В том числе делала два подхода по двадцать пять приседаний, о чем с гордостью сообщила мне.

А когда я сказал ей, что она выглядит намного моложе своих лет, она только отмахнулась и ответила: «Ерунда! Я выгляжу ровно на столько, сколько есть». И на самом деле это так и было. И это со временем может ждать и вас, цветочек вы аленький. Но только не в том случае, если вы преждевременно сведете себя в могилу, пытаясь выглядеть двадцатипятилетней. Не надо! Выглядите лучше пятидесятилетней красавицей. Или шестидесятилетней. Да хоть девяностолетней. Возраст не помеха. И вы сами поймете, как это приятно.

Смена взглядов

Есть и кое-что, идущее вам навстречу. Да, все мы знаем, что идеалы красоты крайне эфемерны. То, что считали идеалом в начале прошлого века, нынче для нас мало приемлемо. Мы смотрим на этих пухлых малышек с зачерненными глазами и удивляемся, о чем они там думали? И это ведь было практически на моем веку! Сестра моего отца, тетя Глэдис, в молодости слыла легендарной красавицей. О ней продолжали вспоминать еще сорок лет спустя, когда я был ребенком. А я, глядя на ее старые фотографии, никогда не мог понять, что они там видели. На мой взгляд, она была *уродиной.*

Так что взгляды на то, что красиво, за очень короткий период времени серьезно изменились. Причем многое изменилось очень резко и в вашу пользу, буквально в последнее время. Наконец-то те самые люди, которые всю жизнь говорили вам, что если вы не похожи на подростка, то вы — толстая корова, начинают думать по-другому. Хорошо то, что и рекламодатели не упускают из вида тот факт, что женщины, появившиеся на свет в период бэби-бума, теперь имеют достаточно средств на всяческие приобретения. Почему, вы думаете, стала так популярна Лорен Хаттон? А посмотрите современные кинофильмы! Помните Дайан Китон в картине «Любовь по правилам... и без» (Something's Gotta Give)? Почти шестьдесят лет, и совершенно обнаженная! И выглядит потрясающе! И рекламодатели думают, что *все* вы должны выглядеть точно так же.

«Синдром Старой Карги»

Многие спрашивают меня, что хуже всего в пожилом возрасте? И отвечаю я всегда одно: старческое брюзжание. Всем понятно, что «Старые ворчуны» (Grumpy Old Men) — не просто кинематографическая метафора. Однако это верно не только по отношению к мужчинам. Образ ворчливой старой девы, брызжущей ядом, возник не из воздуха. Что-то происходит с возрастом с психикой мужчин и женщин, и это тяжело. К собственному ужасу, я обнаружил, что тоже подвержен этому.

Вероятно, вы уже знаете меня достаточно, чтобы заметить, что в целом я жизнерадостный человек. В суде я при необходимости мог высказываться довольно резко, но в обычной жизни я, как правило, весел. Вернее, так было всегда, но лет пять назад я вдруг поймал себя на том, что рявкаю на Хилари. Меня стало раздражать то, как она водит машину, как она указывает мне, куда поворачивать, как вечно тратит кучу времени на одевание, и вообще все что ни попадя. Потом это распространилось на дорожные пробки. Сидя в машине, я ругался на других водителей, то и дело яростно жал на клаксон, а когда меня пытались обогнать, упирался и не давал этого сделать. Это стало слишком заметно. Это было ужасно. Это было нелепо.

И это приводило меня в смущение. Я так трудился, чтобы избежать наиболее явных примет старения, и вот я перехожу дорогу и показываю неприличный жест таксисту. В конце концов я стал недоумевать, неужели в мире внезапно стало так много возмутительного, или это я схожу с ума? Конечно, более верно было второе; я как будто нацепил на грудь табличку с надписью «Старый брюзга».

Женщины подвержены тому же самому. Порой спустить пар, конечно, бывает необходимо. И отстаивать свои права, свою точку зрения — тоже. Но постоянная злость на все окружающее, постоянная раздражительность, — уже гораздо хуже. Пользы от этого никакой, а вред может быть весьма существенный.

Мне кажется, что это просто ужас. Давайте назовем это «Синдромом Старой Карги», потому что это заслуживает самого отвратительного наименования. И не забывайте о том, что такое поведение — не просто причуда, связанная с возрастом; оно отвращает от вас людей как раз тогда, когда они больше всего нужны вам. А если вы начинаете завязывать с кем-то романтические отношения, то это просто *смерти* подобно! Представьте себе выбор, который может встать перед мужчиной. С одной стороны — моloденька Сюзи, которая, просыпаясь рядом с ним утром, радостно восклицает: «О! Вот и *утро* наступило! И *солнышко светит.* Вау!» И после этого поворачивается к нему со счастливой и благодарной улыбкой на лице. Да, и вам, и мне сейчас кажется, что ни один достойный мужчина не проведет и десяти минут рядом с такой легкомысленной малышкой. Нет, ни за что!

Но если в качестве альтернативы рассматривать женщину, на лбу которой навсегда пролегли мрачные складки и которая постоянно готова говорить только о своих претензиях к окружающему миру — и к *вам*, сию секунду! — то весьма вероятно, что в голове у бедного мужчины очень скоро всплывет образ миленькой маленькой мисс Сюзи. Постоянная злость — не лучшая маркетинговая стратегия. И сами чувствовать вы себя при этом будете ужасно.

Что-что?

Всем известно, что с возрастом слух ухудшается, и мы с этим мало что можем поделать. Мне сказали, что у меня лично не все так плохо, чтобы пользоваться дополнительным оборудованием, но я все равно решил его приобрести. Мои впечатления неоднозначны. Во-первых, этот аппарат стоит кучу денег, и на его настройку уходит куча времени… это просто какое-то особое искусство! И работает он, честно говоря, тоже не идеально.

Вот если взять очки или контактные линзы — вы надеваете их и тут же начинаете видеть прекрасно. Слуховой аппарат — иное дело. Вы, конечно, слышите, но как-то не так. Возникают какие-то странные помехи. Вы слышите, как в двадцати ярдах от вас человек комкает бумагу, но с трудом разбираете, что говорит тот, кто сидит напротив вас за столом. Иногда при пользовании им мне кажется, что мне в уши налили воду, и это не очень-то приятное ощущение. Постепенно я к нему привыкаю, но все это не слишком *удобно*. Однако есть одно преимущество: сегодня слуховые аппараты действительно совершенно незаметны. Итак: если ваш слух испортился настолько, что вы уже не можете адекватно следить за беседой в многолюдном ресторане или на вечеринке, задумайтесь всерьез. Если вы пока еще справляетесь, я бы не стал торопиться. Чертыхнитесь по поводу тех рок-концеротв, на которые ходили в детстве, и проконсультируйтесь со своим врачом.

Странные звуки

Однажды, когда маме было восемьдесят, а мне сорок, мы ехали в машине, распевая песни, как это часто бывало. У мамы всю жизнь был хороший голос. Но в тот день он неожиданно изменил ей посередине песни, и ноты пошли вразброд, как у подростка с ломающимся голосом. Она расхохоталась. Когда-то она сама подшучивала над собственной матерью, когда у той начал меняться в старости голос. И вот теперь непонятное карканье раздается из ее же горла. Возрастные изменения голоса не обязательно проявляются только при пении; просто наступает момент, когда, поете вы или говорите, ваш голос становится типичным голосом старухи.

Что делать? Главным образом — просто смеяться, как моя мама. Но если вы всю жизнь пели, то имеет смысл упражняться в пении почаще. Мне известно, что большинство людей моего возраста вообще никогда не поют, и это безобразие. Но те, кто поет (в том числе те, кто тайно от всех поет в душе и в автомобиле), оказываются в лучшем положении. Ситуация с голосом такова, что либо вы им пользуетесь, либо он пропадает. Лично я распеваю, как безумный, в душе и в кабине автомобиля. Пока помогает. Кажется.

Притормозите. Посмотрите по сторонам. Повторите еще раз.

Еще не забыли мои утомительные истории про то, как я падал без всякой причины? Я понимаю, что вам это не грозит, потому что вы уже начали поднимать тяжести и качать мускулы, но все-таки забывать об этой проблеме не стоит. Точно так же, как и о том, что она может проявляться не только в частых падениях при ходьбе, но и в возникновении опасных ситуаций при поездке на автомобиле, велосипеде или лыжах. Пожилые люди чаще попадают в аварии. В том числе, как это ни ужасно, и я. Вот, к примеру. Я сдавал назад, чтобы развернуться на моем собственном, ровном и широком, дворе. Трудность минимальна. Я опытный водитель, и задний ход всегда удавался мне на редкость успешно. И вот я ни с того ни с сего въезжаю задом во вторую свою машину, которая стояла в стороне на открытом месте и которую я прекрасно видел. Ущерб — $3000. Хилари очень понравился мой разговор со страховой компанией: «Добрый день, это Крис Кроули, ваш клиент, бла-бла-бла… А скажите… ммм… моя страховка… она будет действовать в том случае, если я врезался на одной своей машине в другую?»

Вы уже знаете, что причина всего этого — нарушение проприорецепции. Это очень опасно. Вы замечаете это у других, но может быть, не заметите вовремя у себя, так как сама эта идея кажется такой абсурдной! Так оно и есть. И тем не менее это происходит. Понаблюдайте за собой повнимательнее, и если начнете замечать, что время от времени падаете или совершаете мелкие ошибки за рулем, притормозите, ибо последствия могут быть крайне серьезными. Не пугайтесь, не смущайтесь, просто чуть-чуть притормозите. И оглядитесь по сторонам повнимательнее, чем обычно. Ставки слишком высоки, а грань ошибки стала для вас чуть ближе. Я предпочитаю никогда этого не говорить, и однако сейчас скажу: «Ведите себя соответственно возрасту».

Этот совет касается лыж, лодок, верховой езды… продолжите сами. Ваше осознание положения в пространстве и система контроля за собственным телом потихоньку «плывут». Я надеюсь, что вы боретесь с этим с помощью силовых тренировок и разнообразной активности, потому что это реально действует, однако это все же не повод думать, что вам теперь все нипочем.

Вода, вода...

Вот еще один скучный совет… один из самых скучных в этой книге, вероятно. Однако важный. Одно из приспособлений, летящее к чертям в Последней Трети жизни, — механизм, сигнализирующий о том, что вы испытываете жажду. Вы перестаете хотеть пить, несмотря на то что ваш организм отчаянно требует воды, только вот вы его не слышите. Из-за этого в пожилом возрасте нередки проблемы с обезвоживанием, возникающим как будто ни с того ни с сего. Так что об этом стоит задуматься, особенно если вы всерьез решили заняться физкультурой. Для вас обезвоживание может иметь самые тяжелые последствия. Может быть, вы об этом уже слышали, но лично я только от Гарри узнал тот удивительный, хотя и основополагающий факт, что в нашем организме содержится всего лишь пять литров крови. Я бы не сказал, что это жутко много, особенно учитывая все, что ей приходится выполнять. Доставлять питание. Удалять отходы. Переносить огромное количество сложнейших сигналов и химических агентов. Наполнять клетки полезными вибрациями. Вы просто обязаны обеспечить вашей крови свободный ток.

Обезвоживание препятствует этому току. Кровь густеет, становится вязкой и слизистой. В отдаленных регионах вашего тела, например в почках, ситуация начинает портиться. Да и в столице тоже — я имею в виду мозг. Профессиональные атлеты на собственном опыте знают, насколько важен правильный водный режим для выступлений. Они внимательно следят за тем, чтобы не потреблять сразу много жидкости (это как в саду — капельный полив всегда лучше мощного потока) и одновременно потреблять ее достаточно, что гораздо труднее. Они заботятся о снабжении организма водой больше, чем обо всем остальном. Вы должны брать с них пример. Тем более если ваша система оповещения о жажде не в порядке.

Основное правило: выпивайте ежедневно по восемь стаканов воды (емкостью в восемь унций, то есть шестьдесят четыре унции[1] всего). А на каждый час тренировок добавляйте по лишней кварте[2]. Вы можете решить, что это слишком много. Придется себя заставлять.

Как? Попробуйте такой метод. Утром, как только проснетесь, первым делом выпивайте стакан. Можете запить им свои витамины или еще что-нибудь. То же самое делайте на ночь, ложась в постель. Еще по стакану выпивайте с каждым приемом пищи, что очевидно. Итак, уже пять; осталось три.

Ладно, господа пьющие, вот вам особенно полезная подсказка. Время коктейля — самая коварная часть дня. То чувство голода, которое возникает у вас в эти часы, может на самом деле быть «замаскированным» сигналом жажды. Едва вас потянет к сырному соусу, выпивайте вместо этого стакан воды. Вы сами удивитесь, как часто ваш «голод» после этого будет исчезать. И еще один совет: выпивайте по стакану воды после каждого стакана вина, или что

[1] Приблизительно 1,9 литра в день.

[2] Около 1 литра.

вы там еще пьете. Вы теперь уже не можете позволять себе пить столько алкоголя, как раньше, вот вам и способ ограничить себя. Что, остался еще один стакан воды? Ну вы же взрослые люди. Придумайте что-нибудь.

Но есть и определенные ограничения на количество выпиваемой воды. Так бывает нечасто, но некоторые спортсмены пьют *слишком много* воды, и в результате получают серьезные проблемы со здоровьем. У одного моего знакомого врача из Колорадо как-то была пациентка, обратившаяся к нему с какими-то таинственными симптомами. Она была в прекрасной форме, но чувствовала себя странно, и анализы крови у нее оказались просто пугающими. В ее крови практически не было солей или чего-то еще настолько же важного. С такими анализами прямая дорога — в отделение экстренной помощи. Так вот, оказалось, что она была марафонской бегуньей и привыкла всегда пить помногу жидкости. Даже во время посещения врача она держала в руках бутылку. И это привело к настоящей болезни. Не волнуйтесь, большинство из нас никогда не столкнется с подобными проблемами. Но если вы ведете активную жизнь и потребляете много жидкости, все-таки контролируйте ее количество и спросите совета у врача. Странно, но слишком много воды может вас убить. В прямом смысле.

Современная одежда

На эту деликатную тему можно сказать две вещи. Во-первых, не нужно быть старомодной и одеваться, как старая дама. А во-вторых, не обманывайте себя и других, прикидываясь девочкой. Хуже, чем женщина, наплевавшая на свой внешний вид и одевающаяся во что попало, может быть только женщина, одевающаяся (и причесывающаяся) в зрелом возрасте так, словно ей 18. И еще, знаете, уже поздновато прокалывать нос. Или брови. После пятидесяти это выглядит совсем не к месту.

Да, есть женщины, которые с возрастом действительно перестают задумываться о том, что они носят и как выглядят. Вы не должны следовать их примеру. Особенно если вы прилагаете столько усилий, чтобы сохранить форму. Вы должны гордиться своей фигурой и подчеркивать ее. Конечно, не так, как это делают двадцатилетние, а как адекватная женщина в свои цветущие сорок (пятьдесят, шестьдесят) лет. Лично я считаю, что с возрастом одежда приобретает не меньшее, а большее значение. Задумайтесь об этом. Только не говорите Гарри, сколько вы на нее тратите. И кстати, если вам повезет настолько, что вы доживете до настоящей старости, я бы посоветовал вам начать относиться к одежде (и обуви) с истинным фанатизмом. Обязательно купите красивые туфли! Вы их заслужили... всеми вашими пробежками, кручением педалей и поднятием тяжестей.

Весьма вероятно, у вас есть свои наблюдения и мысли по поводу того, как быть пожилой женщиной. Если вас не затруднит, поделитесь ими с нами на нашем сайте www.youngernextyear.com.

ГЛАВА 13

Погоня за жестяным зайцем

Эту страшную главу, посвященную личной экономии, вам, возможно, очень захочется пропустить, но я *настоятельно* призываю вас прочесть ее. Потому что эта тема имеет *крайне* важное значение для женщин. Чтобы привлечь ваше внимание, начну с малоприятных статистических данных (хотя не исключено, что, узнав о них, вы, наоборот, захлопнете книгу и пойдете искать утешения в холодильнике).

Так вот. *Половина американских женщин в конце жизни оказываются за или рядом с чертой бедности.* Такое впечатление, что женщина — это одноразовое устройство, поэтому никто не будет заботиться о ней после того, как старина Фред умирает или сбегает с малышкой Сюзи. Нравится? Думаю, нет. Конечно, это ужасно. И вам, конечно, совсем не хочется оказываться в такой ситуации. И уж точно не хочется, чтобы какой-то идиот создавал вам ее просто потому, что вовремя не задумался об этом или решил не обращать на это внимания. Например, не сэкономил немного на каких-то излишествах, чтобы обеспечить вам пристойное существование в случае собственного удаления со сцены. Вам необходимо хотя бы начать задумываться об этом самой; ради этого и написана данная глава. Мы считаем это настолько важным, что вынесли основную мысль в отдельное правило (которых всего семь на всю книгу). Однако предмет этот настолько сложен, неоднозначен и неприятен, что это правило можно разбить на три части.

Звучит оно так: *тратьте меньше, чем получаете.* Что подразумевает: а) оценку собственного материального состояния; б) составление плана; и в) реальный взгляд на вещи. Все еще непонятно? Перевожу. Разберитесь, чем именно вы владеете на сегодняшний день. Учитывайте недвижимость, ценные бумаги, страховку, соцобеспечение… словом, все. *Особенно* если вы имеете не так уж и много. (Подсказка: соцобеспечение попадает в категорию «не очень много».) Затем прикиньте, что еще вы и старина Фред (если он имеется в наличии) сможете заработать до того момента, как вы оба уйдете на пенсию (если вы намерены обеспечить себе возможность ухода от дел). После этого можете построить самые дикие предположения по поводу того, сколько еще вы и он проживете (например, чисто «для прикола» предположите, что вы доживете до девяноста, при этом переживете старину Фреда на 6 лет, если вы ровесники). И посчитайте, хватит ли вам средств до конца *вашей жизни.* Если нет — а поверьте мне, *никто* не склонен считать, что средств у него достаточно, — составьте план. Начните тратить меньше. Заранее приобретите некий «страховой фонд». Продайте дом, который для вас слишком велик. Обратитесь к финансовому консультанту, если можете себе это позволить. Почитайте соответствующую литературу. *Задумайтесь, составьте план, подготовьтесь.*

И смотрите на вещи реально. Это значит, начните прямо сейчас претворять свой план в жизнь, каким бы недоделанным и дурацким он вам ни казался. Потому что в этой поворотной ситуации лучше жить хотя бы по какому-то плану, чем стыдливо потупить глаза и броситься вниз с утеса. Или нырнуть в мусорный бак. Переживаете о том, как будете выглядеть в старости? Вряд ли хорошо, если при этом будете копаться в мусоре. Так что трезво и жестко оценивайте свои финансовые перспективы, даже если это будет трудно (а поначалу будет обязательно). И все же лучше немного потерпеть сегодня, когда еще есть возможность повлиять на ситуацию, чем страдать по-настоящему в будущем. Тогда от ваших страданий уже не будет никакой пользы.

Да, это все непросто. Потому что большинство людей быстро понимают, что для того, чтобы в будущем у них все было хорошо, сегодня им придется серьезно себя ограничить. А для нас, американцев, не свойственно заглядывать так далеко вперед. Старый добрый американский оптимизм учит нас, что все будет в порядке. Так вот: *не будет*, и виноваты в этом будете только вы сами. Так что вдохните поглубже и трезво взгляните в глаза фактам. На самом деле изменить что-то в этой связи не так сложно, как вам кажется, и точно проще, чем лгать самой себе, что вы, возможно, и делаете сейчас.

Иначе настанет момент, когда вы вплотную столкнетесь со всем тем, что могли бы просчитать на этапе предварительной оценки. И это станет для вас причиной постоянных мучений. Неотвязные мысли о деньгах будут мешать вам спать по ночам. Они могут нанести существенный вред вашей сексуальной жизни, вашему браку, вашим детям, вам лично. Особенно вам в те несколько (не исключено, что достаточно много) лет, которые придется прожить в одиночестве. Реальная оценка ситуации может оказаться болезненной, но по крайней мере вы обезопасите себя от не менее болезненной и безвыходной тоски и беспокойства.

Можете считать, что, последовав сформулированным здесь рекомендациям, вы устраните половину потенциальных проблем, связанных с пенсионным возрастом. Помните чудный лозунг шестидесятых: «Здесь и сейчас»? Да, замечательно, только вот на сегодняшний день совершенно не актуально. Теперь вашей мантрой должны стать слова: *думай о будущем*. Вы должны точно знать, что у вас останется, когда вы достигнете Последней Трети и наступит «там и тогда». И если вы поняли, что все плохо, не откладывайте решение на завтра! Завтра может быть поздно! Пусть старина Фред помогает вам, но всегда учитывайте, что в конечном итоге ответственность за вашу жизнь несете только вы. Ну конечно, вы можете в качестве решения проблемы просто стать немножко поласковее с детьми — в расчете на то, что они заберут вас к себе, когда вы состаритесь. Что ж, это тоже план. Вроде того.

Не исключено, что вы с Фредом испытываете трудности даже с тем, чтобы *услышать* те предупреждения, которые посылаю вам я (а может, и не я один). Люди склонны впадать по этому поводу в полную глухоту. Они начинают жить в иллюзорном мире, думая, что все как-нибудь само образуется. Не образуется. Положение дел можете поправить только вы, иначе оно само «поправит» и вас, и Фреда, и вашу собачку Тото. Всем вам придется несладко, если вы не найдете в себе сил взглянуть правде в глаза и хоть немного распланировать свое дальнейшее существование. Без этого, когда туман рассеется, вы, скорее всего, обнаружите свой корабль плотно севшим на рифы. А в семьдесят лет, и в одиночестве, добираться вплавь до земли не очень-то легко.

Мы с Гарри никоим образом не претендуем на роль финансовых консультантов, но все-таки убедительно просим вас прямо сейчас сесть и реалистично оценить свой ежегодный доход после выхода на пенсию. Рассчитайте ситуацию на двоих и на вас одну, на случай смерти или ухода Фреда. Затем, если только ваши средства не защищены каким-то образом от инфляции, оценку нужно несколько снизить. Теперь предположите, что все неожиданно окажется хуже, чем вы думали, и скиньте еще процентов пять. Нелишне будет и попристальнее взглянуть на перспективные источники дохода, трезво оценить, насколько они устойчивы, и сделать соответствующие поправки. Итак, вот ваш годовой доход. Мало? Следующий шаг — подумать, что вы можете изменить в своем образе жизни и с чем можете расстаться без особого труда. Может быть, имеет смысл купить более скромный дом там, где жизнь подешевле, или предпринять еще какие-нибудь подобные шаги. Скорее всего, это обеспечит вам удовлетворение всех ваших разумных потребностей на те годы, когда вы, с большой вероятностью, останетесь одна. Не нужно жалеть об излишествах, которые станут вам недоступны: даже в маленьком доме, не всегда имея возможность удовлетворить свои прихоти, вы можете быть по-настоящему *счастливы*, особенно если сравните ваше положение с судьбой тех, кто не озаботился этим заранее.

Как жить, не выходя за рамки реальных средств — и раскладок на будущее, — один из самых больших секретов в жизни. И тут, как всегда, есть две новости: хорошая и плохая. Вначале хорошая: если вы живете не за чертой бедности, ваше личное счастье никак не зависит от ваших доходов. Тщательно проведенные исследования доказывают, что это так. Только подумайте: вы всю жизнь гнались за бóльшим заработком, а теперь оказывается, что наличие в жизни счастья не имеет к этому никакого отношения. Отчего так? Я не знаю; знаю только, что это действительно так.

А плохая новость? *Принять решение* ограничить свои запросы очень, очень трудно. Мы ставим знак равенства между человеком и его состоянием. Мы — это то, чем мы владеем, на чем мы ездим, что мы едим и носим. У нас выработалась наркотическая зависимость от материальных ценностей и общественного статуса. И как все наркоманы, мы на все сто уверены, что без этого нам никак не обойтись. Мы думаем, что не проживем без денег, статуса, власти. Нас приучили гоняться за жестяным зайцем, как борзых собак на ринге, и мы не в силах преодолеть в себе эту привычку. Мы ведь столько вложили в то, что теперь имеем. В лишние комнаты в доме. В мощность автомобильного двигателя. Вся экономика и удивительно влиятельный комплекс средств информации и рекламы направлены на то, чтобы привлечь наше внимание к этим вещам. И мы, как дураки, покупаем их. Появляется жестяной заяц, и мы бросаемся за ним, задрав хвосты и громко лая. Мы не можем не побежать. И не потому, что это дает нам средства к существованию, а просто потому, что *таковы правила игры.* Но теперь пора остановиться.

Перестать гоняться за жестяными зайцами легко. Гораздо труднее перестать *хотеть* гоняться за жестяными зайцами. Вам приходится постоянно напоминать себе, что игра окончена. И теперь абсолютно не имеет значения, что это была за игра и хорошо ли у вас получалось в нее играть, — она кончилась. Пришло время покинуть поле. Время пересмотреть приоритеты. Постарайтесь сделать это как можно раньше. Это как отказ от курения: со временем вы излечитесь от пагубной привычки. Но это не происходит моментально, поэтому чем раньше вы возьметесь за дело, тем лучше. Главное — взяться, потом будет легче. Из игры необходимо выйти, от нее необходимо отвыкнуть, иначе она вас прикончит;

это настолько же верно, как то, что лошади едят овес. Среди тех, кто в старости оказывается в наиболее скверном положении, немало очень способных и в прошлом очень успешных людей. Их беда в том, что они отказывались признать эту простую истину до тех пор, пока не стало слишком поздно. Сила привычки у них настолько велика, что им легче спиться, пытаясь утопить в алкоголе возникшие проблемы, чем примириться с необходимостью жить в маленьком доме и ездить на старом автомобиле.

Весьма возможно, что вы со стариной Фредом не прекратите работать большую часть вашей жизни. Может быть, вы не планировали этого раньше, но таковы будут требования реальности. В этом случае чем раньше вы осознаете необходимость такого шага и начнете что-то предпринимать, тем лучше. Вам нужно будет понять, что вы можете и хотите делать. Не исключено, что потребуется повышение или смена квалификации. Много чего может потребоваться, так что задумайтесь об этом всерьез и прямо сейчас, раньше, чем необходимость станет настоятельной. И копите деньги! Каждые десять центов, отложенные сегодня, обернутся пятнадцатью (или другим числом, в зависимости от процентной ставки), которые вам не придется зарабатывать завтра.

Отказ от привычного уровня тяжел не потому, что приходится ограничивать свои запросы. Корни этой проблемы лежат гораздо глубже и связаны с извечным законом конкуренции за место в стае, которому вы подчинялись последние сорок лет. Об этом мы еще поговорим серьезно в финальных главах и затронем ряд очень серьезных и непростых вопросов. Но пока, вкратце, дело обстоит так. Практически с детства человек начинает задумываться о своем статусе в какой-либо группе и беспокоиться о его повышении, причем к этому его подталкивает само общество. Студенческая компания, коллеги, соседи, подруги по клубу — все они оказываются для вас конкурентами, которых нужно превзойти. Но наступает момент, когда абсолютно необходимо понять, что игра окончена, неважно, достигли вы в ней каких-то успехов или нет. Живите по средствам и перестаньте оглядываться на ваших бывших конкурентов. Им все равно уже нет до вас дела, они полностью поглощены своими крысиными (или заячьими) бегами. Займитесь собой. Вы уже знате, что в нашем генотипе запрограммировано много такого, что *не* входит в область наиболее выгодного для вас как для отдельной особи. Забота о статусе в группе в период Последней Трети — как раз такая черта.

Вот пример из личной практики. У нас с Хилари был замечательный домик для отдыха. Нам он очень нравился. Но еще у нас было немножко долгов. Если честно, не так уж «немножко». Так что, следуя нашим собственным замечательным советам, мы продали этот дом и купили другой, более нам подходящий, в менее модном месте примерно вдвое дешевле. Мы стремились выручить средства на уплату долгов, а помимо того, приобрести жилье, которое бы требовало меньше расходов на содержание и, говоря откровенно, больше подходило бы для наших слегка старомодных склонностей. Мы взглянули на вещи реально, как и советует эта книга. Однако мы решили взять «промежуточный кредит», чтобы приобрести новый дом, прежде чем продадим старый. Неплохая мысль, но как же мы намучались в процессе! Продажа первого дома заняла целую вечность. Не сосчитать, сколько было несостоявшихся сделок и переживаний. Было все, вплоть до вдруг вспыхнувшей в прессе паники по поводу того, что «пузырь» вот-вот лопнет и цены на недвижимость упадут. Постоянное беспокойство об этом сделало нас почти физически больными. Как адвокат, привыкший к судебным процессам, я думал, что устойчив к стрессу. Оказалось, нет. Стресс, связанный с финансами, не имеет ничего общего с тем, что мне приходилось переживать раньше. Это даже не тихое раздражающее шипение, это подлинный ужас. Нам пришлось испытать и бессонницу, и недомогания без видимой причины, и приступы сильнейшей подавленности. Наша история закончилась удачно, но мораль такова: переживать из-за денег — это ужасно. Это может стать причиной настоящей болезни. Это может разрушить вашу жизнь. И отказ от чего-то — например, от богом данного вам права ездить на новом «лексусе» — небольшая цена за спасение от таких переживаний.

Эта глава слишком коротка и почти несерьезна для такой более чем серьезной темы. Мы даже хотели вообще не писать об этом. Но Гарри все-таки справедливо решил, что мы обязаны что-то сказать. Он счел, что писать книгу о Последней Трети и обойти данный вопрос будет с нашей стороны безответственно. Неспособность или нежелание распланировать финансовые аспекты вашей будущей жизни сродни потере массы скелета. Вы можете до поры до времени ничего не замечать, но в конце концов ваша жизнь может оказаться в серьезной опасности.

ГЛАВА 14

Оставьте в покое лишний вес!

Мы с Гарри в курсе, что человека, который напишет очередной бестселлер на тему диет, где будет заявлено, что *его* метод реально *работает* и поможет вам похудеть на пятьдесят фунтов за две недели и сохранить фигуру до конца жизни, ждет чек на 88 миллиардов долларов. Потому что в Америке есть сотня миллионов полных людей, которые жаждут в это поверить. Ну ладно, ладно, мы пошутили. И вообще не собираемся отбирать у кого-то хлеб.

Самое печальное, что диеты не работают. 95% из них абсолютно бесполезны, поэтому ставить целью похудение изначально порочная идея. Практически стопроцентная неудача может только повредить вашему настрою на поддержание формы, а если ваш вес будет то снижаться, то снова расти, в конечном итоге он, скорее всего, станет больше, чем был изначально. Так что не садитесь на диету. Это основная мысль. Мы советуем не забивать себе этим голову. Лучше занимайтесь физкультурой шесть дней в неделю и следуйте «Пятому правилу Гарри»: *Перестаньте есть всякую гадость.*

Теперь мелкий шрифт. Наступит ли когда-нибудь, пусть в отдаленном будущем, момент, когда вы благодаря такому режиму все-таки потеряете фунт-другой? Просто так? Без всяких диет? Ну да, это возможно. Вы можете потерять целых сорок фунтов, как это случилось со мной. Говоря откровенно, вероятность этого весьма велика. Если у вас получится, пошлите нам чек на 88 миллиардов, когда найдете свободную минутку. Но только не прямо сейчас. Сейчас мы его не примем. А вы сейчас должны заняться *приведением себя в приличную форму*. Еще раз перечитайте начальные главы и начинайте заниматься! Потому что физкультура действительно способна вам помочь, даже если вы жирный, как морж. Это обязательный первый шаг, элемент волшебства, как я уже говорил в самом начале, который меняет все. Так что сосредоточьтесь на нем, перестаньте есть всякую гадость и не думайте о том, как похудеть за две или три недели. Если вы согласны подождать год и приложить некоторые усилия, тогда мы можем разговаривать дальше.

Формулировка «перестаньте есть всякую гадость» может показаться вам несколько неконкретной, но на самом деле вы чувствуете это сами лучше, чем осознаете рассудком. Я очень вас прошу прямо сейчас сесть и составить список всего того мусора, который вы употребляете в пищу, при этом точно *зная*, что это есть вообще нельзя. Гарантирую, что вы окажетесь правы процентов на 85, *не* читая глав о питании. (Вот подсказка: картошка-фри, почти весь фастфуд, готовые закуски с названиями, оканчивающимися на букву «о», перегруженные сахаром напитки, такие, как обычные «Кока-кола» и «Пепси».)

Физкультура в сочетании с правильным питанием — это не диета, и, следовательно, вы не будете разочарованы. Даже если вы совсем не похудеете, вы все равно будете чувствовать себя гораздо лучше и функционально помолодеете. А если похудеете — считайте это бонусом.

Бог-обманщик

Диета — ложное божество последних тридцати лет. Женщины, чуть более склонные беспокоиться о собственной внешности, отдают этой религии больше времени и средств, чем мужчины. Но разница не столь велика; на протяжении уже многих лет вся страна сходит с ума и тратит огромные средства на самые разнообразные, при этом одинаково бесполезные диеты. Сумма исчисляется многими миллиардами долларов, но что же мы получили за эти деньги? Средний американец потяжелел на сорок фунтов. Кучка прохвостов разбогатела, а все остальные потолстели. Какое-то неправильное вложение народных денег, вам не кажется? И времени, кстати. И надежд. Нелепая, дурацкая потеря. Так может, пора с этим бороться?

Как и следует ожидать от религии ложного божества, многочисленные «библии» диетологической церкви не слишком достоверны и последовательны. Самые богатые защитники Истинной Диетологической веры никак не могут договориться о своих священных текстах. И я не говорю сейчас о странных веяниях, таких, например, как диета, состоящая из хот-догов и мороженого, которая несколько лет назад имела некоторую популярность в Колорадо. Признанные величины в этой области не отстают от подобных нонсенсов. Вспомните хотя бы о продолжающейся уже долгие годы войне партий Притикина — Орниша («поменьше жиров, поменьше развлечений») и Эткинса («побольше жиров, побольше развлечений» — по крайней мере именно таков был их лозунг до недавнего времени, когда бедный доктор Эткинс скончался, а его финансово заинтересованные последователи начали понемногу отходить от концепции «ешьте отбивные до отвала»). Это две наиболее сильные партии на поле, и одна из них точно должна состоять из сумасшедших. Или, как минимум, серьезно заблуждаться.

А взгляните на те метания из стороны в сторону, которые демонстрирует нам наше собственное правительство на протяжении последних полутора десятков лет. В 1992 году, во времена господства углеводов и борьбы с жирами (в которой не участвовал только Эткинс), Министерство сельского хозяйства представило нам новую, широко разрекламированную «пирамиду питания», которая выглядела следующим образом:

Знакомая картинка? Думаю, что да. Ее много лет печатали на коробках с печеньем и сухими завтраками. Ням-ням. Производители печенья, кондитеры и продавцы картошки-фри очень ее любили.

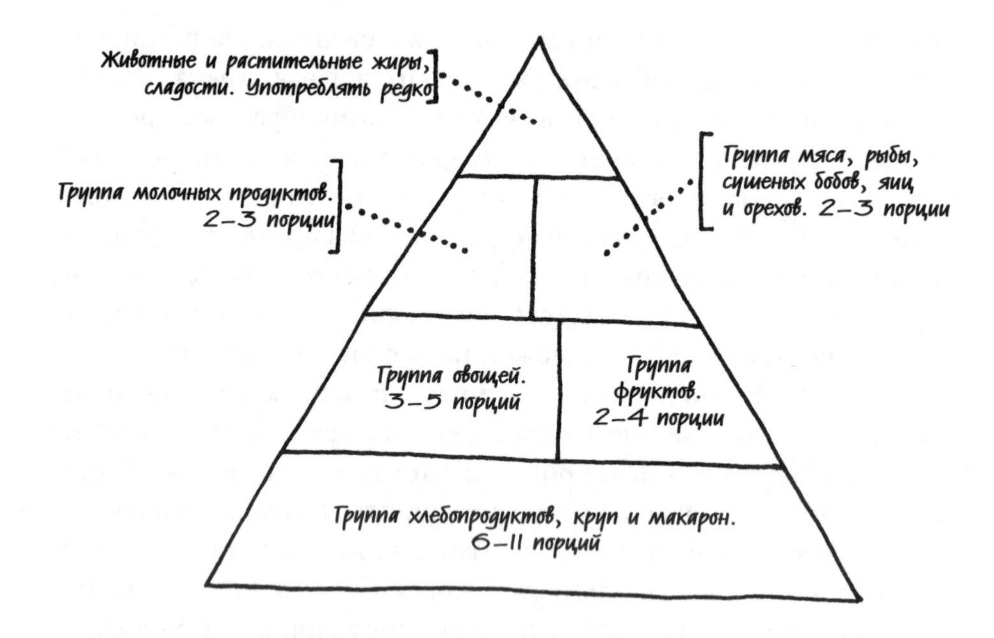

Проблема в том, что сегодня почти все согласны с тем, что в ней почти все неверно. В последней «официальной» пирамиде белый хлеб, белый рис и картофель с вершины спустились в самый низ. Растительные жиры из аутсайдеров превратились во вполне приемлемую группу продуктов. И так далее. Трудно кому-то верить, если облеченные национальным доверием эксперты так круто меняют свое мнение за такой короткий срок. Если честно, нам с Гарри кажется, что на этот раз они все-таки угадали получше. Вероятно, намного лучше. И вряд ли плохо ориентироваться на эту пирамиду, а тем более, конечно, на удивительные новые рекомендации министерства о необходимости ежедневных занятий физкультурой. Но все равно нас продолжает мучить зудящий вопрос: кто-нибудь вообще в этом разбирается?

Боюсь, ответить можно и да, и нет. «Нет», потому что большинство диет абсолютно не одобрены ни учеными, ни медиками. Не потому, что их авторы — тупицы или обманщики, хотя некоторые из них — точно; и не потому, что их продвижением занимаются тайные организации фермеров, рестораторов, продажных журналистов и политиканов, хотя такое действительно имеет место. Но главным образом потому, как замечает Гарри, что сегодня мы просто не имеем достаточного количества научных данных о различных продуктах питания и их влиянии на человеческий организм. Подлинная трудность заключается в том, что каждый кусочек потребляемой вами пищи представляет собой сложнейший комплекс тысяч и тысяч веществ, которые могут взаимодействовать с разными органами миллионами разных путей. Пока еще никто не углублялся в биологию и химию этих взаимодействий настолько, чтобы понять, что реально происходит. Никто даже не знает, возможно ли это хотя бы теоретически. Поэтому и нет ничего удивительного в том, что способы тестирования различных продуктов на их полезность еще никем не разработаны.

Гарри предлагает интересный взгляд на эту проблему. Он говорит о том, как президент Кеннеди в 1961 году принял решение в течение ближайшего десятилетия послать человека на Луну, не останавливаясь ни перед какими затратами. И ему это удалось. Но, говорит Гарри, если бы такое задумал Авраам Линкольн и потратил бы такие же средства, у него бы ничего не вышло. Точно так же, как у Теодора или Франклина Рузвельтов. До Луны невозможно добраться на паровых двигателях; в прошлом для такого проекта просто не было научной базы. Если какой-нибудь президент сегодня задумает решить проблему общенационального ожирения любыми средствами, это будет весьма проблематично. Какие бы деньги ни были в это вложены, результат получить не удастся, потому что не существует еще научного фундамента для возможных разработок.

Но это не означает, что мы должны при этом сидеть и объедаться пиццей и жареным картофелем еще лет двести, пока ученые что-нибудь не придумают. Есть, к примеру, достоверные популяционные исследования, свидетельствующие о том, что долголетие жителей островов Окинава объясняется преобладанием в их рационе рыбы, овощей и сои. Лично меня греет то, что средиземноморская кухня также считается достаточно полезной. Для меня она как-то ближе. Много вкусных овощей, оливковое масло, немного мяса и вдосталь красных вин… Я за! Вам может показаться, что такая оценка чересчур обобщенна, что несколько некорректно утверждать, что целый архипелаг или вся Южная Европа ест «хорошую» пищу. Дабы не вводить в заблуждение заинтересованных лиц, следует признать, что более узкие, более *научные* популяционные исследования крайне трудно осуществлять. В идеале, они должны охватывать большие группы населения и продолжаться (ох!) не меньше десяти лет со сбором данных о конкретных продуктах. Например, о брокколи. Ну и где взять такого человека, который будет десять лет питаться брокколи и вести записи об этом? А кто согласится быть добровольцем для контрольной группы, которая будет есть свою брокколи с крысиным ядом? Так что это дело долгое. И тем не менее того, что нам уже точно известно, достаточно для формулировки ряда правил.

Нет, Вирджиния, калории имеют значение

Вопреки когда-то популярной книге, калории имеют значение. В конечном итоге они — единственное, что имеет значение. С полной уверенностью можно сказать, что толстым становится тот, кто потребляет больше калорий, чем расходует. Тоже мне, новость. И если рассуждать исключительно об ожирении — а не об инфаркте, раке и прочем, — не имеет большого значения, каков источник этих калорий. С точки зрения лишнего веса 100 калорий из шпината ничем не лучше 100 калорий из жареной картошки. Помните старинную шутку, что тяжелее, тонна перьев или тонна свинца? То же самое и здесь: калории — всегда калории.

Ну ладно, допустим, все-таки не совсем то же самое. Есть такие продукты, на переваривание которых тратится изрядное количество энергии. Например, всяческие аппетитные растительные волокна. И отруби. (По вкусу понятно, не так ли?) Если вы в состоянии, имеет смысл есть их побольше, так как они насыщают вас надолго, на все время, пока продолжается их усвоение пищеварительной системой. К тому же в них есть и кое-какие полезные вещества.

Вы должны разобраться, каков идеальный для вас уровень потребления калорий. Он зависит от вашего возраста, состояния и среднего уровня вашей активности. Как это ни печально, но ваш основной метаболизм (скорость, с которой ваш организм сжигает калории автоматически, без дополнительных нагрузок) с возрастом стабильно снижается. И здесь только молодые имеют право на бесплатный проезд, а вам, чтобы жить действительно хорошо, придется потрудиться. Именно от понижения уровня основного метаболизма — и от сидячего образа жизни, который ведут пожилые люди в нашем обществе, — все беды, постепенно настигающие вас после сорока. Или пятидесяти. Чтобы похудеть, нормальной американке в возрасте от 50 до 70 лет требуется снизить дневное потребление примерно до 1400 килокалорий. Уровень приблизительно до 2000 килокалорий в день — это уровень поддержания стабильной массы тела. Эти ориентировочные оценки применимы, если вы не занимаетесь спортом всерьез и не тратите много «топлива» на аэробную активность.

Хотите, начну самодовольно похваляться перед вами? Этой весной мне проверили уровень метаболизма в покое. Происходит это так: вы в течение пятнадцати минут лежите в темной комнате и дышите в маску. А умное устройство выдает значение вашего основного метаболизма: сколько калорий вы сжигаете в день, *не учитывая* никаких затрат на обычные действия (каждый человек в день расходует примерно 800 килокалорий на обычные действия — ходьбу, завязывание шнурков, домашние и садовые дела) и дополнительные упражнения (что в моем, слегка отличающемся от среднестатистического, случае должно было составлять еще около 400 килокалорий в день). Меня подсоединили к прибору, но он, увы, не сработал. Результаты получились совершенно нереальными. Мне сказали, что машина разладилась, и предложили прийти через пару дней и попробовать пройти тест еще раз.

А теперь начинаю похваляться. Оказалось, что с машиной все было в порядке. Просто мои результаты инструкцией не подразумевались. Потому что я — физкультурный маньяк с очень высоким уровнем аэробного метаболизма. Оказывается, не делая ни одного шага, я все равно сжигаю в два раза больше калорий, чем предусмотрено для людей моего возраста. Гарри объяснил мне, что причина здесь двояка. Во-первых, благодаря силовым тренировкам я существенно нарастил мышечную массу. А во-вторых, за последние пять лет непрерывных упражнений мне удалось постепенно построить прекрасную базу для аэробного метаболизма. То есть миллионы новых митохондрий и километры новых капилляров, а также все, что этому сопутствует и что необходимо человеку в моем возрасте, чтобы так же развлекаться и прыгать, как я. Даже если вы не используете в данный момент эту систему метаболизма, даже если вы спите, она все равно требует от вас избытка калорий. Она похожа на ту пальму из фильма «Маленький магазинчик ужасов» (The Little Shop of Horrors), которая требовала: «Накорми меня!» Ей требуется пища круглые сутки. Как удобно!

Если вас нельзя назвать настолько же ненормальной велосипедисткой или поборницей другого вида спорта, имеет смысл научиться считать калории. Как бы занудно это ни казалось, на самом деле все не так противно и не так сложно. В конце концов, точные вычисления здесь не нужны. Вам просто нужно знать, сколько приблизительно вы потребляете каждый день, и если имеются излишки, то где их источник. Это действительно достаточно легко. Первым делом, наверное, стоит приобрести одну из многочисленных брошюрок, посвященных этому предмету, и выяснить энергетическую ценность тех продуктов, которые вы едите наиболее часто. Вряд ли это займет у вас много времени, потому что все мы едим относительно ограниченный набор блюд. О фруктах, овощах и рыбе не стоит и беспокоиться, поскольку они так малокалорийны, что это можно не считать. Учитывайте только углеводы, мясо и сахар. И алкогольные напитки, если вы их употребляете. Повторяю еще раз — точность здесь не требуется. Главное — иметь реальное представление о том, сколько вы съедаете в день, и не обманывать себя. Если ваши настоящие габариты вас устраивают, старайтесь придерживаться примерно 2000 килокалорий в день. Если хотите слегка похудеть, ешьте поменьше. Легко? Ну попробуйте.

Самообман нынче достиг угрожающих пропорций среди так называемых «специалистов». Вот, к примеру, не так давно кучка таких «экспертов» (те самые люди, которым мы платим за то, чтобы они разносили нас в пух и прах за наши отвратительные привычки в еде) провели наблюдение за тем, что *они сами* ели за определенный период времени. И конечный результат оказался подогнанным примерно на 20%! Чтобы не лгать себе, достаточно двух вещей: каждый день, при каждом приеме пищи прилагайте все усилия, чтобы быть предельно честной. И еще, для контроля, в любом случае прибавьте к результату 20%.

Немного об ограничении порций. Нам, американцам, свойственно преклонение перед их размерами. Отчасти, как вы уже должны догадываться, в этом виноваты жадные и стремящиеся нами манипулировать производители фастфуда. Их «суперпредложения» какой-нибудь картошки или колы обходятся им незначительно дороже. Это кажется нам выгодным, так что мы с готовностью поглощаем их. И тем самым совершаем огромную ошибку, что наглядно продемонстрировано в фильме «Двойная порция» (Supersize Me!). Аналогичное отношение постепенно насаждается и в «приличных» ресторанах, да и дома у каждого из нас. Наши собственные *тарелки* становятся все больше и больше. Правильный и категоричный Гарри по этому поводу советует купить набор тарелочек для салатов и пользоваться ими для всех блюд, не позволяя себе съедать больше одной такой тарелки. Не исключено, что вам эта идея покажется не такой дикой, как мне. Посмотрите на замороженные блюда марки Lean Cuisine, которыми я иногда питаюсь: их маленькая калорийность обусловлена именно маленьким размером порций. Достаточным, но небольшим. Не исключено, что нам всем стоит стремиться к чему-то подобному. Так что, может быть, наше очередное правило стоит разбить на две части: перестаньте есть всякую гадость; и не ешьте ее так много. И не вылизывайте тарелку, оправдываясь голодающими армянскими детьми. Не надо обжираться, как свинья, и называть это добродетелью.

Приступы голода

Гарри еще расскажет вам подробно о другом важном моменте, связанном с питанием. Речь идет о том, что ряд продуктов — особенно богатых углеводами и прочими сахарами — вскоре после потребления вызывает возобновление чувства голода. Вы быстрее почувствуете себя голодным после тарелки картофеля-фри, чем после миски шпината. Так как этим приступам голода противиться очень сложно, лучше серьезно ограничить (не исключая совсем) потребление этих продуктов. Лично я, когда дело доходит до углеводов, даже не дожидаюсь очередного приступа голода. Я готов есть их до упора. Могу съесть целую французскую булку с маслом, пока не принесут меню. Или целое ведро попкорна. Целую кастрюлю макарон. Жаль, но у меня никогда не возникает желания так же набрасываться на шпинат или треску.

Но даже если ваша сила воли покрепче моей, вы должны максимально ограничить потребление белого хлеба, шлифованного риса, макарон, картошки и сладостей. Эти продукты стоят на самой макушке новой пирамиды с полным на то основанием. Так уж получилось, что жареная картошка, которую я нежно обожаю, заслуживает своего личного круга ада. Она вполне может выполнять роль флагштока на вершине пирамиды. По сути картошка — это углеводы. Но при приготовлении на насыщенных жирах они превращаются в гораздо большее зло. Это поистине пища для Сатаны, хотя на вкус она божественна. Ну а самый подходящий для него напиток, конечно же, недиетическая кола.

От этого я хочу перейти к тем продуктам, которые настолько вредны, что их следует полностью исключить из рациона. Этот список может быть разным для разных людей. Мой личный диетологический гуру, Стивен Галло, дал замечательный совет о том, что делать с пищей, о вреде которой мы знаем, но которую все равно любим: отказаться от нее полностью. Больше всего он любил цитировать мне Джона Драйбреда: «Для того, кто склонен к излишествам, абстиненция легче, чем умеренность». Это лучший диетологический совет, который я знаю. Как вы можете догадаться, в моем случае это значит — никакой жареной картошки. Может быть, и в вашем тоже. А совсем не есть хлеб гораздо проще, чем есть его понемногу. У меня, конечно, случаются срывы, но относительно редко. И я знаю достаточно, чтобы чувствовать себя виноватым!

Откажитесь от фастфуда

Диетология — плохо развитая наука, и мы еще мало что понимаем, однако кое-что ясно даже нам: яркая реклама фастфуда способна завести в очень мрачные места. Мне не хочется до конца жизни мотаться по судам, так что давайте просто взглянем на новую пирамиду питания, а затем — на меню «Макдоналдса», и пусть факты говорят сами за себя. («Макдоналдс» не обязателен; точно так же подойдет «Бургер Кинг» и любой другой из множества подобных.) Прежде чем этим заняться, вспомните, что калории имеют значение. Красное мясо, белый хлеб, картофель, сахар и насыщенные жиры вредны. Так значит, «Макдоналдс»... И что мы имеем за светящейся вывеской?

Я буквально только что заехал в ближайший «Макдоналдс», чтобы посмотреть, что они предлагают. К счастью, то, что я увидел, было лучше, чем год назад, когда я был здесь в последний раз. В витрине красуются рекламные плакаты с различными салатами, а парень за стойкой — у которого в половине седьмого утра нашлось время со мной поговорить — рассказал, что некоторые люди действительно их заказывают. Но не слишком многие, если честно. Однако лидерами продаж остаются все те же старые знакомые: бигмак, чизбургеры (нередко двойные), большие порции картофеля-фри и газированных напитков. И это совершенно логично; именно это было визитной карточкой подобных заведений с давних пор, и именно за этим мы в них и идем. В индустрии фастфуда тоже происходят перемены, но происходят они медленно, а старые привычки умирают с трудом.

Те, кто здесь работает, знают, как готовить вкусно, и если бы они поставили перед собой такую цель, они смогли бы готовить вкусную и здоровую пищу. Например, в том же «Макдоналдсе» можно съесть восхитительный салат «Цезарь» с жареным цыпленком. И в нем всего лишь 220 килокалорий! Широко рекламируемый фруктовый салат с грецкими орехами тоже очень вкусный и содержит всего 310 килокалорий (хотя я совершенно не понимаю, зачем они засахаривают эти орехи). Но Сатана свою дань пока что собирает.

Давайте не будем себя обманывать. Большинство из нас идут сюда не за салатами. Мы покупаем все те же биг-маки и прочее, что рекламировали десятилетиями, и платим за это очень, очень дорого. Не деньгами; если рассуждать исключительно с экономической точки зрения, все это было бы очень выгодно, только вот все это действительно убивает нас. Истинная цена подобных блюд — их калории, жиры и сахар. Платить такую цену никто из нас не может безболезненно.

Возьмем, к примеру, комплексное предложение с биг-маком. Сам сэндвич содержит 560 килокалорий, включая отвратительные 30 граммов жиров (половина из которых — насыщенные). 520 килокалорий и 25 граммов жиров содержит картошка, 310 килокалорий — напиток, благодаря сахару или кукурузному сиропу. Всего получаем 1390 килокалорий — количество, достаточное для того, чтобы продержаться на этом топливе целый день, — оказывающих разрушительное влияние на ваш организм. Все это — сахар, немного крахмала и огромное количество жира, по большей части насыщенного. Ничего хорошего. А если вы немного голодны и захотите взять в придачу еще тройной коктейль на десерт (а они бывают исключительно «тройными»), добавьте еще 1160 килокалорий, почти полностью из сахара. Ого! Теперь мы имеем в общей сложности 2550 килокалорий, все таких же вредных. И это всего лишь *ланч.* Продолжайте в том же духе — как делает большинство американцев, — и что же с вами будет? Вы растолстеете. И, возможно, заболеете.

Так что же можно сказать по поводу заведений фастфуда сегодня? Они перестали навязывать нам «суперпредложения» (значит, *какой-то* стыд у них все-таки есть). Но современные «большие» порции не так уж и сильно от них отличаются. (К примеру, большая порция картошки всего лишь на 10% меньше, чем старая «супер». Огромное спасибо!) Они изобрели кое-какие салаты. Неплохо. Но точно так же, как никто не пойдет в публичный дом ради светской беседы, никто не пойдет в «Макдоналдс» ради салата. По крайней мере, большинство. Вы, конечно, можете и *поговорить*, придя в публичный дом, но цель вашего там пребывания — иная. Если вы хотите действительно перестать есть мусор, держитесь от фастфуда подальше. «Завязавшие» алкоголики должны обходить бары стороной, даже если там продают не только виски, но и квас. Жирные свинки, которые решили перестать ими быть, должны обходить стороной фастфуд, даже при том, что в «Макдональдсе» можно съесть не только биг-мак, но и салат. Неужели это не очевидно?

Кое-что в защиту «свободы питания»

Кстати, я лично считаю, что взрослые люди должны иметь законное право наедаться до инвалидного кресла, если им так хочется. Но вместе с тем я считаю, что магнаты индустрии фастфуда, которые, в конце концов, наживаются на вашем ожирении, страданиях и болезнях, должны честно *предупреждать* вас о том, что они делают. Заявляя о калорийности так же громко, как и о низкой цене. А дальше уж — дело ваше. И ваших детей. Да, у нас свободная страна.

Это последнее утверждение было подчеркнуто в потрясающем послании Центра свободы потребителей по случаю последнего 4 Июля. Заметьте, милые дамы, «свобода потребителей»! И смотрите же! Что за патриоты, среди прочих, значатся авторами этого послания? Это представители — прости меня, господи! — Wendy's, Coca-Cola, Tyson's Foods и других магнатов индустрии фастфуда. Они *переживают* за нашу свободу! Послушайте, что я прочитал в статье Пола Крагмена в *New York Times* от 4 июля 2005 года: «По словам Центра свободы потребителей, "очень мало американцев вспоминают сегодня о том, что отцы-основатели, давшие нам наши свободы, были большими любителями вкусно поесть и выпить..." Сегодня представляется, что свобода питания — всего один из многих пунктов личной свободы, за которую боролись первые американские патриоты, — подвергается постоянным нападкам».

Как вам это нравится? Отцы-основатели, оказывается, боролись за «свободу питания». Благослови их господь! Я в некотором роде серьезно изучал Американскую революцию, но что-то не помню такого момента в этой борьбе. Я, правда, помню, что один из моих личных героев, бостонский книготорговец и генерал артиллерии Генри Нокс, был кошмарно толст. И что он скончался после войны, подавившись куриной костью, застрявшей у него в горле. А вот про то, что мы боролись с британцами — или даже со злобными гессенцами — за право объедаться, я, хоть убей, не припоминаю! Но не исключено, что я что-то пропустил в своем образовании.

На самом деле, конечно же, нет. Просто эти люди не остановятся ни перед чем ради того, чтобы заработать лишний доллар. Не люблю всей этой возни, однако отсылки к «свободе питания» как часть движения за распространение фастфуда в школах кажутся мне отвратительными. Кстати, Coca-Cola совсем недавно решила взяться за благородное дело и запустила скромную рекламную кампанию (с участием Ланса Армстронга) в поддержку физкультуры. При этом они справедливо не упоминают в этой кампании о своей знаменитой торговой марке, не желая пятнать это достойное дело любым намеком на коммерцию. И правильно.

Читайте этикетки

Ладно, вернемся к нашей основной теме. Во-первых, вам время от времени придется настойчиво повторять себе, что вы больше не едите всякую гадость: в магазине, делая продуктовые закупки; дома, решая, что приготовить; и за столом, выбирая, чем и в каком количестве себя насытить. В каждый такой момент на секунду задумайтесь, что для вас полезно, а что — яд, и поступайте как взрослый разумный человек.

Далее, у вас есть три варианта поведения в отношении ресторанов. Вы можете вообще не посещать заведения, специализирующиеся на категорически неправильной пище. А если пришли куда-то пообедать или перекусить, выбирайте в меню только то, что вам полезно (и сразу же попросите официанта унести хлеб обратно). И, наконец, если уж у вас на тарелке почему-либо оказалась какая-нибудь гадость, просто ее не ешьте. Вот вам три формы протеста. Обдумайте их.

Помимо этого, вы можете почерпнуть массу полезного из этикеток на продуктах. Одному богу известно, как получилось, что в нашем обществе воинствующего капитализма и наплевательского отношения к обычному потребителю закон требует маркировать товары этикетками с потребительской информацией, но, к счастью, это так. Шрифт, конечно мелковат, зато сведений — море. Приучите себя читать, что написано на этикетках. Приучите себя есть поменьше того, в чем содержатся насыщенные жиры, а если продукт содержит транс-жирные кислоты, лучше его вообще не употреблять (на этикетке с составом продукта в этом случае будут указаны какие-нибудь «частично гидрогенированные жиры»). Высококалорийной пищи тоже лучше избегать, так же, как и богатой углеводами. Все очень просто. Постепенно вам даже понравится рассматривать этикетки. Нередко вы будете сталкиваться с приятными неожиданностями, узнавая, что некоторые действительно вкусные вещи содержат минимум калорий. А еще больше вам предстоит поразиться тому, сколько, оказывается, калорий и углеводов нагружают в свои продуктовые тележки ваши старые и верные друзья. Я периодически беру с полки в магазине упаковку макарон, чтобы посмотреть, неужели в этом симпатичном маленьком пакетике до сих пор содержится что-то типа тысячи килокалорий? А ведь раньше я спокойно опустошал эти пакетики и считал, что хорошо к себе отношусь. Оказывается, все совсем не так. Читайте этикетки!

Короче говоря, внимательно изучите ассортимент товаров в продуктовом магазине и выбирайте из него то, что изготовлено из полезного сырья и не перегружено калориями. Чтобы найти нечто, отвечающее этим условиям, вам придется перелопатить горы пищевого мусора, но делать это необходимо. Особое внимание нужно также обращать на размер порции, для которого указана калорийность. Многие захотят вас обдурить. Например, на банке супа вы можете обнаружить, что в «порции» содержится всего 110 калорий. Только потом, если почитаете дальше, то увидите, что маленькая баночка рассчитана на... семнадцать порций. Это не то чтобы прямая ложь. Просто вам пудрят мозги.

Рыбу есть можно!

Человек должен есть, этот закон природы никто отменять не собирается. Но вполне реально заменить продукты, которыми мы наполняем свои желудки: есть вместо всякой гадости то, что вкусно и одновременно полезно. Все мы уже достигли определенного возраста, в котором сложно менять многолетние привычки. Однако нет ничего невозможного. Когда я впервые осознал проблему, я уже целых шестьдесят лет питался мусором — с удовольствием, аппетитом и убежденностью. Большую часть жизни мне удавалось выходить сухим из воды. Но где-то после пятидесяти удача мне изменила, и мой вес увеличился со 155 до 207 фунтов. Мне это не понравилось. Постепенно я вернулся к 170, чему был искренне рад. Сегодня я вешу что-то около 180 фунтов, и это приемлемо.

В процессе всей этой борьбы я кое-чему научился. Самый поразительный пример: я всегда ненавидел рыбу. По-настоящему *ненавидел*. Ел ее не больше двух раз в год, против собственной воли. Конечно, мне не переставали говорить, что это замечательный продукт, который очень важен для похудения и контроля за весом. С неохотой, граничащей с отвращением, я снова и снова пытался себя заставить. Детали можно опустить, но сейчас я ем рыбу пять раз в неделю. Ем с удовольствием, по собственному желанию. А те хрустящие ржаные печенья, сделанные из чего-то, больше всего напоминающего картон и хворост, и ужасные на вкус? Теперь я ем их горстями, как арахис. *Они мне нравятся.* А печенье популярных марок, которое так часто служило мне утешением в юности и в среднем возрасте, я больше в рот не беру. Вы можете переучить собственный вкус. Это требует времени, но это возможно.

Как сбросить двадцать фунтов

Сдается мне, сейчас самое время слегка сместить акцент. Возможно, идея сбросить двадцать фунтов (или сколько там вам нужно, чтобы вернуться к нормальному весу) не так уж плоха. Сбросить без спешки, без диет. Ситуация имеет тенденцию к самопроизвольному исправлению, потому что, если вы начнете всерьез заниматься физкультурой, вы начнете иначе на себя смотреть, и лишний вес начнет казаться вам действительно лишним. Не исключено, что он и сейчас вас несколько смущает, но я имею в виду нечто другое. Когда вы восстановите форму и привыкнете к регулярным тренировкам, лишний вес покажется вам, скажем так, *не сочетающимся* с вашим новым образом жизни и восприятием себя самого. Я не знаю, с чем именно это связано, это просто данность. А затем, постепенно или разом, ваш вес начнет падать. Вы действительно можете сбросить сорок фунтов. Без всяких безумств и без всяких диет.

Очень помогает адекватное восприятие себя и правильный автопортрет, утвердившийся в вашем сознании. Это оказывается гораздо легче сделать, когда регулярно занимаешься физкультурой. Работая над собой, вы мысленно представляете себя молодым и стройным. И тогда совершенно естественным кажется просто избавиться от всего лишнего, *не относящегося* к этому образу… В частности, сбросить ненужный груз, который вы и так уже слишком долго за собой таскали. Поставить на магазинную полку абсолютно вам не нужный пакет с белым рисом.

Есть целые общества и целые страны, где традиционно ожирение воспринимается настолько неподходящим к образу человека, что практически никто там не страдает от него. И это обусловлено не иным генотипом и даже не иным питанием, а просто тем, что никому не приходит в голову об этом задуматься. Вспомните, много ли вы видели толстых японцев? Или, если уж на то пошло, французов? Эти страны еще не настигла эпидемия ожирения. Сделайте это понятие *полностью запретным* для себя. Нарисуйте мысленный автопортрет — с велосипедом, на горной тропе или в байдарке, — постаравшись добиться такой четкости, прочности и достоверности образа, чтобы мысли о том, что вы можете быть толстым, просто не приходили к вам в голову. Думаете, это какая-то мистика? Нечто недостижимое для обычных людей? Попробуйте. Когда вы, где-нибудь в следующем году, станете моложе, вы захотите и выглядеть соответственно. И это возможно.

Физкультура и фигура

Похудеть непосредственно от занятий физкультурой суждено немногим из нас, потому что для сжигания значительного количества жира требуются гораздо более интенсивные упражнения. Профессиональные спортсмены сжигают ежедневно 4–6 тысяч килокалорий, но при этом они занимаются, как маньяки, по 5–6 часов каждый день. Вам это не нужно. Ведя активную жизнь, вы будете тратить гораздо больше калорий, чем малоподвижная женщина, но все же недостаточно для того, чтобы значительно понизить вес.

Однако, как вы должны помнить из истории о моем удивительном метаболизме, вам значительно поможет в этом увеличение мышечной силы и базового уровня аэробного метаболизма, при котором вы будете сжигать больше калорий даже в покое. Заведите себе вечно голодного монстра. Когда вы придете в форму, вы будете постоянно тратить больше энергии. И не забывайте о том, что 60% всех калорий уходит исключительно на «поддержание». Гарри утверждает — и я подтверждаю это собственным примером, — что активные упражнения могут повысить ваш основной метаболизм на 50%. Это очень много.

Другая сторона полезности занятий физкультурой, конечно, в том, что они всерьез помогают улучшить ваш внешний вид. Оглянитесь вокруг себя в спортзале. Вряд ли вы увидите много полных людей, хотя и весьма упитанный человек в состоянии следовать весьма напряженной программе тренировок. Я сам это делал. Но такое увидишь редко. Сравните обычный спортзал с классом йоги, и вы поймете, о чем я говорю. Может быть, конечно, в спортзал идут только худые, и все, кого вы видите кругом, были точно такими же в тот день, когда впервые пришли сюда? Сомневаюсь. Мне кажется, что большинство из них, точно так же, как я сам и еще очень многие, с кем мне приходилось беседовать в спортзалах по всей стране, просто каким-то образом сбросили вес, когда привели себя в форму, когда закрепили в своем представлении свой новый образ. Я помню, как сидел на своем велотренажере первые месяцы занятий в группе. Как водится, в зале повсюду были зеркала, и я не мог оторвать взгляд от своего отражения. Я то и дело ловил себя на том, что, как загипнотизированный, таращусь на складки у себя на животе. Мне совершенно не улыбалось продолжать таскать на себе этот лишний вес теперь, когда я начал так активно заниматься.

И снова хочу напомнить о том, что наша цель — быть моложе, и стройнее, с каждым годом. Мы говорим о фундаментальном изменении образа жизни, но на то, чтобы результаты стали явно очевидны, требуется время. Не переживайте, ведь вы собираетесь жить еще очень долго. Так что усиленно занимайтесь и не теряйте интереса к жизни. А стройность придет сама собой. И, кажется, я уже об этом говорил… не ешьте всякую гадость!

ГЛАВА 15

Биология питания: стройнее с каждым годом

Из тысяч научных исследований, предпринятых за десятки лет, очевиден вывод: *никогда не садитесь на диету.* Единственный способ потерять вес — это программа регулярных интенсивных занятий физкультурой плюс отказ от наиболее вредной пищи, навязываемой нам современной западной культурой питания, и снижение дневного потребления калорий. Хотел бы я быть неправым, но увы. Эта глава — не о диетах, а о питании. Итак, как вам уже сказал Крис, прекратите есть всякую гадость. Теперь объясню почему.

Возможно, вы уже догадались, что сейчас нам предстоит вновь вернуться к Дарвину и к тому, как реагирует ваш дарвинистский организм на факторы среды, в данном случае — на пищу. Да, именно этот подход позволит вам понять, о чем мы говорим, призывая вас не переключаться на «режим бескормицы», неизбежно ведущий к ожирению. А также избегать «продуктового мусора», который приучает вас объедаться и вызывает воспалительные реакции в клетках.

Здесь самое важное — усвоить, что ваше дарвинистское тело не знает, что делать с излишками. Оно не знает, как вести себя в условиях постоянного потребления излишней пищи. Оно не создано для *пере*избытка и бездействия, поэтому реагирует на такую ситуацию извращенным образом. Она воспринимает ее как сигнал голода.

В условиях дикой природы каждая калория была на счету, поэтому у наших предков выработались очень специфические — и очень удачные — пути приспособления к предсказуемым колебаниям количества доступного корма. В соответствии с этими колебаниями изменялось и количество запасов жира в организме, и этот механизм продолжает функционировать у нас по сей день. Все животные в природе периодически оказываются в условиях бескормицы: с наступлением сезона холодов, засухи или миграций. На такие условия организм реагирует накоплением жира и радикальным снижением энергетических расходов. Те же реакции закреплены и в нашем генотипе, и они живы, несмотря на принципиальное изменение условий существования современного человека.

Исходя из нашей реакции на изобилие, можно заключить, что животные должны откладывать жир про запас при каждом удобном случае, если в наличии имеется лишняя пища, однако это не так. Животные расходуют или копят жир, руководствуясь более тонким чутьем на вероятное изменение условий. К примеру, олени-первогодки в октябре перестают расти и начинают запасать калории в виде жира, вне зависимости от размеров тела и наличия пищи. Весной они вновь начинают тратить энергию на рост, на увеличение массы скелета и мускулатуры, *но не жиреют*, сколько бы доступной пищи не было вокруг. Если ее много, животные растут, но не накапливают жир. Горбатые киты в период летней кормежки в Северной Атлантике накапливают очень много жира, а затем, используя его в качестве топлива, мигрируют за тысячи миль к местам размножения вблизи экватора. Полгода они вообще не питаются, существуя исключительно за счет накопленных запасов, тратя их с максимальной эффективностью. Перелетные птицы, кормясь осенью мелкими рачками в Чесапикском заливе, менее чем за неделю удваивают запасы жира, а затем без остановок летят на зимовку в Африку; зато весной, несмотря на то что доступного корма еще больше, у них вместо накопления жира начинается рост мышц и костей, а самки еще и откладывают яйца. И не толстеют.

Большинство животных реагирует на приход *весны* вложением избытка калорий в мышечную массу и общий рост. Доступной пищи может быть сколько угодно, но животное весной ни за что не будет жиреть, оно лишь растет и становится сильнее. Для самцов весна — время наращивания тканей (мышц, костей, хрящей): частично для охоты, но также и для конкуренции за самок. Для самок к этому прибавляется необходимость использовать каждую лишнюю каплю энергии на вынашивание потомства. У женщин всегда есть некоторый запас жира на случай беременности, но он не настолько велик и не имеет ничего общего с ожирением. Естественный сезон накопления жира — канун зимы. А весной естественно быть стройным и сильным. Добыча в изобилии, вы — здоровый хищник, и лишние фунты жира вам совершенно ни к чему.

Зато именно это нужно в сезон приближающейся бескормицы. И что же служит для человека сигналом к этому? Малоподвижный образ жизни. Когда добычи становится мало или она исчезает совсем, природа предписывает нам сидеть на месте, сберегая максимум энергии. Поэтому ваш организм реагирует именно на этот сигнал, воспринимая бездеятельность как признак того, что вам грозит смерть от голода, и чтобы ее избежать, надо делать запасы. При этом реальное количество пищи, имеющееся в наличии, *значения не имеет.*

Физкультура против распада

У человека сигналы приближающейся бескормицы могут в чем-то отличаться от других животных, но биологическая основа ответной реакции на них одинакова для всех живых существ: это биология распада. Вероятно, вы уже успели усвоить основное послание, заложенное в этой книге: у вас есть только две альтернативы — рост или распад. И, естественно, это относится и к биологии питания. По сути, в основе ожирения лежат биохимические процессы распада. Остановка всех процессов жизнедеятельности, которые не являются жизненно необходимыми, ради того, чтобы пережить холода, засуху или бескормицу. То, что еды сегодня достаточно, или даже более чем достаточно, ничего не меняет. Если вы не активны, ваш организм воспринимает бутерброд с салом как труп животного, которому повезло меньше, чем вам, и оно умерло от голода раньше; как последний шанс поесть ради спасения жизни. И вот что интересно: эта биологическая реакция запускается нашим старым знакомым — цитокином С-6, и отключается цитокином С-10, образующимся как следствие физических нагрузок. Ученым этот факт стал известен лишь недавно, но, в общем-то, он выглядит абсолютно целесообразно. В конце концов, мы же знаем, что С-6 и С-10 — основные сигналы роста и распада.

Исходя из всего вышеизложенного, единственное, что вы можете сделать для того, чтобы предотвратить или ликвидировать ожирение, — быть физически активной. Заниматься достаточно регулярно для того, чтобы каждый день посылать организму «весенние» сигналы. Цель упражнений — не столько «сжечь» калории, сколько подать всем частям тела сигнал к росту, к построению новых элементов тканей, к стабильному повышению уровня основного метаболизма. В этом случае лишние калории потребляются даже во время сна. На снижение веса требуется некоторое время, но рано или поздно оно обязательно происходит. Да, ограничить потребление все-таки придется, так как даже самый активный метаболизм можно переполнить избытком калорий, но, когда вы в форме, перенести это легче. Вашему организму не требуется лишнее горючее, и вы станете другой в течение нескольких месяцев, может быть, года; и произойдет это совершенно автоматически, без участия вашего сознания.

Так что о контроле за размером порций совсем забывать все же не стоит. Пусть у вас выработается привычка к умеренности, и в один прекрасный день вы обнаружите, что чувствуете себя сытой после легкой закуски, и вполне удовлетворяетесь тарелкой салата на ланч. А пока просто исключите из меню все продукты, способные вас убить.

Обойдемся без крахмала: «белые» продукты

Один из таких продуктов-убийц — это крахмал (очищенные углеводы); то есть в поднятой нынче шумихе вокруг вредных углеводов есть немалая доля правды. (Приятно осознавать, что наконец-то всеобщее диетологическое увлечение оказалось не совсем бессмысленным.) Вредные углеводы — это «белые» продукты: картофель, шлифованный рис и еще много всего, что сделано из муки «высшего качества». В натуральных же продуктах — фруктах, овощах и цельном зерне — можно найти полезные углеводы, помимо этого, они достаточно низкокалорийны. Крахмал вреден тем, что заставляет вас есть еще и еще. В определенный момент жиры и белки подают организму сигнал «хватит!», а любые углеводы не способны на это. В дикой природе для того, чтобы выжить, такой пищи нужно потребить очень много, так что единственным сигналом насыщения является лишь полный желудок.

Несмотря на то, что сегодня потребляемые нами крахмалистые продукты содержат немало калорий, они все равно не подают нам сигнала «стоп». И что еще хуже, после того, как вы поели таких продуктов, у вас быстро возникает новый приступ голода. Крахмал вызывает привыкание, содержит много калорий, но при этом практически не имеет подлинной питательной ценности и заставляет вас снова набрасываться на еду через полчаса после обеда.

Крахмал так вреден потому, что с химической точки зрения — это сахар, а именно сахар определяет «прочтение» организмом количества поглощенной пищи. Если совсем кратко, то организм судит о том, сколько вы съели, по поступлению в него сахара. Как ни странно это может звучать, но это действительно так, и это имеет крайне важное значение. Почему? В пищеварении участвуют сильнодействующие и потенциально опасные химические агенты. Эти вещества специально созданы для расщепления и поглощения того, что мы едим, в том числе, к примеру, мяса. А значит, они вполне способны на то, чтобы расщеплять и наши собственные ткани. Так, кислота, содержащаяся в желудочном соке, может прожечь стенку желудка, а избыток инсулина — одного из незаменимых регуляторов пищеварения — может запросто убить вас.

Поэтому очень важно, чтобы организм вырабатывал эти вещества в строго отмеренных дозах, требующихся для переваривания того количества пищи, которое в него поступило. Не меньше, потому что нужно усвоить всю доступную энергию, но и ни в коем случае не больше, потому что иначе начнется самопереваривание. Для того, чтобы регулировать количество пищеварительных агентов, требуется какой-то надежный сигнал, поступающий с потребляемой пищей.

Таким сигналом оказывается содержание глюкозы (свободного сахара). В природе содержание сахаров в том, что служит кормом для животных, пропорционально содержанию белков и жиров, и это соотношение удивительно мало изменяется у самых разных видов растений и животных. Повышение уровня глюкозы в крови после приема пищи позволяет очень точно определить, сколько было поглощено калорий. Именно благодаря этому сахар и стал наиболее важным регуляторным сигналом для процессов пищеварения. Не единственным, но тем не менее самым важным. Количество глюкозы, которое организм может получить из определенной пищи, называется гликемическим индексом, и это важнейший показатель среди питательных свойств продукта. На этикетках вы его не найдете, однако диабетики твердо помнят эти цифры.

Так как в природе свободного сахара мало, небольшое повышение его содержания в крови свидетельствует об обильной трапезе. Не забудьте, что выработка всех веществ, необходимых для реакций переработки пищи (инсулина и всех прочих гормонов и ферментов), зависит именно от этого сигнала.

Но в мире фастфуда вся эта сбалансированная система идет вразнос. В доисторические времена, когда люди еще не изобрели сельского хозяйства, а жили только охотой и собирательством, как и их предки, в рацион человека входило более 200 видов различных съедобных растений и не менее 100 видов животных, включая пресмыкающихся, червей и насекомых. Вся эта пища была крайне бедна сахарами. Зерновые культуры (пшеница) и корнеплоды (картофель) с феноменально высоким содержанием крахмала — продукт сельского хозяйства, появившийся всего около 10 000 лет назад. Нам этот период может казаться весьма продолжительным, однако с точки зрения эволюции пищеварительной системы это ничто.

На протяжении эпох нам едва хватало пищи, чтобы выжить. А теперь мы оказались среди постоянного изобилия. И оно, в сочетании с малоподвижным образом жизни и насыщенными жирами, постепенно нас убивает.

А вот о чем можно задуматься за обедом. Картофельное пюре дает нам больше глюкозы (той самой, что попадает прямо в кровь и регулирует пищеварение), чем обычный сахар-рафинад или песок. А еще — в одной-единственной баночке колы сахара столько же, сколько в пяти фунтах оленины. А такой факт: не говоря уже о насыщенных жирах, в большой порции жареного картофеля свободного сахара больше, чем в пяти фунтах лосятины. Что скажете? Как, по-вашему, должен реагировать на такую ситуацию организм? Он оказывается совершенно сбитым с толку. Потому что, съев на обед картошку с котлетой и выпив стакан газировки, вы потребляете 1000 килокалорий, но, судя по полученным организмом сигналам, это равноценно потреблению 10 000 килокалорий «натуральной пищи». И организм сходит с ума, вырабатывая в ответ огромные количества инсулина и других пищеварительных агентов.

В этом и заключается вред крахмала. Вы требуете от организма в десять раз больше пищеварительных ресурсов, чем необходимо на самом деле. В десять раз больше инсулина, желудочного сока и нескольких десятков других небезвредных веществ. А дальше начинается то, что в природе произойти не может. Вначале ваш организм выжимает все возможные калории из того, что вы только что съели. Далее, исходя из впечатления, произведенного на организм такой трапезой, он пытается преобразовать все излишки энергии в жир (пребывая в уверенности, что вам досталась действительно крупная добыча). А после этого, так и не получив ожидаемого количества материала для переработки, но при этом уже имея запас инсулина, в десять раз превышающий реально требуемый, он мгновенно расправляется со всеми излишками сахара в крови, и вы снова испытываете голод. Причем очень сильный голод, так что вы снова принимаетесь есть, и обычно много. Вашему бедному дарвинистскому организму кажется, что вы в течение двух часов успеваете объесться, страшно проголодаться и снова объесться, — *и у него нет этому никакого разумного объяснения!* В природе не существует ситуаций, аналогичных этому сверхбыстрому изменению степени насыщения. И если мы могли рассуждать о сигналах, которые наш организм получает при занятиях физкультурой или, наоборот, при малоподвижном существовании, то здесь привнесенные цивилизацией изменения настолько выходят за рамки предусмотренного природой, что подаваемые сигналы становится просто невозможно интерпретировать. Вся система идет вразнос, не в силах справиться с хаосом сверхпотребления и распада. Это как рок-концерт, где музыканты разбивают свои гитары о сцену. Шума много, но музыки никакой. Одно из следствий этого хаоса — сахарный диабет. Некоторые другие — ожирение, артрит, заболевания сердца, рак и инсульты.

Итак, возвращаемся к простому правилу: *не садитесь на диету, но перестаньте питаться всякой гадостью.* Что бы вы ни делали в остальном, откажитесь от продуктового мусора. Замените крахмал и сахар фруктами, овощами и цельными крупами — примитивными, неочищенными зерновыми и продуктами из них, например, такими, как хлеб «7 злаков». Не ешьте больше, чем хочется. Откажитесь от всяческих «супер»-порций, будь то картофель в закусочной фастфуда или попкорн в кинотеатре. Всерьез задумайтесь о возможности ограничить обед какой-нибудь легкой закуской и салатом. Даже при этом вы, скорее всего, будете потреблять больше калорий, чем вам требуется, но это только начало.

Жир как топливо

Теперь, когда вы узнали о том, как потребление крахмала и вызванный им мощный выброс инсулина заставляют организм усваивать энергию, содержащуюся в пище, до последней капли и запасать ее в виде жира, самое время получше разобраться, что же он собой представляет и зачем нужен. И вас наверняка поджидают здесь неожиданные открытия. Жир выполняет в организме три основных функции, и распирать вашу талию — самая последняя из них.

Мы привыкли воспринимать жир только как запасающую ткань, искажающую вашу фигуру и увеличивающуюся в объеме год от года, однако в природе жир — весьма активная и деятельная ткань. В инертную массу он превращается лишь накануне зимы. Активный жир — это здоровый, необходимый, исключительно полезный материал. Губит же нас неактивный, «зимний» жир.

Вначале разберемся с жиром активным, с тем, что мы потребляем и тратим ежедневно. Он может храниться в организме от нескольких часов до нескольких суток, но он нестабилен и исчезает из организма так же легко, как появляется. Это жир, содержащий те самые полезные для здоровья ненасыщенные жирные кислоты, о которых вы наверняка уже слышали. Мы должны преимущественно потреблять именно такой жир, который служит основным топливом для метаболических реакций и важным строительным элементом для вашего тела.

Жиры обеспечивают организму постоянный приток энергии днем и ночью, и потеря веса при занятиях физкультурой связана именно с этим. Представьте, какой поток С-6 циркулирует в организме марафонца во время забега, и какую волну С-10 он поднимает следом: по всем утомленным, поврежденным мышцам распространяется очищающее воспаление, а его сменяет активный рост тканей. Все эти процессы осуществляются за счет энергии жиров.

Процессы восстановления и роста тканей продолжаются в организме долгие часы после нагрузки, и все это время он трудится на полную мощность, расщепляя дополнительное количество жиров для того, чтобы восстановить энергетический потенциал мышц, восполнить резервы глюкозы и «отремонтировать» поврежденные ткани. Назавтра вы должны быть полностью готовы к новым нагрузкам. В процессе восстановления после тренировки сжигается гораздо больше жира, чем во время ее самой. В этом и заключается хитрость избавления от лишнего веса: покидая спортзал, вы продолжаете до конца дня жить на повышенном уровне метаболических реакций. И даже после того, как восстановительные процессы завершены и все запасы восполнены, они все равно продолжают идти быстрее, чем у малоподвижного человека, — в том числе и во сне! Ваша мускулатура построена из мяса, а не из металла. Ее нельзя поставить на ночь в гараж и забыть о ней до утра; она требует питания круглые сутки, чем бы вы ни занимались. Человек, большую

Полезные жиры

В природе в основном встречаются ненасыщенные жиры. Они легко вступают в реакции и не имеют тенденции надолго задерживаться в организме, полностью расходуясь на энергетическое снабжение метаболических процессов и построение новых крепких клеток и тканей. Когда-то ненасыщенные жиры были основной составляющей естественного рациона, но цивилизованный человек от них отказался. Эти жиры содержатся в дичи, большинстве растительных масел (особенно в оливковом и масле канолы), орехах, а в наибольших количествах — в жирной рыбе вроде скумбрии, лосося или сардин. В примитивном рационе древнего человека около 30% энергии обеспечивалось именно потреблением жиров, но это были преимущественно полезные ненасыщенные жиры. Как ни странно, современный человек также получает около трети калорий путем расщепления жиров, но, увы, жиры эти в основном вредные, насыщенные.

Снижение доли ненасыщенных жиров в нашем рационе объясняется двумя причинами. Первая — экономическая. У диких животных жир составляет примерно 10% массы тела, и это в основном ненасыщенные жиры. Если животное лишить свободы передвижения и снабдить избытком корма, оно будет неизбежно толстеть; процент жира в общей массе возрастает в этих условиях до 30, и он становится преимущественно насыщенным. Прибыль растет (толстая корова стоит куда больше тощей), но вместе с ней растет ваш вес и уровень холестерина в крови. Поэтому надо намного снизить потребление красного мяса. Ограничьте себя маленькими постными кусочками, но и их не стоит есть слишком часто и помногу.

Вторая проблема заключается в том, что ненасыщенные жиры портятся быстрее, чем насыщенные. Они не предназначены для длительного хранения; это активные вещества, с легкостью вступающие в биохимические реакции. Обнаружив такие свойства ненасыщенных жиров, производители продуктов питания — совершенно рационально со своей точки зрения — постарались максимально исключить эти жиры из употребления. Сейчас ненасыщенные жиры в нашем рационе составляют ничтожную долю, не сравнимую с той, что мы получали в естественных условиях.

часть жизни проводящий в кресле, будет набирать вес, потребляя 2000 килокалорий в день; атлет на пике спортивной формы может потреблять в день 4000 килокалорий и при этом не поправляться, а наоборот, худеть. Спортсмены-олимпийцы и солдаты морской пехоты в режиме постоянных тренировок должны потреблять в день 6000 килокалорий, чтобы не терять вес. К этому вам стремиться не нужно, но при регулярных тренировках с серьезным уровнем нагрузки вы можете увеличить уровень основного метаболизма на 50%. Это ключевая идея: серьезные занятия физкультурой способны дать вам пятидесятипроцентное повышение основного метаболизма — то есть скорости реакций, идущих в организме в состоянии покоя. Этим и объясняется снижение веса.

Жир как строительный материал

Ненасыщенные жиры в организме расходуются не только на получение энергии, но и служат строительным материалом. Например, оболочки клеток — всех 40 миллиардов — состоят в значительной степени из жира, точно так же, как контакты между нейронами мозга, половые гормоны и многие другие сигнальные молекулы. Мы не можем прожить ни секунды без участия полезных жиров, поддерживающих каждую живую клетку в организме. Действительно, без жирных кислот не может идти образование новых клеток, а оно происходит постоянно (за год организм производит их более 20 миллиардов), особенно, если вы становитесь с каждым годом моложе.

Ваше тело — масштабная и бесконечная стройка, где ненасыщенные жиры служат важным источником стройматериалов.

Жир как запасное вещество

В нашем рационе сегодня преобладают насыщенные жиры — это та форма жира, которая служит энергетическим резервом на случай неблагоприятных условий. В природе это очень важное вещество, больше других подходящее для хранения резервных запасов энергии благодаря своей легкости и компактности. Не исключено, что, глядя на свой выпирающий живот, вам трудно в это поверить, однако это так. Жир по энергетической ценности на единицу массы вдвое превосходит сахар. Еще один факт, способный вызвать недоверие в нашем пончиковом обществе, — в природе даже этот жир сравнительно легко удаляется из организма. Но в условиях постоянной «зимы», которые мы успешно имитируем собственным обжорством и ленью, человеческий организм старается всеми силами сохранить каждую калорию в форме насыщенных жиров и готов цепляться за эти запасы до последнего.

Насыщенные жиры лучше всего хранятся, как в вашем организме, так и в составе пирожных на полке супермаркета; они изначально задуманы природой как долговременный резерв. Поэтому их так полюбили в пищевой промышленности. Производители продуктов, богатых насыщенными жирами, вовсе не пылают к вам ненавистью и не желают вам скорой смерти; им просто нравится то, что насыщенные жиры химически стабильны, могут храниться долгое время и хорошо удерживают запахи. Жаль только, что ваш организм тоже предпочитает стабильность и «лежание на полке».

А теперь — еще плохие новости. Насыщенные жиры отнюдь не пассивная масса; они служат в организме воспалительным фактором, сигнализирующим о наступлении сезона распада. Если лабораторным животным в корм добавляют эти жиры, у них тут же начинает вырабатываться С-6. У тучных людей белковые факторы воспаления обнаруживаются в крови в пять раз чаще, чем у худощавых, а у людей, ведущих малоподвижный образ жизни, даже при контроле за весом, в четыре раза чаще, чем у спортивных. Не забывайте, что белковые факторы воспаления — это те самые вещества, которые способны убить вас, вызвав инфаркт, инсульт или рак. Именно поэтому частота случаев рака простаты, толстого кишечника, груди и яичников в разных регионах прямо пропорциональна количеству насыщенных жиров в рационе.

Вся беда в том, что никогда раньше ни одному животному не приходилось переживать зиму длиной в несколько десятков лет, равно как и период непрерывной выработки С-6 такой же продолжительности. Количество маркеров воспаления (таких, как С-реактивный белок, служащий также маркером риска инфаркта) в крови человека растет стремительно при ожирении, и это вполне понятно: неподвижность запускает синтез С-6, который служит сигналом к запасанию жиров. В свою очередь, жиры стимулируют дальнейшее производство С-6, это ведет к усилению процессов распада и новому накоплению жира, который снова заставляет синтезироваться С-6… и так до бесконечности. В результате белые клетки крови во множестве собираются в жировой ткани, создавая очаг распада, и сами также начинают вырабатывать С-6, порождая смертельный цикл: жир — воспаление — жир — воспаление. А хуже всего то, что в жировой ткани синтезируется все больше С-6 по мере того, как вы толстеете.

С-6 также мешает организму воспринимать изменения рациона. Исследователи обнаружили, что и у лабораторных мышей, и у людей наблюдается прямая корреляция между уровнем хронического воспаления (то есть риском инфаркта) и сопротивляемостью организма к снижению потребления холестерина. У человека, страдающего ожирением, до 40% клеток в жировой ткани фактически не являются собственно жировыми клетками; это воспалительные клетки, те самые белые кровяные тельца, которые мы уже видели в стенках артерий. А эти клетки постоянно, круглосуточно производят С-6, но в количестве, недостаточном для запуска синтеза С-10. Открывая среди ночи холодильник, прислушайтесь, и, возможно, вы сможете уловить едва слышное шипение, издаваемое неиссякающим потоком С-6.

Вам не показалось, что все это уже было? Конечно, да, в пятой главе, где мы говорили о сердечно-сосудистых заболеваниях. Ситуация пугающе сходна. Те же самые белые клетки крови, которые забивают стенки артерий холестериновыми бляшками, забивают и жировую ткань, вызывая воспалительные процессы хронического ожирения. Все восстановительные реакции, даже на самом низком поддерживающем уровне, начинают давать сбои. При нехватке ненасыщенных жиров для строительства организм пытается заменить их насыщенными. Они встраиваются в клеточные оболочки, но их структура слегка отличается от структуры ненасыщенных жиров, поэтому адекватно заменить одни другими оказывается невозможно. Представьте здание, в стенах которого некоторые кирпичи имеют не совсем правильную форму. Вот так же начинают выглядеть и стенки клеток у человека, страдающего ожирением. Понятно, что такая структура не может должным образом исполнять свои функции. При этом возникает и другая проблема: насыщенные жиры остаются факторами воспаления во всех тканях, где происходит их встраивание в клеточные оболочки, которые в результате понемногу, но непрерывно накапливают С-6. Я позволю себе повторить еще раз: *сердечно-сосудистые заболевания, инсульты, рак и даже болезнь Альцгеймера тесно связаны с воспалительными процессами, причиной которых является преобладание в рационе насыщенных жиров.*

Насыщенные жиры (и холестерин) содержатся в цельных молочных продуктах (сливочном масле, сыре, молоке и сливках), но в снятом молоке, обезжиренных йогуртах и сырах их практически нет. Скорее всего, с вами ничего не случится при умеренном потреблении яиц, хотя на настоящий момент это еще не выяснено окончательно; а вот мясо в целом можно считать вредным продуктом. Наиболее постные части говядины и свинины вполне съедобны, но не всегда доступны, а бекон и колбаса, которые я обожаю, просто ужасны. Помимо этого, необходимо не допускать на стол трансжирные кислоты: это структурные элементы искусственных, не существующих в природе жиров. С функциональной точки зрения они не отличаются от насыщенных жиров, но на этикетках продуктов о них, как правило, ничего не сказано и не будет говориться еще года два. Но вы должны знать, что они имеются в любой жареной пище, в пончиках, пирожных, пирогах, булочках и практически в любом печенье, которое есть в продаже в США. Возьмите пакет картофельных чипсов и сложите количество всех перечисленных на этикетке жиров. Потом сравните получившуюся сумму с тем суммарным содержанием жиров, которое указано на упаковке. Не сходится? «Потерявшиеся» жиры — это как раз те, что состоят из трансжирных кислот. Очень, очень вредных для нас с вами.

Я думаю, что для первого экскурса в науку о питании достаточно путешествовать по темной стороне. Надеюсь, что главное для вас стало понятно. Прекратите есть мусор. Ешьте меньше. И занимайтесь физкультурой *интенсивно* шесть раз в неделю.

Что *можно* есть?

Приготовьтесь быстренько пробежаться по списку положительных героев. Как можно больше нужно есть фруктов, овощей и *цельных* зерновых. Это важно по двум причинам: из-за клетчатки и микроэлементов. Клетчатка — это просто. Это грубый непереваривающийся материал. Он помогает замедлить усвоение жиров и дает работу кишечнику, очищая его и защищая от опухолей. Помимо этого, клетчатка создает объем, дающий ощущение сытости. В нашем природном рационе ее было очень много, а теперь почти не осталось. Содержание клетчатки и других растительных волокон указывается на этикетках, так что не забывайте их изучать. Богатые клетчаткой крупы и хлебопродукты содержат ее около 3 г на порцию. Исходя из того, что стремиться нужно к потреблению 40 г клетчатки в день, можете представить, какой путь вам предстоит.

Микроэлементы — главным образом минеральные добавки и витамины, необходимые нам в крайне малых по сравнению с другими веществами количествах, — тем не менее очень важны… и довольно загадочны. Их насчитываются сотни, и при этом никому точно не известно, сколько какого требуется человеку. Нам известно, что микроэлементы абсолютно необходимы для нормального протекания тысяч химических реакций в организме и что в современном рационе их не хватает. Мы знаем, что среди них есть вещества, требующиеся для работы иммунной системы, мышц и мозга, для поддержания здоровья сердца и костей скелета, для формирования элементов крови, а также антиоксиданты, защищающие от рака. А еще — что они в изобилии содержатся во фруктах и овощах, и восполнить их недостаток пищевыми добавками невозможно. В довершение всего индивидуальная потребность в этих веществах может быть различной. Вашему организму требуется слегка иной набор микроэлементов, чем организму Криса или организму вашего соседа. Но нет никакого способа выяснить, что именно нужно вам и в каких дозах (хотя вы можете истратить тысячи долларов на анализы волос, ногтей, мочи и крови, которые будут делать вам разные люди и получать разные результаты). Поэтому принимайте свои витамины, но не старайтесь обмануть себя, считая их заменой полноценному рациону. Лучше употребляйте в пищу разнообразные полезные продукты, а ваш организм сам выберет то, что ему необходимо, с безошибочной точностью.

Согласно новейшим официальным рекомендациям, в день нужно съедать девять порций фруктов и овощей. Да, это большая куча всякой зелени, но стоит попробовать с ней справиться. Возможно, в этом случае у вас даже нормализуется работа кишечника! Не слишком важно, какие именно фрукты и овощи вы будете есть, но постарайтесь, чтобы среди них каждый день присутствовали плоды четырех разных цветов (оттенки зеленого тоже считаются). И не слушайте тех, кто говорит, что фрукты вредны, так как в них велико содержание сахаров. Это нелепо. Во фруктах содержится огромное количество необходимых веществ, и на фоне перегруженности нашего рациона сахаром беспокоиться о каких-то побочных эффектах потребления фруктов просто глупо.

Цельные зерновые и бобовые — еще одна обширная категория полезных для здоровья продуктов. В необработанном зерне содержится большой набор жизненно важных веществ и не так много свободного сахара. (При переработке зерна в муку стенки клеток разрушаются, и из них высвобождается сахар, придающий продуктам такой приятный вкус. Но при этом происходит удаление большей части микроэлементов и волокон.) Большинство сортов «зернового» пшеничного и мультизлакового хлеба из супермаркета на самом деле нельзя считать по-настоящему зерновым, что становится очевидно, если внимательно прочитать, что написано на этикетке. Первый ингредиент в этом «здоровом» хлебе — неотбеленная, но *обработанная* мука. (При отбеливании муки из нее получится белый хлеб, но именно *обработка* превращает ее в крахмал.) Единственный действительно здоровый хлеб — так называемый «сырой» хлеб, продающийся в магазинах здоровой пищи, который содержит зерна одного или нескольких злаков. Цельные зерна (пшеницы, ржи и т.д.) должны быть *первым* пунктом в перечне ингредиентов, а не последним, в противном случае вас вводят в заблуждение. Зерновой хлеб отличается более богатым вкусом по сравнению с хлебом из переработанной муки, так что вы сможете быстро к нему привыкнуть и полюбить. (Обработанная мука нисколько не вкуснее; вы просто привыкли к сахару и ожидаете почувствовать его вкус в продуктах.) К счастью, с возрастом ваши вкусовые сосочки перестают любить сахар до такой степени, и вы можете научиться наслаждаться другими вкусами. Совершенно *реально* привыкнуть пить кофе без сахара (ну, или по крайней мере меньше чем с десятью кусками сахара); на это уйдет всего месяц или около того. Прекрасное поле для битвы — утренние крупы. Можно есть пшеничные хлопья, хотя в коробках с ними обычно содержится и то, что вам не нужно, но, по крайней мере, это обычно и не вредно. Рубленая пшеница состоит всего из одного ингредиента — из пшеничных зерен. Добавьте к ней снятое молоко и банан, или мороженую чернику, и вы уже преодолели треть пути к здоровому дню.

Если вы будете хотя бы в некотором приближении выполнять рекомендации по здоровому питанию, белки вряд ли станут для час проблемой (особенно если вы приучите себя к вкусу снятого молока и других обезжиренных молочных продуктов; этого также вполне реально достичь за месяц). Ешьте побольше рыбы, чем жирнее, тем лучше. Ешьте и белое куриное мясо: оно не так полезно, как рыба, но все же гораздо полезнее, чем красное мясо. Само собой, какое-то количество красного мяса вы все равно будете употреблять — в конце концов, это Америка, и на вкус оно превосходно, — но здесь не усердствуйте. Съедайте его совсем понемногу и выбирайте самые постные куски, особенно на котлеты. Лучше, если вы будете считать мясо лакомством, а не основном блюдом.

В отношении соли тоже не о чем долго рассуждать: мы едим ее слишком много. Человеку достаточно 2 г в день, однако большинство из нас потребляют ежедневно по восемь-десять граммов, даже не прикасаясь к солонке. В готовых блюдах и полуфабрикатах уже содержится и соль, и сахар, так что старайтесь использовать для приготовления пищи свежие продукты и никогда не добавляйте еще больше соли.

Еще один совет: не забывайте о том, что цельные зерновые, овощи и фрукты занимают большую часть верхних ярусов пирамиды питания. Поставщики продуктов любят говорить, что плохой еды не бывает, бывает только слишком много чего-либо. Это не совсем верно. Есть продукты, вред от которых так велик, что лучше всего воспринимать их как однозначно «плохую еду».

Помните, что если вы что-то купили, то рано или поздно вы это неизбежно съедите. Правильное питание определяется в супермаркете, а не на кухне. Перед походом в магазин хорошо поешьте, составьте список полезных продуктов, которые хотели бы купить, и по пути к выходу киньте взгляд на пирамиду. И знаете что? Вы будете стройнее в следующем году.

ГЛАВА 16

Выпивка

У ирландцев существуют совершенно особые взаимоотношения с виски и другими крепкими напитками. Они зовут их «Выпивка», произнося это слово явно с большой буквы. Там, например, могут сказать так: «Ну и потом, наверное, случилась Выпивка, вот он и слетел с катушек». Как будто объясняют, что человек оказался во власти обстоятельств, которые были однозначно сильнее его, и поэтому не может считаться полностью виноватым. Я сам на четверть ирландец, поэтому отношусь к Выпивке с осторожным уважением. И сохраняю к ней глубокую неискоренимую привязанность. Как к замечательному старому чудаку-дядюшке (а может, как к очаровательной племяннице), который, правда, изредка… кого-нибудь убивает. Например, раз в месяц; однако нет ничего такого, что нельзя было бы простить тому, кто все остальное время такая душка.

Выпивка — это настоящий джокер в колоде наших жизней, так что нелегко бывает понять, что о ней сказать, и говорить ли вообще. Гарри относится к Выпивке с таким предубеждением, что предпочитает молчать. Ведь если начать рассуждать о чем-то, неизбежно придется упомянуть и о положительных сторонах, а это может ввести кого-нибудь в опасное заблуждение. Он боится, что люди услышат в этих словах только то, что хотят услышать, и будут упорно придерживаться вредной привычки. Он говорит, что если бы спиртные напитки были лекарством с тем же набором побочных эффектов — например, 20% принимающих это лекарство становились бы *наркоманами*, — такое средство никогда бы не получило одобрения Управления по контролю за продуктами и лекарствами. Я, как и всегда, уважаю мнение Гарри, но в данном случае не совсем с ним согласен.

Во-первых, вино и прочие спиртные напитки одобрены Управлением, и не только им, уже примерно десять тысяч лет. Те, кто пытался изменить ситуацию во времена сухого закона, потерпели неудачу. Спиртное существует; оно составляют часть жизни большинства из нас, и никуда из нее не денется. Так что говорить о них все-таки надо. Во-вторых, никуда не денешься от того факта, что спиртное для достаточно большого числа людей является одной из самых больших радостей в жизни. И в-третьих, ряд примечательных популяционных исследований показывает, что *умеренное* потребление алкоголя (это вы наверняка хотите услышать) полезно. Итак, история изрядно запутана, и в ней, как вы уже наверняка привыкли, обязательно есть хорошие и плохие новости.

Светлая сторона

Хорошие новости поистине удивительны. Я всегда понемногу выпивал, но был поражен, прочитав в канун нового 2002 года в *The New York Times*, а потом и в *Scientific American*, что регулярное *умеренное* употребление алкоголя (умеренное — значит не более двух порций в день для мужчин и одной для женщин) не просто приятно, но и, оказывается, исключительно полезно! (Прежде чем впадать в буйное веселье по этому поводу, учтите, что «порция» — это полторы унции крепких напитков или пять унций вина[1].) Регулярное употребление небольшого количества крепкого

[1] 45 и примерно 150 мл соответственно.

алкоголя положительно действует практически на все заболевания. Но — дайте уже мне договорить! — не в том случае, если вы страдаете алкоголизмом. Тогда он вас убивает. И очень и очень многие абсолютно замечательные женщины становятся алкоголичками с разной степенью развития этого состояния после 60–70 лет; как раз это и пугает Гарри. Но, повторю, умеренное употребление полезно. Исследований на эту тему очень много, и их результаты настолько ясны, что с ними трудно спорить, если только не переходить на религиозную или моральную почву. Вот что я прочел в тот вечер в *Times*:

«Алкоголь — последняя обоюдоострая тема в медицине. Тридцать лет исследований убедили многих специалистов в том, что некоторым людям полезно принимать его в ограниченных дозах. Одна-две порции вина, пива или ликера в день, говорят они, нередко оказываются наиболее эффективным методом профилактики сердечных приступов и инфарктов. Результат оказывается лучше, чем при исключении из питания жиров или похудении, и даже лучше, чем при регулярных занятиях физкультурой. Умеренное употребление алкоголя также способно помочь предотвратить инсульт, ампутацию конечностей и старческое слабоумие». (Ампутация конечностей? Ого! Есть о чем задуматься некоторым не слишком ловким, зато самостоятельным дамочкам.)

Далее журналистка Абигайль Цугер пишет: «“Научные данные, говорящие в пользу защитной роли алкоголя, не поддаются сомнению; никто уже и не пытается возражать, — говорит доктор Кертис Эллисон, профессор медицины и общественного здоровья медицинской школы Бостонского университета. — Сотни исследований говорят об одном и том же”.

Статистика утверждает, что среди 80 000 американских женщин, участвовавших в одном из исследований, степень риска инфаркта была в два раза меньше у тех, кто умеренно выпивал, чем у совсем не пьющих, даже если последние не имели лишнего веса, не курили и занимались физкультурой каждый день.

В Калифорнии были проанализированы данные о смертности людей старше сорока лет, при этом выяснилось, что смертность в каждое последующее десятилетие жизни у тех, кто умеренно употребляет алкоголь, стабильно ниже — причем в некоторых группах на целых 30%».

А еще в *Times* говорилось о том, что данные вышеупомянутых исследований наконец-то позволяют объяснить очень приятный для меня «французский парадокс», сводящийся к тому, что французская нация, несмотря на употребление в громадных с нашей точки зрения количествах сыра, сливочного масла и других жиров, гораздо меньше страдает от проблем с сосудами, вызванных накоплением холестерина». Я бы сказал, что объяснение получил не только «французский», но также и «итальянский», или «средиземноморский», парадокс, не говоря уже о парадоксе Криса Краули. Прояснение таких моментов доставляет большое удовлетворение. Гарри относится ко всем этим «парадоксам» настороженно, если не откровенно враждебно. Он подозревает, что в чем-то эти исследования не строго научны. Но я со своей стороны подозреваю, что это дают себя знать его пуританские корни.

Что именно вы пьете, неважно. Еще живо в некоторых кругах мнение о том, что красное вино прекрасно защищает от рака, но в целом это не имеет значения. Главное — быть в этом вопросе стойким. Все ученые, занимающиеся этой проблемой, в один голос утверждают, что пить надо понемногу и *каждый* день. Не устраивать кутежей и вечеринок, а просто тихо-мирно выпивать каждый день. Представляю картину: ваша супруга заглядывает к вам в кабинет и произносит: «Дорогой, ты уже выпил свой мартини?» Или «*Пей свое вино, черт побери! Ты что, хочешь умереть?!*»

Итак, мораль, которую должен вынести каждый из всего вышеизложенного. Вино, пиво и крепкие напитки невероятно для нас полезны. Наконец-то научный мир придумал что-то разумное!

Темная сторона

Так вот, вы, может быть, заметили, что *The New York Times* и *Scientific American* вскользь упоминают о некоторых проблемах, связанных с употреблением *слишком большого* количества алкоголя. Фактически, они отмечают, что опасность, связанная с чрезмерным употреблением, серьезно портит все хорошие новости. А что такое *слишком много*, становится понятно очень скоро.

Вот еще выдержка из *Times*: «Злоупотребление алкоголем повышает риск гипертонии, сердечной недостаточности и более чем пяти различных форм рака; оно может привести к диабету, проблемам с поджелудочной железой и печенью и тяжелым формам слабоумия. У пьяниц смертность существенно выше, чем у умеренно пьющих, даже если не включать в эту статистику случаи автомобильных аварий и актов насилия, спровоцированных алкоголем, которые зачастую приводят к гибели не только самого алкоголика, но и других людей».

Затем автор переходит к самому страшному утверждению о том, что «эти происшествия серьезно влияют на общую оценку воздействия алкоголя на здоровье общества. ВОЗ утверждает, что по уровню смертности и заболеваемости алкоголь можно поставить в один ряд с корью и малярией; при этом он отнимает у людей жизнь и здоровье в большей степени, чем табакокурение и нелегальные наркотические средства». Да, ничего хорошего.

Что же касается женщин старше 55 лет, то для них, как указывает по данным своих исследований Государственный центр изучения привыкания и злоупотребления веществами (CASA), новости могут оказаться и еще чуть хуже. В 1998 году центр объявил, что пристрастием к алкоголю в США страдают 1,8 млн пожилых женщин. Число поистине огромно, а последствия злоупотребления алкоголем для женщин крайне неприятны: отчасти из-за того, что врачи (и сами женщины) не придают должного значения разной степени устойчивости организма к алкоголю у мужчин и женщин, а отчасти из-за того, что эта устойчивость в любом случае падает с возрастом. К тому же никак нельзя забывать о том, что последствия могут оказаться еще серьезнее в случае одновременного злоупотребления алкоголем и определенными лекарствами (особенно психоактивными препаратами, назначаемыми в случаях тревожных и депрессивных состояний), что также нередко бывает с пожилыми женщинами. Наконец, отмечается в результатах этого же исследования, если вы настолько неразумны, что в этом возрасте продолжаете еще и курить, в ваш организм попадает подлинно ядовитый коктейль. Сталкиваясь с понятием «злоупотребления веществами», вы, вероятно, не связываете его автоматически с образом пожилой женщины, а должны бы. Это случается сплошь и рядом, а последствия такой связи — хуже некуда (разнообразнейшие болезни, самоубийства и еще бог знает что). Так что будьте бдительны!

В частности, обратите внимание на то, что теперь вам требуется меньше алкоголя для того, чтобы потерять голову. По данным CASA, для зрелой женщины максимальная дневная доза алкоголя составляет одну порцию, а употребление свыше двух с половиной порций в день считается уже злоупотреблением. И именно после шестидесяти лет у женщин нередко возникают особо благоприятные условия для развития алкоголизма — может быть, в силу частого одиночества, может быть, из-за финансовых проблем или внезапного исчезновения привычной структуры жизни и усиления стресса. Итак, после шестидесяти у вас появляется немалая вероятность стать алкоголичкой. Согласно данным центра и личному профессиональному опыту Гарри — вероятность весьма и весьма немалая. И происходит это не только с идиотками и неудачницами. Гарри не раз приходилось сталкиваться с тем, как успешные, умные, семейные женщины начинали вести себя категорически несвойственным им образом. Так что не будьте слишком самоуверенны, считая, что вам не грозят неприятности с Выпивкой только потому, что ничего подобного не случалось с вами предыдущие сорок лет, или потому, что вы во всех отношениях глубоко положительная и сильная личность. Вы можете ошибиться.

Продолжение плохих новостей. Алкогольная зависимость — не единственное отрицательное последствие употребления спиртных напитков. Гарри недавно прислал мне историю о результатах исследования, объектом которого были люди, пьющие достаточно много, но еще не дошедшие до стадии хронического алкоголизма. Результаты, полученные у этих людей при прохождении тестов Института психиатрии, свидетельствуют о том, что у тех, кто выпивает чуть больше трех бокалов вина за вечер, возникают серьезные нарушения работы головного мозга. «Результаты тестов свидетельствуют о том, что у сильно пьющих значительно расстроена кратковременная память и координация движений, снижена скорость обработки информации, внимание, чувство ответственности, — подводит итог в *Journal of Alcoholism* за май 2004 года один из руководителей исследования Дитер Мейерхоф. — Злоупотребление алкоголем воздействует на функции мозга исподволь, так что перемены трудно заметить сразу. Чтобы быть спокойным за собственный рассудок, не усердствуйте». Другими словами, немного алкоголя — это хорошо, а много — плохо. И оптимальный «коридор» ужасно узок.

Как-то раз мой тренер сделал потрясающее замечание по поводу алкоголя. Я признался ему, придя в спортзал, что чувствую себя разбитым, потому что накануне вечером один «уговорил» почти целую бутылку вина. В тот день я не мог поднять обычный вес и повторить упражнения обычное число раз. «А что вы хотите, — сказал тренер. — Большое количество спиртного заставляет человека стареть быстрее». *Что?* Вот он я, бьюсь изо всех сил, чтобы быть моложе, а моя милая Выпивка заставляет меня стареть? Увы, так оно и есть.

Так вот. В заключение хочу дать вам абсолютно серьезный совет, который не многим отличается от того, что говорят специалисты. Если вы не пьете, то и не начинайте. Это слишком рискованно. А большинству из вас скажу вот что. Если вы пьете, не надо бросать, — *если вы способны соблюдать умеренность.* При том что это нелегко, так как единственная порция алкоголя в сутки — это очень небольшое количество. Если вы *действительно* сможете держаться в этих рамках, честь вам и хвала. Но вспомните честно — когда вы в последний раз останавливались на одной порции? Лично мне нечасто удается увидеть подобное. Помните всегда — больше трех порций алкоголя в день для мужчин (и еще меньше — для женщин), употребляемые регулярно, — это серьезная проблема.

Вот что предлагаю я в качестве золотого правила: выпивайте стакан вина за ужином, как волшебное дополнение к трапезе. Слегка подправьте вечернюю атмосферу. Может быть, раз в неделю можно позволить себе выпить и второй бокал. Но больше — ни-ни. Если заметите, что с атмосферой происходит что-то совсем не то — как будто привычный интерьер неожиданно начинает менять цвет, — немедленно остановитесь. Потому что невозможно предугадать, что произойдет дальше. Не исключено, что последствия будут преследовать вас до конца жизни. В нашем возрасте все нередко бывает гораздо хуже и гораздо стремительнее, чем мы можем вообразить.

И в то же время в нашем возрасте необходимо получать от жизни все удовольствия, которые только можно получить, не рискуя головой. Лично для меня среди вещей, которыми я хотел бы продолжать наслаждаться до конца жизни, обязательно присутствует ежевечерний бокал вина. Или два бокала. И время от времени — изысканный, пробуждающий к жизни мартини. Но не теряйте бдительности!

ГЛАВА 17

Менопауза: естественные изменения

Вплоть до самых последних лет единственным методом, который предлагала медицина для борьбы с симптомами менопаузы и сопутствующими проблемами, была гормональная терапия. Врачи считали, что гормоны, которые принимали в нашей стране практически все женщины, достигшие менопаузы, способны не только облегчить ее симптомы, но и оказывать профилактический эффект на сердечно-сосудистые заболевания, в том числе инсульты, болезнь Альцгеймера и многие другие серьезные нарушения. Если взять любую из книг о менопаузе, выпущенную в тот период, то можно увидеть, что врач, не прописавший пациентке эстроген-заместительную терапию в период менопаузы, считался тогда едва ли не преступником. Революция произошла в 2002 году, когда исследования организации «Инициатива во имя здоровья женщин» показали, что гормоны не только *не* оказывают положительного эффекта на здоровье женщин в период менопаузы и после, но даже несколько *повышают* риск некоторых серьезных заболеваний.

С обнародованием этих результатов эра господства эстроген-заместительной терапии резко закончилась. Но, возможно, еще более важным следствием смены взглядов стало то, что в результате изменилось общее отношение к менопаузе во врачебной среде: она превратилась из болезни, требующей лечения, в естественный процесс, требующий лишь облегчения симптомов в случае необходимости. Согласно заключению объединенной экспертной комиссии Национальных институтов здравоохранения, большинство женщин переживают период менопаузы, не испытывая серьезных проблем; симптомы поддаются медикаментозному воздействию, однако оно может иметь побочные эффекты; и самое главное: менопауза — это не болезнь, а естественная фаза жизненного цикла.

В некоторых случаях целесообразно применять для облегчения особенно тяжелых симптомов гормональные препараты, акупунктуру и определенные пищевые добавки (в виде кратковременных курсов). Однако наиболее важным терапевтическим методом воздействия на менопаузу и ее проявления является образ жизни — физкультура, правильное питание и эмоциональная вовлеченность. Именно стиль жизни, который вы выбираете сейчас, послужит фундаментом для еще предстоящих вам *после* менопаузы здоровых и счастливых лет (примерно 30 для большинства современных американских женщин).

Задумайтесь об этом ненадолго. Большинство американских женщин после менопаузы живут еще тридцать лет. То есть менопауза — никак не конец жизни; скорее, ее следует считать *стартом* совершенно новой жизненной фазы… которая продлится еще не один десяток лет. И каждое утро все эти годы вы будете, просыпаясь, делать основополагающий биологический выбор между ростом и распадом. Пока новости были неплохими. Но вот и нечто менее радостное: теперь этот вопрос приобретает для вас большую критичность, так как менопауза несет с собой усиление противодействующего течения. Ставки повышаются. Скорость распада постепенно растет. Удваивается активность разрушения костной ткани. Риск сердечно-сосудистых заболеваний, которых раньше вам почти не приходилось опасаться (по крайней мере, если сравнивать с мужчинами) за десять лет взмывает ввысь и продолжает расти и дальше. Прилагая сознательные усилия, вы без особых проблем справитесь с течением; но плыть по воле волн вы больше себе позволять не должны.

Вернемся в дикую природу. Гормональные циклы женского организма в возрасте приблизительно от четырнадцати до сорока с лишним лет настроены так, чтобы обеспечить максимальные шансы на успешную беременность. Стрессы, малоподвижный образ жизни и плохое питание в разной степени влияют на менструальные циклы, так как в природе все эти отклонения от нормы идентифицируются как сигналы грозящей беды, наступления времени, неблагоприятного для вынашивания потомства. Так что и сегодня ваши менструальные циклы отнюдь не представляют собой четкого соответствия некоему графику; организм любой женщины сам великолепно знает, что следует делать… примерно лет до пятидесяти, когда большинство женщин сталкивается с менопаузой.

План действий на последующий период, наступающий по окончании менопаузы (примерно в 55 лет), также заложен в вас природой. На этом новом этапе роль главного регуляторного фактора переходит от эстрогенных циклов к системе поддержания баланса между процессами роста и распада. Этот механизм более универсален, он одинаково работает у мужчин и у женщин, у антилоп и дельфинов, у пингвинов и кальмаров…

Менопауза — переходный период гормонального буйства между двумя фазами жизненного цикла, характеризующимися высокой степенью организации и контроля. Особенности проявления различных симптомов менопаузы в конкретном женском организме невозможно предсказать заранее, их вариации невероятно многообразны. Это период временного хаоса, смуты и анархии, который можно уподобить жестокому Средневековью, разделяющему на ленте истории цивилизации долгие века стабильности Римской Империи и творческий взлет Ренессанса. Важно понять, что любые средства, имеющиеся в арсенале как традиционной, так и альтернативной медицины, оказывают воздействие лишь на *симптомы* менопаузы, и при этом ни одно из них нельзя считать стопроцентно безопасным. Повлиять на фундаментальные биологические процессы можете только вы сами, подсказав организму наиболее рациональный и приятный путь преодоления смуты с помощью физкультуры, диеты и верного настроя.

Небольшое отступление для скептиков

У вас наверняка возникает совершенно логичный и естественный вопрос: что же на сегодняшний день точно известно о менопаузе и во что вам стоит верить. Ведь еще несколько лет назад идея о приеме эстрогенов после менопаузы возводилась в ранг почти что религиозной догмы. И как медицинская общественность смогла так быстро сменить свою научную парадигму на диаметрально противоположную? Откуда взялась информация, на основе которой свершился этот переворот?

Да, все эти вопросы действительно требуют ответов; вы достигли периода в жизни, когда к любой медицинской информации следует относиться критически и не давать сбить себя с толку непрерывному потоку сенсаций, который обрушивают на нас разнообразные СМИ. Большинство историй, подаваемых вам ежедневно в качестве последних научных данных, будут недостоверны, а большинство советов — ошибочны, или, в лучшем случае, верны лишь отчасти. История с гормон-заместительной терапией — прекрасный пример.

Давайте начнем с того, что такое знание в биологическом смысле? В повседневной жизни знание определяется нами в понятиях положительного или отрицательного ответа. Мы либо знаем что-то, либо нет. Это как выключатель, у которого есть только два положения — «вкл.» и «выкл.». Щелкая им, мы можем вызвать только два состояния: свет и темноту. Но в медицине не может быть *ничего* настолько примитивного. Людей нельзя поместить в лабораторные пробирки. Изучать их приходится в реальной жизни, где на здоровье оказывают влияние сотни различных факторов *помимо* лекарственных средств, эффекты которых мы должны выяснить. Как правило, действие фармакологических препаратов — не более чем тишайший шепот, который крайне сложно распознать и выделить на фоне постоянного гула процессов роста и распада. Исследователи *стараются* вынести за скобки ряд наиболее существенных факторов образа жизни (курение, уровень холестерина и др.), *стараются* привлечь к эксперименту максимально возможное число участников, чтобы можно было усреднить прочие факторы без ущерба для статистической достоверности, однако идеал остается недостижимым, реальность *невозможно* изучить и описать полностью. Биология похожа на огромный пазл, кусочки которого хаотично разбросаны повсюду. Иногда ученым удается объединить части, которые стыкуются друг с другом и позволяют увидеть какой-то более-менее осмысленной участок общей картины; но часто они вынуждены строить предположения, ориентируясь лишь на одиночные элементы, при этом нам это нередко подается как научная истина.

И пока добросовестные ученые кладут жизни на понимание важнейших биологических законов, СМИ, производители фармацевтической продукции и многие врачи попросту их игнорируют. Изучение 10 пациентов не может дать хоть сколько-нибудь достоверных научных данных, однако журналист из утренней телепрограммы может счесть их не менее достойными широкого освещения, чем результаты масштабного исследования с участием 10 000 человек. А ведь есть еще момент пристрастности. Среди исследований, на которые ссылаются производители лекарств, 90% подтверждают совпадение ожидаемого и реального эффектов; однако, судя по независимым тестам, ожидаемый эффект выявляется не более чем в 50% случаев. Так что же, исследования компаний — откровенная ложь? Нет, так все же сказать нельзя, однако представление результатов оказывается некорректным, и потребителя вводят в заблуждение, выдавая сомнительные данные за статистическую вероятность; а вслед за этим уже СМИ и недобросовестные врачи тиражируют эти данные в качестве установленного факта.

Если экспериментальные данные и статистические расчеты находятся на грани достоверности, нужно просто сказать: «Мы не знаем», — как и поступают многие врачи. Но, увы, не все, так как люди не любят неопределенности. Первопричина такой нелюбви — в биологических свойствах нашей нервной системы. Неопределенность нам неприятна, потому что наши нервные связи рассчитаны на быстрое принятие однозначных решений; если же информации для этого недостаточно, мы начинаем сильно переживать. Чтобы преодолеть панику, порожденную неопределенностью, в отсутствие достоверной информации мы выбираем наиболее быстрый вариант решения — фактически первый попавшийся. Это поддается проверке в экспериментальных условиях, и психологи уже неоднократно демонстрировали, как люди с поразительной частотой принимают откровенно неудачные решения, лишь бы избавиться от неопределенности. Вот и врачи, которые все-таки в первую очередь люди, стараются отгородиться от неясностей категоричными заявлениями. А вслед за ними точно так же поступают журналисты и редакторы газет и журналов, авторы и ведущие телепрограмм, и мы с вами, привыкшие доверять прессе.

Именно так обстоит дело с гормон-заместительной терапией и менопаузой. Однозначных данных о влиянии гормональных препаратов на организм женщины ученые пока не получили. И хуже всего в этой ситуации то, что практикующие врачи закрывают глаза на разницу между доказанным и возможным. Стремясь найти эффективное средство для облегчения участи женщин в этот сложный период и испытывая постоянное давление со стороны фарминдустрии, медики пытаются сложить из разрозненных данных многочисленных частных экспериментов подобие обобщенной картины, которую мы воспринимаем как истинную и целостную.

Неоднократно проводились исследования, специально выбиравшие в качестве объектов наблюдения женщин, которые начали принимать гормональные препараты *по собственной воле* еще до начала эксперимента. По полученным данным, женщины, принимавшие эстроген, чувствовали себя лучше, чем те, кто его не принимал: у них снижался риск инфаркта (вдвое), инсульта, болезни Альцгеймера, степень развития остеопороза; но в то же время риск рака груди несколько увеличивался.

Казалось очевидным, что причина всех этих изменений — в гормонах. К счастью, этот вывод не успел перейти в разряд высеченных в камне медицинских истин. Помешало этому выдвинутое против объединения Национальных институтов здравоохранения и его главы Бернадин Хили (первой женщины, занявшей этот пост) обвинение в систематических погрешностях в проведении и интерпретации результатов медицинских исследований, имевших место на протяжении целого ряда десятилетий. Ответом на эти обвинения стал наиболее масштабный, перспективный и успешный проект изучения общественного здоровья за всю историю США — Инициатива во имя здоровья женщин (WHI).

Инициатива — это национальная исследовательская программа, объектами которой стали сердечно-сосудистые болезни, рак груди, рак кишечника, остеопороз и гормон-заместительная терапия у женщин в возрасте от 50 до 79 лет. Экспериментальный раздел, посвященный гормонам, уже завершен, но исследования в других направлениях еще продолжаются, и в будущем медицинская общественность надеется получить из них информацию о женском здоровье, имеющую жизненно важное значение. Имея первоначальный бюджет в 625 *миллионов* долларов, Инициатива в настоящий момент насчитывает 40 исследовательских центров по всей стране, которые ведут наблюдения за 160 000 женщин. В завершенной части исследования принимали участие тысячи женщин, которые — что очень важно — не выбирали сами, принимать ли им эстроген. Эти женщины согласились на то, чтобы экспериментаторы случайным образом «выписали» каждой из них гормональный препарат или плацебо. Исследования Инициативы оказались настолько корректными и убедительными именно потому, что в то время, когда польза эстрогенов была практически общепризнанной, женщины-участницы отважно согласились доверить свое состояние случайному выбору; ведь намеренное включение или невключение участниц эксперимента в группу плацебо в этих условиях было бы неэтичным.

Исследования WHI показали, насколько сложны и дорогостоящи корректные научные эксперименты в этой области и насколько *опасно* подменять доказанное вероятным. В случае с гормон-заместительной терапией выдвинутая теория на первый взгляд имела вполне твердое биологическое обоснование. До наступления менопаузы женщины в целом здоровее мужчин, но затем резко нагоняют их по заболеваемости, особенно в области сердечно-сосудистой сферы. Все обсервационные исследования, подтверждающие пользу гормонов, были настоящими. Вы можете сегодня перечитать отчеты о них, и они могут показаться вполне убедительными, если не знать, где была допущена ошибка.

Главная причина ошибочной интерпретации данных заключалась в том, что исследователи не учли влияния образа жизни в долговременном прогнозе состояния женского здоровья. Женщины, *сами* начавшие принимать гормоны, отличались от остальных более серьезным отношением к собственному здоровью. Они вели более активную жизнь, следили за своим рационом, и, несмотря на то что условия жизни, врачебная помощь, процент курящих и другие показатели в обеих группах были одинаковыми, «сознательные» участницы эксперимента в среднем болели реже и жили дольше, чем женщины из другой группы. Разница в частоте сердечных приступов, инсультов и болезни Альцгеймера была обусловлена не приемом эстрогенов, а разницей образа жизни. Эстроген в данном случае был лишь маркером более здорового образа жизни.

Подобный эффект маркера, кстати, и заставил меня с осторожностью отнестись к данным, говорящим о пользе умеренного употребления алкоголя. Не исключено, что умеренное употребление спиртных напитков всего лишь свидетельствует о более упорядоченном образе жизни, который и оказывается реальным фактором, влияющим на здоровье. Обед в кругу семьи каждый день может служить таким же убедительным объяснением «французского парадокса», как и бутылка бордо на столе.

Изучая воздействие на человеческий организм различных веществ (алкоголя, эстрогена, витаминов, антидепрессантов, лекарств, снижающих уровень холестерина), ученые пытались вывести общие закономерности, связывающие здоровье и образ жизни; однако это понятие подразумевает такую широту и многообразие составляющих его частных факторов, что контролировать всю их совокупность в обсервационном исследовании нереально. В лучшем случае такое исследование способно лишь сформулировать наиболее принципиальные вопросы. Для ответов на них требуется настоящий эксперимент. Проблема в том, что подобные проекты требуют вложения немалых средств, так что ответить сразу на все вопросы ученые не могут, ограничиваясь отдельными, наиболее важными. Такие исследования дают журналистам заголовки для статей, Конгрессу — темы для слушаний, а медицинским работникам — новые методы работы. Остальные исследовательские данные — составляющие 99% того, что публикуется, — ни в коем случае не должны попадать в раздел новостей. Обсуждать эту информацию должны исключительно специалисты в своем узком кругу, а не любой гражданин на улице. Так почему же СМИ выставляют все так, будто разгадка вечной жизни скрывается за ближайшим углом и каждый поставленный частный эксперимент обязательно приближает нас к этому углу или, наоборот, уводит от него? Потому, что заголовки нужны им больше, чем сами новости; ведь никто не станет покупать газету с такой, например, «шапкой»: «Возможно, медицина сделала крошечный шаг вперед. Верно ли направление — узнаем лет через десять». К счастью, национальные институты здравоохранения смогли вовремя сформулировать ряд крайне важных вопросов о женском здоровье и менопаузе и вложили в поиск ответов на них 625 миллионов долларов. В результате сегодня в этой области мы, возможно, информированы лучше, чем в любом другом разделе здравоохранения.

Что же все-таки *известно*?

С этой теоретической базой мы можем перейти к конкретным данным, полученным WHI и другими исследователями в результате изучения менопаузы у сотен тысяч женщин.

Естественная менопауза может начаться в любом возрасте от сорока с небольшим до шестидесяти лет, но *в среднем* у американских женщин она наступает в пятьдесят один год и продолжается четыре года. Но хочу вас предупредить: не бывает женщин со «среднестатистической» менопаузой. Каждый отдельный случай уникален, и разброс показателей огромен. Половина женщин сообщают о присутствии лишь минимальных симптомов, но есть и те, кто достаточно сильно страдает на протяжении всей менопаузы, и даже те, кто испытывает определенные проблемы не только непосредственно в этот период, но и до десяти лет перед и после него.

Исследования показывают, что истинные симптомы менопаузы как таковой можно пересчитать по пальцам, причем одной руки. Более 50% женщин испытывают так называемые «приливы» — резкие колебания температуры тела, обильное ночное потоотделение и перепады настроения, а примерно треть — значительную сухость влагалища. Отмечается незначительное увеличение частоты проблем с мочеиспусканием, у некоторых женщин возникают нарушения сна (иные, кроме связанных с потоотделением). У ряда женщин в период менопаузы сексуальное влечение снижается, у других — наоборот, возрастает.

Приливы крови к поверхностным тканям объясняются резким расширением кровеносных сосудов кожи, в результате чего из внутренних частей организма к поверхности резко приливает кровь более высокой температуры. Этот механизм в норме предназначен для понижения температуры тела при жаре, но во время менопаузы его как будто «замыкает» в связи с резким падением уровня эстрогена. Во время «приливов» температура кожи может за считанные секунды взлететь вверх на целых восемь градусов. Каждая такая вспышка продолжается около пяти минут, хотя иногда и дольше, до получаса. Охлаждающий механизм так эффективен, что после более-менее долговременного прилива вы можете чувствовать озноб.

Ночное потоотделение — те же приливы, только во сне. В покое температура тела несколько ниже, чем при бодрствовании, так что соответствующий ее подъем при приливе оказывается больше; к тому же, если вы в это время лежите под одеялом, то потеете сильнее, чем в дневное время, из-за дополнительного перегрева кожи. Из-за того, что во сне система температурной регуляции работает несколько медленнее, эпизоды приливов могут быть более длительными и серьезно нарушать сон. Если исключить эти случаи, общая частота случаев бессонницы во время менопаузы не отличается принципиально от того, что наблюдается до и после нее. Тем не менее у некоторых женщин в период менопаузы ситуация со сном может ухудшаться. Но одновременно есть и такие женщины, которые отмечают, что стали спать лучше. По большей части проблемы со сном у женщин в возрасте старше пятидесяти обусловлены не менопаузой, а малоподвижным образом жизни, стрессами, искусственным светом и шумами, поздними телепрограммами и естественным сокращением времени сна, наступающим с возрастом.

Около трети всех женщин жалуются на *симптоматическую сухость влагалища*; из-за этого примерно половина женщин испытывает дискомфорт при половых сношениях. В отсутствие эстрогена слизистая влагалища атрофируется, и это может приводить к болезненным ощущениям при мочеиспускании и при половом акте из-за недостатка смазки. Ощущения от секса у женщин, не страдающих сухостью влагалища, могут быть различными: у некоторых сексуальное влечение и удовольствие от интимных отношений усиливается; другие же не замечают каких-то существенных отличий по сравнению с предыдущим опытом.

Перепады настроения — один из самых тяжелых симптомов менопаузы. Они непредсказуемы, а их проявления индивидуальны в каждом случае. Этим они напоминают эмоциональную нестабильность подросткового периода, с которой их роднит общая биохимическая «подкладка». Нередко женщина начинает испытывать эмоциональные «качели» за несколько лет до наступления собственно менопаузы; мощные психические волны, прокатывающиеся через лимбическую систему и примитивные отделы мозга, кажутся беспричинными и вызывают чувство тревоги. Действительно, мы не можем осознать механизмы возникновения той или иной эмоции, так как они предшествуют сознанию как с эволюционной, так и с нейрофизиологической точки зрения. Самые разные эмоции и чувства — отчаяние, гнев, печаль, сексуальное желание, равнодушие — возникают не как ответ на объективные факторы реальности или на работу сознания, а как продукт биохимических реакций, в этот период лишенных привычной упорядоченности. Именно из-за того, что перепады настроения нередко намного опережают появление прочих признаков менопаузы, многие женщины не догадываются об их истинной причине и не могут воспринимать их как чисто биохимическое явление. Им кажется, что для столь резких смен душевного состояния нет никаких очевидных причин, и это пугает больше всего. Многие женщины признают, что понимание природы подобных симптомов и адекватное их восприятие как совершенно реальной, физической ответной реакции клеток мозга на колебания уровня женских гормонов, способны в корне изменить ситуацию. Такое осознание нисколько не снижает амплитуду эмоциональных скачков, однако изменения претерпевает субъективное отношение к ним; становится возможно взглянуть на них как на временное явление и избавиться от беспокойства за собственный рассудок.

Это самое существенное здесь, и все исследования однозначно подтверждают: *эмоциональные перепады не являются психическим отклонением* или его предшественниками. Долгие годы существовали гипотезы о связи менопаузы с широким спектром психических отклонений. Так вот, ни одна из них не подтвердилась. Менопауза никак не связана с депрессиями, тревожными состояниями и прочими психологическими нарушениями. Частота встречаемости депрессивных состояний у женщин в период менопаузы не отличается от той, что наблюдается в иные периоды жизни. Несмотря на интенсивность эмоциональных вспышек, они не оказывают никакого воздействия на общее эмоциональное здоровье.

Согласно результатам многочисленных научных исследований, в которых участвовали сотни тысяч женщин, основными симптомами менопаузы как таковой можно считать только четыре вышеназванных, а именно: «приливы», ночное потоотделение, сухость влагалища и перепады настроения. Так почему же менопаузу часто связывают с огромным количеством других проблем? Просто потому, что период менопаузы совпадает по времени с периодом активизации работающего против вас течения распада. На рубеже шестого десятка и мужчины, и женщины в равной степени подвергаются атаке депрессий, увеличения массы тела, умственной заторможенности, проблем со сном, болезней суставов, утомляемости и тревожности. Все эти проблемы возникают не в результате менопаузы; их истинная причина — С-6. Они вызваны распадом… и это хорошая новость, так как против менопаузы вы мало что способны сделать, а вот для борьбы с распадом существуют весьма действенные методы. Итак, подведем итог.

В период менопаузы не возрастает частота депрессий и иных психических отклонений. Связанные с менопаузой перепады настроения, несмотря на интенсивность, не могут быть причиной развития подобных болезненных состояний. Они не приводят к депрессии, и прекращаются «сами по себе». Депрессия у женщин (и мужчин) 40–60 лет отмечается не чаще и не реже, чем в любом другом возрасте.

Менопауза не приводит к увеличению массы тела. В нашей стране среднестатистический гражданин (любого пола) неуклонно толстеет, однако никакого резкого набора веса у женщин в период менопаузы не наблюдается. В этот период они просто продолжают не спеша, но неуклонно толстеть, как толстели до и будут толстеть после менопаузы, из-за малоподвижного образа жизни и обжорства. Да, скорость течения, воздействующего на некоторых людей, растет более стремительно, чем это бывает в среднем; и если такой человек не оказывает должного сопротивления, его вес за год может увеличиться на целых пятнадцать фунтов. Обычно это происходит именно в возрасте 40–60 лет, то есть в период, совпадающий у женщин с менопаузой. Однако никакой причинно-следственной связи между этими двумя событиями нет. Интенсивность процессов распада в этом возрасте может резко возрастать как в женском, так и в мужском организме. Снижение скорости метаболических процессов в тканях ведет к росту массы тела. Вряд ли вас радует такая перспектива, но с ней можно и нужно бороться. Всего-то и надо — заняться физкультурой и следить за тем, что и сколько вы едите. Если ждете от меня чего-то обнадеживающего, — пожалуйста, мне не жалко: да будет вам известно, что количество жировых отложений в организме женщины-спортсменки в период после менопаузы остается *точно таким же*, каким было в студенческие годы. Бороться с жиром гораздо проще, чем с морщинами.

Менопауза не приводит к ухудшению умственных способностей. Легкая забывчивость потихоньку нарастает у всех, вне зависимости от пола, но ни одно исследование не выявило заметного спада когнитивных функций у женщин в период менопаузы.

Приступы упадка сил или общего физического дискомфорта у женщин в период менопаузы могут возникать как одно из проявлений эмоциональной нестабильности, но менопауза никогда не становится причиной развития артрита или синдрома хронической усталости. Эти заболевания очень даже реальны, но их биохимической предпосылкой являются продукты реакций распада, а не резкое исчезновение эстрогена.

Лечение образом жизни

Фундаментом успешной борьбы с симптомами менопаузы остается физкультура. Исследования в этой области, данными которых мы располагаем, носят преимущественно обсервационный характер, но все же можно считать несомненно доказанным, что занятия аэробикой и силовыми тренировками способствуют смягчению эмоциональных скачков, понижению интенсивности и продолжительности приливов крови и приступов ночного потоотделения. Заниматься можно в любое время суток, хотя имеются данные в пользу того, что утренняя гимнастика оказывается чуть более действенна. Ничто так не помогает в борьбе с лишним весом, как интенсивные тренировки, способствующие наращиванию мышечной массы и повышению уровня основного метаболизма. А кроме того, физкультура — это лучшее средство профилактики остеопороза. (Однако никакие занятия не дают вам права забывать о кальциевых добавках: вы должны принимать в день по 1500 мг кальция в комплексе с 400 МЕ витамина D. Пейте по 500 мг утром и на ночь, а оставшиеся 500 — днем, по дороге в спортзал.)

Любые симптомы менопаузы могут облегчаться при рационе, богатом соей. Соевый белок помогает преодолеть даже сухость влагалища, вероятно, потому, что биохимически он отчасти сходен по структуре с эстрогеном. Известно, что японки, исторически потребляющие много соевых продуктов, практически не испытывают «приливов»; в японском языке даже нет аналогичного понятия. Если вы не любительница сои, попробуйте просто перейти на более легкую диету, богатую фруктами, овощами, цельными крупами и ненасыщенными жирами. Приливы и приступы ночного потоотделения провоцируются употреблением сахара, кофеина, алкоголя, шоколада, горячей и острой пищи, перееданием, стрессом и малой подвижностью. Факторы, запускающие менопаузальные симптомы, могут быть совершенно разными у разных женщин, так что вы вполне можете дополнить этот список чем-то своим. Чтобы отследить закономерности и причинно-следственные связи, характерные именно для вас, полезно в течение хотя бы месяца вести подробные записи, отмечая все детали вашего рациона, диету, нагрузки и проявления симптомов.

Субъективное восприятие имеет значение! Исследования показывают, что позитивный настрой снижает частоту симптомов. Женщины, которые встречают период менопаузы с оптимизмом, демонстрируют более высокие показатели удовлетворенности жизнью, и, по-видимому, легче справляются с ее симптомами. Также ряд исследований доказывает пользу четко структурированных психологических техник, таких как комплексы упражнений для медитации и релаксации. Некоторые женщины отмечают положительный эффект таких методик при занятиях в группе.

На сухость влагалища образ жизни (за исключением разве что соевой диеты) практически никак не влияет. Так что, если вы заметили дискомфорт во время секса, не откладывайте решения в долгий ящик и начните использовать искусственные смазки. Этого бывает достаточно для большинства женщин, хотя и здесь могут быть исключения. Если вы — как раз такой исключительный случай, посоветуйтесь с врачом: может быть, как раз вам, в отличие от всех остальных, действительно имеет смысл принимать гормональные препараты. Очень важно заняться решением проблемы как можно раньше, так как чем реже вы занимаетесь сексом, тем сильнее истончается и атрофируется слизистая влагалища, в результате получается замкнутый круг: вы испытываете боль, начинаете избегать сексуальных контактов, а если они все же происходят, боль становится еще сильнее, и так далее.

Таблетки, добавки и прочие лечебные средства

Если арсенала образа жизни для борьбы с симптомами менопаузы вам недостаточно, то, возможно, вам потребуются дополнительные медицинские методы воздействия. Эти методы, как правило, просты и эффективны. Многим помогает акупунктура; врач может прописать вам гормональные препараты, содержащие вместо эстрогена родственные ему соединения, или же растительные добавки. Важно понимать, что их также нужно считать гормональными средствами. От других гормональных препаратов они отличаются только исходным сырьем; биохимически же растительные аналоги эстрогена очень сходны с животными. Пока неизвестно, есть ли разница в побочных эффектах животных и растительных гормонов, так как глубоких исследований по этой теме не проводилось. Весьма вероятно, что происхождение заменителей эстрогена не имеет принципиального значения, так что, решаясь на прием любых гормональных средств, вы получаете облегчение неприятных симптомов в обмен на определенный риск.

По данным Инициативы во имя здоровья женщин, гормональная терапия незначительно увеличивает риск инвазивного рака груди, сердечных приступов, инсультов и тромбов в сосудах легких. Если сложить все вместе, то получим увеличение вероятности серьезных заболеваний на 0,3% за каждый год приема гормональных препаратов. Для полноты картины учтем, что гормон-заместительная терапия снижает риск перелома бедра и рака толстой кишки примерно на 0,1%. Пусть все эти вероятные события, как положительные, так и нежелательные, имеют для вас равную значимость, тогда в итоге мы получаем повышение риска серьезного заболевания на 0,2% с каждым годом приема гормонов. Это можно представить и по-другому: из каждой тысячи женщин, принимающих гормональные препараты, двое в год будут серьезно заболевать, а остальные 998 продолжат пребывать в добром здравии.

Исследования Инициативы также показали, что прием гормональных средств в низкой дозировке очень эффективен против *симптомов* менопаузы. Для женщин, серьезно страдающих от приливов, сухости влагалища, эмоциональных вспышек и ночного потоотделения, положительный эффект может перевешивать незначительный риск для здоровья. Но таких женщин меньшинство. Эксперимент WHI был остановлен на раннем этапе, как только стали очевидны возможные отрицательные последствия приема гормонов, и в тот момент он был прекращен для всех участниц исследования. Однако потом 25% из них вновь возобновили курс гормон-заместительной терапии, поскольку для них эффект лекарств был более значим, чем небольшой возникающий при этом риск для здоровья. Большинство из тех, кто принимает гормоны, делает это относительно недолго, не более пяти лет, и в дальнейшем без особых проблем переходят в постменопаузальный период. Однако небольшое количество женщин принимают решение не прекращать прием эстрогена, поскольку он обеспечивает им серьезное улучшение качества жизни, и лишаться обретенных преимуществ они не желают.

Выбор за вами

Как бы мы хотели объявить вам, что вы переживете менопаузу, так почти ничего и не заметив, — надо только заниматься физкультурой, правильно питаться и сохранять оптимистический настрой. Однако, увы, это не так. Очень многие женщины утверждают, что поддержание спортивной формы, правильное питание и эмоционально насыщенная жизнь оказали заметный положительный эффект на их состояние. Эти методы работают для *всех* женщин без исключения, но вот степень влияния их на самочувствие может варьировать. Для некоторых разница оказывается более чем очевидна. Я думаю, это уже повод для вас прислушаться к нашим советам. Однако *подлинная* причина, которая должна заставить вас пересмотреть свой взгляд на собственную жизнь, — не приход менопаузы с ее временными симптомами, а усиление в этот же период времени постоянного разрушительного течения, с которым вам теперь придется бороться до конца жизни. По каким-то биологическим причинам до наступления менопаузы процессы распада в женском организме идут медленнее, чем в мужском. Однако затем проблемы неожиданно начинают нарастать, как снежный ком: вас подстерегает потеря массы скелета, сердечно-сосудистые заболевания, злокачественные опухоли, артрит, хроническая усталость, ожирение, депрессия. Приятного мало, но сдаваться еще рано: главное — не забывать том, что все эти страшные вещи — всего лишь распад, а распад, как вам известно, необязателен.

В заключение могу сказать вот что: как бы легко или тяжело ни протекала у вас менопауза, это не более чем стадия жизненного пути. Точно так же, как подростковый период, студенческие годы или воспитание малышей, менопауза имеет свои временные рамки. Что бы вы ни делали, она в любом случае будет продолжаться несколько лет, а затем благополучно завершится. И тридцать лет возрождения, лежащие перед вами там, по ту сторону менопаузы, — это полноценный новый жизненный этап, ради которого стоит заняться физкультурой, пересмотреть свой рацион и постараться сохранить богатую личную жизнь.

ЧАСТЬ 2

Ваша жизнь – ваша ответственность

ГЛАВА 18

«А Тедди все равно!»

Когда я осенью 1940 года готовился впервые пойти в школу — кстати, в ту же самую, куда потом, лет через сто, пошел Гарри, — мой отец вместе с дядюшкой Беном (мужчины, обладавшие поистине феноменальной энергией и обаянием) начали активно настраивать меня на то, как я должен себя вести. Они страшно переживали и передали свой настрой мне. В первый же учебный день, в соответствии с их поучениями, я занял место в первом ряду. Еще я твердо усвоил, что нужно внимательно слушать все, что говорит учитель, и стараться быстрее всех отвечать на вопросы. Я старался. Я каждый месяц вел отчаянную борьбу с Диди Бетелль за первое место по правописанию, и иногда мне даже удавалось взять верх. Папа с дядей Беном были довольны.

Но был в нашем классе мальчик, который избрал совсем иную линию поведения. Звали его Тедди. Он сидел позади всех и не проявлял, кажется, никакого интереса к происходящему. Однажды, когда учительница в очередной раз безуспешно пыталась хоть чего-нибудь от него добиться, он ответил: «А мне все равно!»

Учительница сдалась. А я был в шоке. Вернувшись в тот день из школы, я никак не мог успокоиться, повторяя папе, дяде Бену и всем остальным: «А Тедди все равно!» Весь день, и на следующий: «А Тедди *все равно*!» Со временем эта фраза превратилась в нашу семейную шутку. Моя любимая сестра Пети до сих пор иногда повторяет ее, когда я пытаюсь убедить ее сделать что-то, чего ей не хочется. «А Тедди все равно!» — отвечает она, отрицательно мотая головой. После этого я перестаю спорить. Эти слова лишают меня воли к сопротивлению.

Теперь вы наверняка думаете, что в детстве я представлял собой подлинный *кошмар*. Так же, как и в старости. Совершенно верно. Но задумайтесь: быть *небезразличным*, быть заинтересованным в чем-то настолько, чтобы каждый день находить в себе силы заниматься этим, делать что-то новое или что-то старое, двигаться вперед, даже когда хочется остановиться и передохнуть, — все это дар Божий. Или дарвиновский. Или дневной школы «Шор-Кантри». Наша книга в первую очередь именно об этом. В жизни каждого неизбежно наступают такие моменты — темной дождливой ночью, когда не спится, или мрачным утром понедельника, когда хочется наплевать на себя и на весь мир, — когда крайне трудно противиться искушению сказать: «Перед кем я тут выпендриваюсь? Кого волнует, пойду я сегодня на тренировку или в кинотеатр обжираться попкорном — или возьмусь за тот проект, который так меня вдохновлял? Правда, ну кому какая разница?!»

Но я предпочитаю отвечать на этот вопрос: «Меня». В противном случае можете ставить на себе крест. Как раз этому мы посвятили несколько заключительных глав, а основная идея нашла отражение в «Шестом правиле Гарри». Оно, пожалуй, самое короткое из всех: *Не будьте безразличными.*

Этот совет выстреливает сразу тремя залпами. Во-первых, если вы хотите вступить в Последнюю Треть жизни с правильным настроением и в хорошей форме, то вам не может быть все равно, чем вы занимаетесь или как вы питаетесь. Само собой, это очень важно. Но в последних главах разговор наш свернет в несколько иную область, где «Шестое правило» также приобретает несколько иной оттенок. До сих пор речь у нас шла преимущественно о физиологии и о том, как сделать моложе собственное *тело*. Естественно, это фундамент для построения вашей будущей жизни. Но этим дело не ограничивается. И это не обязательно оказывается самым важным. Ваша физическая форма — своего рода колеса, однако они вряд ли завезут вас, куда надо, если вначале вы не встанете на нужную дорогу. Остальная часть книги посвящена тому, как вести себя на дороге. Раз уж вы взяли на себя ответственность за свой организм, то теперь должны подумать и об ответственности за собственную жизнь.

Айзек Динесен не все равно

Не все, но очень многие женщины обладают большим, чем мужчины, даром общения и сочувствия. Однако это еще не означает, что с этим даром обязательно будет связан дар обычной *заботы*. Между этими двумя склонностями есть определенное различие. Я имею в виду тех женщин, которые воспринимают менопаузу или выход на пенсию (свой или мужа) как оправдание прекращения борьбы. Выпустив детей в самостоятельный полет, они просто опускают руки, посылают все к черту и усаживаются с вязанием в кресло в ожидании конца.

Помните, я цитировал в первой главе Айзек Динесен? Если хотите, можете освежить ее слова в памяти. «Если женщина, — пишет она, — в том возрасте, когда ей уже не нужно быть женщиной, даст себе волю, она может стать самым влиятельным существом в мире». Чтобы хотя бы отчасти понять, кем же была мисс Динесен на самом деле, примите во внимание, что она яростно отстаивала эту идею до последних дней своей жизни, который был отмечен страшными мучениями (она была больна сифилисом, которым «наградил» ее муж) и болью. Однако она до самого конца продолжала писать и не теряла увлеченности и интереса к жизни. Послушайте, что писала она молодому человеку, с которым подружилась и путешествовала вместе, будучи уже немощной старухой: «Я никогда тебя не забуду; и заклинаю тебя тоже не забывать о тех сладких часах, которые мы пропитали своим соленым потом, сполна насладившись сочной мякотью плода жизни и приготовив из кожуры изысканный маринад».

Боже мой, «изысканный маринад» из кожуры! Да, дорогие мои, вот чего хотим мы от жизни. Вот что такое забота! Вот что такое Последняя Треть.

Подозреваю, что у большинства из нас нет никаких реальных оснований мечтать о величии, однако и унижаться тоже не имеет смысла. И очень важно для каждого приблизиться к величию — или некой его личной версии — настолько, насколько позволяют его индивидуальные способности и качества. Именно об этом мы должны задумываться в первую очередь. А забота — величайший дар в жизни. Основной двигатель и источник энергии.

Ну вот мы и внесли в наш разговор немного высоких материй. В жизни же понятие заботы, небезразличия сводится в основном не к каким-то высоким чувствам и словам, а к «простому» сочувствию и участию к другим людям, к общению и обязательствам. Вот вам и «Седьмое правило Гарри»: *Оставайтесь связанными с людьми.* Это означает — посвятить себя семье, друзьям, единомышленникам. Не отдаляйтесь от общества, занимайтесь чем-нибудь в группе — работайте или развлекайтесь в компании. У женщин к этому особенные склонности. Однако многие из нас — и мужчины, и женщины — становятся нелюдимыми, но поддаваться этой тенденции — огромная ошибка. Потому что, как выясняется, мы действительно созданы для того, чтобы интересоваться и заботиться друг о друге, и возраст здесь не имеет никакого значения.

Это свойство, общее для всех млекопитающих. Этому посвящена следующая глава Гарри, и, прочитав ее, вы поймете, как силен этот механизм. Если мы не будем тренировать свои социальные навыки, точно так же, как тренируем физические, если в пожилом возрасте мы перестанем друг с другом общаться, то нас ждут болезни и преждевременная смерть. Это подтверждается данными многочисленных строго научных исследований. Сама природа предписывает нам, как стайным животным, не быть безразличными к тем, кто нас окружает. Но и это еще не все. Необходимо идти дальше, и обязательно стремиться к чему-то, что выходит за рамки личной и стайной выгоды. Не исключено, что в этом как раз и состоит уникальность человека, позволяющая ему подняться на недоступный другим животным уровень. И значит, полноценная и гармоничная жизнь невозможна без таких «возвышенных» стремлений.

Мы с Гарри не будем углубляться в этот предмет, поскольку здесь все очень индивидуально. Очень часто выбор человека в этой ситуации определяется теми духовными и религиозными традициями, которым он следует в жизни, и в этой книге нет места для серьезного обсуждения этих материй. Скажем лишь, что тому, кто смог найти в своей душе источник подлинной самоотдачи и бескорыстной любви к ближнему, как правило, бывает легче преодолеть в жизни любые трудности. Увлеченность, заинтересованность, небезразличие на любом из уровней — одна из самых важных вещей в Последней Трети вашей жизни.

Обязанность капитана

А теперь предлагаю спуститься обратно на землю и узнать кое-что о том, как *практически* осуществить то, о чем говорилось выше. Один из наилучших способов поддерживать заинтересованность в собственной жизни — *наблюдать за ней.* И фиксировать все происходящее так, как будто вы ведете отчет о крайне важных событиях. Впрочем, это действительно так. Если вы хотите, чтобы ваша жизнь была прекрасной и полноценной, чтобы она не была безразлична вам и тем, кто вас окружает, она должна быть *обдуманной.* То есть вы должны вести записи. Звучит банально, однако приносит вполне ощутимую пользу. Проще всего посмотреть с утра на дождь за окном, уподобиться Тедди («А мне все равно!») и лечь обратно в постель. Но если вы знаете, что вас ожидает неизбежное признание и анализ собственных слабостей, то вам будет легче заставить себя встать и заняться делом.

Поэтому я советую вам завести что-то вроде дневника или «вахтенного журнала», куда вы каждый день будете записывать три вещи: 1) что вы ели; 2) что вы делали (или не делали) на тренировке; 3) что вы совершили для жизни — в любом смысле (сексуальном, социальном, духовном...). Принимая постоянно на протяжении дня решения о том, что делать и чего не делать, вы очень поможете себе сделать правильный выбор, если будете знать, что «все будет записано» и «все станет известно». Ваши записи станут своего рода амулетом, гарантией того, что *кому-то не все равно*. По меньшей мере вам самой.

Ведение (причем аккуратное) вахтенного журнала на корабле с давних пор было священной обязанностью капитана или его помощников. Тот, кого уличали в намеренной порче или подделке журнала, подвергался очень серьезному наказанию; как минимум, его отстраняли от командования. Вот вам и простое правило: если вы не будете вести точных записей, вы потеряете командную должность. В своей собственной жизни.

Впервые рассказал мне о пользе такого журнала мой личный консультант по питанию Стивен Галло. Он предложил мне разумный режим и научил множеству полезных тонкостей. Но самой первой тонкостью было то, что я не был ему безразличен. А самой главной — что он научил меня не быть безразличным. И придумал, что я должен вести дневник.

Каждый день я подробно записывал, что я ел и пил, и посылал этот список Стивену по факсу. Раз в неделю я приходил к нему в кабинет, и он хвалил или ругал меня. Когда наши встречи закончились, я продолжил вести записи и теперь сам решал, достоин ли я похвалы. Я, как и любой взрослый человек, прекрасно знаю, что есть можно, а что — нельзя. Но одно это знание ничего не меняет. Главное — научить самого себя не быть безразличным. Награда за поддержание формы — постоянная бодрость, а самый превосходный стимул не отлынивать — ведение записей. Это в такой же мере помогает и во всем, что касается вашего общения. Ваш дневник не даст вам быть безразличным к окружающим. Он станет для вас опорой в минуту слабости; щитом, заслоняющим от тоски, если выпадет трудный день; мечом, символизирующим решимость, если вы почувствуете неуверенность или искушение. Это многофункциональный и поистине волшебный предмет, который не даст вам прислушаться к голосу, непрестанно нашептывающему вам: «А мне все равно!» Я пару раз терял свой дневник, и, *честное слово*, тут же начинался сущий ад. Я понял на собственном опыте, что между отсутствием дневника и наступлением ада имеется прямая зависимость. Так что теперь я повсюду таскаю его с собой. И храню, как религиозную святыню.

Но даже если вы решите не заводить дневник, помните: главное в жизни — не быть безразличным. Как снаружи, так и глубоко в душе. Кстати, Тедди умер молодым. Ему было все равно.

ГЛАВА 19

Лимбическая система и биология эмоций

До этого момента мы говорили о нашем теле и о том, как в последующие годы становиться моложе физически. Теперь нам хотелось бы обсудить интеллектуальную и эмоциональную стороны жизни, потому что нередко оказывается, что решения, которые мы принимаем в этой сфере, оказывают не меньшее влияние на физиологию, чем то, что мы делаем в сфере чисто физической. В частности, поддержание эмоциональных межличностных связей оказывается очень полезным для физиологического здоровья и качества жизни в целом; хотя в нашем обществе для пожилого человека это часто бывает нелегко.

Благодаря определенному сочетанию наследственности и воспитания женщинам нередко лучше, чем мужчинам, удается создавать и сохранять связи с другими людьми; но с возрастом любому человеку, вне зависимости от пола, требуется много усилий на то, чтобы в полной мере поддерживать эти связи. Однако они невероятно важны, и это возвращает нас к основополагающим моментам нашей человеческой биологии — биологии взаимоотношений и любви.

Человек развивался как стайное животное вроде волков или дельфинов. Мы не делаем этот выбор сознательно; наше выживание зависит от группы. Если вы отправитесь в амазонские джунгли, вы не встретите там одинокого человека: местные народы живут племенами. В природе человек не может быть одиноким, потому что в таком случае его ждет неминуемая гибель. Мы — млекопитающие, и это само по себе подразумевает то, что мы — эмоциональные существа.

«И что с того? — можете спросить вы. — Чем так исключительны млекопитающие?» Знаете, сто миллионов лет назад мы были мелкими мохнатыми грызунами, которые беспокоились лишь о том, как бы не быть раздавленными динозаврами, и с трудом удерживались в своей экологической нише. Наша особенность, позволившая нам в конце концов добиться успеха, — это развитие второго головного мозга.

Помните о примитивном, так называемом «рептильном» мозге? Том самом, который так замечательно управляет нашей физиологией и с готовностью откликается на любые потребности нашего физического тела? Так вот, помимо этой замечательной системы, млекопитающие в ходе эволюции получили к ней своего рода надстройку. Этот второй мозг можно назвать эмоциональным, но по-научному он называется лимбической системой. Ощутите вкус этого термина. Вы наверняка начнете все чаще и чаще употреблять его в своей речи после того, как дочитаете эту книгу. Крис теперь то и дело вставляет его в разговор и безмерно этому радуется. Лимбическая система — совершенно реально существующий «кусок» головного мозга, управляющий нашими эмоциями, и во многих смыслах — самый важный кусок. Его можно отделить от других отделов и взять в руки. Работу этого мозга можно увидеть на экране магнитно-резонансного томографа. Можно проследить его развитие на протяжении ста миллионов лет. Сложные эмоции, полученные млекопитающими с развитием этого мозга, дали им возможность выжить и процветать, и не повторить судьбу динозавров. Мы — социальные и эмоциональные существа от начала до конца.

Страх и гнев, любовь и игра

Наши наиболее примитивные негативные эмоции развились еще у рептилий. Так что именно телесный, рептильный мозг содержит в себе центры, контролирующие страх и агрессию — самые древние и примитивные эмоции. Убийство добычи, защита своей территории, реакция борьбы или бегства, сексуальное преследование и безжалостное отстаивание собственных интересов — это реакции, доставшиеся нам в наследство от самых дальних предков. Примитивные негативные эмоции развились еще у пресмыкающихся. Мозг крокодила захлестывает волна адреналина, эндорфинов, серотонина и множества других веществ, когда он видит, как добыча погружается в воду. Все эти вещества сохраняются у нас и сегодня. Это наша автоматическая, биохимическая реакция на окружающую среду, на угрозу или возможность добыть пищу, и она продолжает осуществляться примитивными отделами мозга.

Исключительное достижение, абсолютный триумф млекопитающих был обеспечен тем, что мы, получив ту же самую биохимию, те же самые нервные пути и связи, преобразовали их так, что нам стали доступны положительные эмоции. В мозгу рептилий существует лишь отрицательное подкрепление. Только у млекопитающих возникает любовь, радость, удовольствие и игра, и все это закреплено в нашей ДНК, в биохимических и нервных цепях лимбической системы.

Но рептилиям вполне хватает агрессивности и страха. Зачем же идти дальше? Каков биологический смысл любви и дружбы, таких чувств, как счастье, грусть, оптимизм или энтузиазм? Зачем вкладывать лишние резервы в построение совершенно нового уровня мозговых структур? Ответ — чтобы растить потомство и действовать сообща ради выживания всей стаи.

Природа обеспечила наших пресмыкающихся предков возможностями для *индивидуального* выживания. Помимо сексуального влечения, рептилии лишены каких-либо родственных чувств. Подавляющее большинство пресмыкающихся способны с удовольствием пожрать собственное потомство, поэтому, после того как они откладывают яйца, инстинкт предписывает им убираться куда подальше, прежде чем из них вылупятся детеныши. Не забывайте о том, что эти инстинкты сохраняются и у нас. Наш примитивный мозг контролирует большинство наиболее примитивных функций, при необходимости заставляя нас отчаянно бороться за собственное выживание. Но он не дает нам возможности беспокоиться о потомстве или способности чувствовать чужие эмоции.

Лимбическая система обеспечивает нам два основных преимущества по сравнению с пресмыкающимися. Это любовь к детенышам и групповая деятельность. Самый первый и наиболее властный дар лимбической системы — это каскад эмоциональных реакций, который запускается при виде и звуках нашего собственного потомства. Мощная биология родительской любви преодолевает более глубинные эгоистические инстинкты — поэтому мы не едим детенышей. Со временем инструментарий, предоставленный лимбической системой, позволил млекопитающим построить и систему положительного подкрепления для разделения пищи, тепла, убежища, информации и родственных отношений в группе.

Родственные связи и групповое существование

Млекопитающие выжили благодаря тому, что научились в гораздо большей степени по сравнению с ящерицами вкладывать ресурсы в сохранение потомства. Всем нам известно, что не стоит становиться между медведицей и ее отпрысками. Но никому не придет в голову, что может быть опасно становиться между черепахой и ее яйцами.

На вынашивание потомства у живородящих существ уходит гораздо больше энергии, чем у тех, кто откладывает яйца, а на последующее воспитание и защиту молодняка сил требуется еще больше. Мелкие, нехищные млекопитающие, например мыши, сравнительно мало заботятся о своем потомстве. Они плодятся обильно и часто, в расчете на гибель определенной доли каждого помета. В них генетически заложена возможность выживания скорей за счет численности, чем за счет родительской опеки.

Хищники, такие как медведи или человек, приносят гораздо менее обильный приплод и тратят длительное время на заботу о нем до того, как молодняк приобретает независимость и возможность защитить себя самостоятельно. Вследствие этого между родителями и детьми развивается прочнейшая эмоциональная связь. Потеря ребенка для родителя-хищника — серьезный генетический удар, и лимбическая система порождает в нас соответствующие эмоции. Здесь наш мозг млекопитающего, его лимбическая система, берет верх над мозгом рептильным, над его эгоистическими инстинктами, преобразуя их в любовь, привязанность и социальные взаимодействия.

Необходимо уяснить один критически важный момент. Наша лимбическая система физиологически глубоко связана с телесным мозгом и контролируется им, однако это лишь частичный контроль. У нее существует сеть собственных мелких контрольных центров, каждый из которых несет ответственность за определенный узкий набор эмоций, но все они связаны друг с другом и постоянно обмениваются информацией. Поэтому выходит, что наши эмоции и настроение в самом прямом смысле влияют на биохимические процессы в организме.

Вспомните, как вы физиологически реагируете на тревожную ситуацию. Именно лимбическая система разрешает вступать в игру адреналину, выброшенному в кровь под воздействием рептильного мозга. Представьте, что вы скачете на плохо объезженной лошади. Даже если всадник опытен и хорошо контролирует ситуацию, лошадь все равно остается более крупным и сильным животным. Если же всадник не слишком умел или если лошадь понесет, он с легкостью может упасть на землю, и лошадь поскачет дальше без него. Эта ситуация может служить аналогией взаимоотношений разных уровней мозга. Если вы хорошо контролируете свои эмоции, лимбическая система превращается в опытного всадника, но лошадь все равно выигрывает в весе, так что контроль никогда не может быть таким полным, как вам хочется думать. В практических понятиях это означает, что, если вы не приведете эмоциональную структуру вашей жизни в должную форму, вам придется платить за это очень высокую физиологическую цену.

Полезный совет по поводу сна

С возрастом человеку начинает требоваться несколько меньше времени для сна, однако этот сон становится более важен. Хитрость нашей физиологии в том, что с возрастом более часто возникают нарушения сна, а значит, вам нужно больше работать над его качеством. Мой совет крайне прост, но тем не менее важен: ложитесь примерно на час раньше обычного времени в совершенно темной комнате. Пройдет месяц, и вы сами увидите, какое влияние на вашу жизнь это окажет. Вам гарантировано пробуждение среди ночи и в целом плохой сон, если вы будете принимать на ночь алкоголь, а также кофеинсодержащие напитки в послеобеденное время. Наконец, если вам все равно не удается хорошо выспаться ночью, старайтесь немного поспать после обеда.

К счастью для нас, хотя лимбическая система несет ответственность и за позитивное, и за негативное подкрепление, лучше она все же реагирует на биохимию удовольствия. Нам нравится быть связанными с собственным потомством и быть частью группы в процессе какой-либо деятельности. В естественных природных условиях в группе имеется возможность более спокойно пастись, одновременно контролируя окружающую обстановку, более эффективно охотиться и разделять на всех заботы об общем потомстве. В группе оказывается проще и спать: а этот вид деятельности крайне важен, ведь на него тратится треть нашей жизни. Млекопитающие могут спать ночью и дремать днем, благодаря тому что лимбические системы всех членов группы синхронизированы между собой. Как минимум один из стада обязательно спит некрепко и обязательно разбудит остальных при возникновении какой-либо угрозы. У рептилий нет такой синхронизации, и поэтому во сне они не могут положиться на других членов стада. Значит, они никогда не могут по-настоящему расслабиться, не могут испытывать уверенность, что их безопасность будет обеспечена кем-то, пока они отдыхают.

Сон еще во многом не изучен, однако ясно, что одна из его главных функций — обеспечение постоянного восстановления организма за счет периодов пониженного метаболизма, что особенно важно для нас потому, что мы — теплокровные существа. Теплокровность дает нам возможность в любой момент функционировать на максимуме возможностей. Мы можем охотиться в любое время суток, ночью или при утреннем морозце, так как температура наших мышц постоянна, однако это тоже не проходит нам даром. Автогонщики ставят на свои «болиды» моторы стоимостью 75 000 долларов и при этом вынуждены менять их перед каждой новой трассой. В нашем организме все почти так же. При высоком уровне собранности и напряженности в крови наблюдается стабильно высокая концентрация гормонов стресса — адреналина и кортизола. Они позволяют нам выжимать максимальную скорость в критической ситуации, но тоже не задаром. Организму необходимо восстанавливаться, а это возможно только в покое. В свою очередь, адреналин и кортизол не дают нам рассеивать энергию и тратить ее на восстановление, если нам нужен максимум ресурсов для спасения собственной жизни.

При отсутствии внешней угрозы для расслабления в действие вступают иные химические агенты — серотонин и эндорфины (родственники морфина и снотворных средств типа «Валиума»). Они сигнализируют о том, что пора глушить мотор и заменять его на новый, заново настраивать коробку передач и готовиться к завтрашней новой гонке. Этот баланс между высокой активностью и спокойным восстановлением поддерживается на протяжении всего дня, но основные восстановительные процессы идут во время сна.

Оборотная сторона теплокровности — необходимость поддерживать постоянную температуру тела, что оказывается нелегко при неблагоприятных погодных условиях. Самый простой способ сохранить тепло в группе — сбиться в кучку. Получается, что млекопитающим необходим контакт с себе подобными в самом прямом физическом смысле. К тому же близость себе подобных стимулирует выброс серотонина, а это, в свою очередь, дает нам положительный эмоциональный фон. Млекопитающие ищут этого удовольствия и стремятся к контакту. Собравшись вместе, чувствуя тепло друг друга, они чувствуют удобство и безопасность, в мозге происходит повышение синтеза серотонина, а он блокирует выделение адреналина и кортизола. Это сигнализирует о том, что охота завершена и пора отдыхать. Организм получает сообщение о том, что пора восстанавливаться после напряженного дня. Вся эта система досталась нам в наследство от тех времен, когда возможность быть съеденным или умереть от голода была отнюдь не абстракцией, а суровой реальностью. Поэтому точный баланс между состояниями страха, настороженности с одной стороны, и спокойствия, расслабления и восстановления сил — с другой, был крайне важен. Развитие эмоций дало нам возможность осуществлять все это не в одиночку, а коллективно, что обеспечило новые преимущества в конкурентной борьбе.

Но под поверхностью коллективного существования продолжает существовать древнее наследство — реакции примитивного телесного мозга. Лично *вы* все равно должны заботиться о собственном выживании, чтобы получить возможность к воспроизводству. Поэтому две части нашего мозга — лимбическая и рептильная — были вынуждены научиться существовать и функционировать совместно, создавая определенное равновесие между общественным и личным. Это равновесие между примитивными эмоциями страха и агрессии и новыми эмоциями любви, радости, удовольствия и игры. В группе существует атмосфера постоянного положительного подкрепления; лишаясь этого, попадая в изоляцию, мы позволяем негативной биохимии рептильного мозга одержать верх. Именно поэтому игра оказывается настолько важным эволюционным приобретением млекопитающих. Играя, мы получаем сигнал о том, что остаемся частью здорового коллектива. Лимбическая система заставляет нас искать компании ради собственной выгоды. Нам необходимо быть связанными с себе подобными и разделять с ними общие интересы. Любить и быть любимыми.

Ничто в природе не делается зря, и ее работа никогда не прекращается, так что дадим лимбической системе еще сотню миллионов лет и посмотрим, что из этого выйдет.

Сказочник

Когда-то давным-давно к вашему племени, собравшемуся у мерцающего костра, присоединился бродячий сказочник. Он был одет в лохмотья, но под ними угадывалось крепкое тело. Ночь была ясная и холодная, звезды казались крошечными проколами в темном занавесе над головой. За пределами круга света, отбрасываемого костром, мир был полностью погружен во тьму. Мужчины и женщины сидели, сбившись в тесный круг, дети прижались к их коленям. Сказочник начал свой рассказ. Вначале он говорил так тихо, что приходилось наклоняться ближе, чтобы расслышать его. Это была легенда о любви мужчины и женщины, о предательстве, войне и одиночестве. Пока он говорил, он медленно и настойчиво обводил глазами круг собравшихся. Его глаза встретились с вашими, и вы почувствовали почти физический шок от контакта. Все глубже и глубже вглядываясь в его глаза, вы чувствовали, как его слова увлекают вас, и сказка превратилась в вашу собственную жизнь. Вы влюблялись. Вы переживали гнев и отчаяние. Вы потеряли себя в глубочайшей связи со сказочником, придуманные герои его истории заставляли вас плакать.

Так что же произошло тогда у огня? Почему мы способны прочувствовать такую глубокую связь с другими людьми? Как может человек, сидящий рядом с вами у костра — или за столом, — настолько сильно подействовать на ваши эмоции, заставить вас испытывать страсть или гнев, смеяться или плакать? Такое наверняка с вами случалось. Мы знаем, что друзья, родные, просто рассказчики, музыканты или актеры — и зрители тоже — способны воздействовать на наше настроение и эмоции. Как это происходит?

Объяснение в конечном итоге оказывается очень простым и вполне физиологическим. Все это происходит благодаря лимбической системе. Из-за нее мы не можем быть эмоционально изолированы. Говоря совсем просто, *мы дополняем друг друга.* Причем и в плохом, и в хорошем смысле, но в любом случае мы не можем существовать в одиночку. Эта часть жизни настолько волшебна, что заглядывать за ширму кажется почти святотатственным. Но на самом деле биология не более волшебна, чем научный эксперимент, и столь же проста и понятна; а это понимание имеет критическое значение для всей вашей последующей жизни.

Лимбическая система получает информацию из окружающего мира и создает на ее основе эмоции. При каждой встрече с другим человеком мы улавливаем сотни разнообразных сигналов: язык жестов и позы, тон голоса, мимику, которая может исказить смысл любой фразы, взгляды, сами по себе представляющие целый мир. С нейрологической точки зрения человек — очень «зрительное» существо. Зрительные центры нашего головного мозга развиты крайне сильно, несмотря на то что острота нашего зрения весьма посредственна по меркам животного мира. Зачем же нужны такие развитые структуры, если обрабатывать приходится довольно слабые сигналы? И что мы вообще видим, когда смотрим вокруг?

Оказывается, если мы смотрим на деревья, на скалы или даже на добычу на охоте, мы не задействуем значительные ресурсы. Больше всего нервных цепей включается именно тогда, когда мы смотрим на других людей. Особенно на их лица. Стандартная визуальная информация, например, на какой высоте находится дверная ручка или с какой скоростью летит мяч при подаче, отправляется в немногочисленные и относительно узкие участки мозга. Однако, если вы смотрите на другого человека, а особенно на его лицо, широкие области мозга включаются в процесс обработки информации. Это можно увидеть на экране томографа. Это похоже на одновременное включение мощной иллюминации в ночное время — при сканировании мгновенно «освещаются» обширные зоны коры больших полушарий, причем совершенно иные, чем те, что работают при наблюдении за окружающим пейзажем.

Увы, но этого не происходит у аутичных детей, а также (хотя и в меньшей степени) у детей и взрослых, подвергавшихся тяжелым унижениям, терпящих отсутствие нормального общения или находящихся в состоянии тяжелой депрессии. Лица людей, даже близких, регистрируются их мозгом в стандартной зрительной зоне — в наиболее критических случаях лимбическая составляющая оказывается не больше, чем при взгляде на дорожный знак.

Мы в первую очередь визуальные существа, но эта информация дополняется также довольно мощным потоком звуков, прикосновений, запахов и температурных ощущений, сигналов от мириадов сенсоров, как внешних, так и внутренних, которые наводняют лимбическую систему сведениями о том, что происходит вне и внутри нас. Каждый сигнал получает от лимбической системы крошечный химический ярлычок, единичную эмоцию. Пока не найдено *ни одного* сигнала, который не получал бы специфической эмоциональной окраски.

И как же мозг может осмыслить весь этот огромный бушующий океан информации? Решение оказывается гениально простым. Мозг составляет карты. Причем картируется абсолютно все, тысячи карт составляются каждую секунду. Физиологические, социальные и интеллектуальные карты направляются внутрь, эмоциональные — наружу. Вы управляете собственным миром и собственной жизнью при помощи таких эмоциональных карт.

Сенсорные карты поставляются «снизу», из вашего физического мозга. Это карты температуры окружающей среды, легких прикосновений, зрительной информации, слуховой информации, концентрации солей в крови, положения и степени сокращения мышц, функционирования кишечника, наполнения мочевого пузыря, выделения слюны — и еще тысячи и тысячи прочих, отражающих отдельные физиологические функции и явления.

А от мыслящего, социального мозга вниз спускаются тысячи *социальных* карт. Эти карты — продукт того отдела центральной нервной системы, который отвечает за наши чисто человеческие особенности. Каково ваше место в стае, кто обеспечивает вам пропитание и защиту, кому можно доверять, а кому нельзя, кому вы нравитесь, кто нравится вам, что чувствуют остальные члены группы, а также что они думают и что делают... Постоянно, каждую секунду, идут сотни разнообразных социальных расчетов.

Каждая такая карта, и физиологическая, и социальная, также приобретает свой химический, иначе говоря — эмоциональный, ярлык. Каждая карта привносит в общую биохимию лимбической системы свой небольшой химический оттенок, добавляя по каплям серотонин, эндорфин или адреналин: то есть крупицы разнообразных эмоциональных состояний — расслабления, гнева, тревоги, любви, восторга, страха или оптимизма. Часть вашей карты в настоящий момент имеет отношение к прочтению этой страницы, но это лишь небольшая часть. Где вы сейчас — в уютном кресле или в пригородном поезде? Вы занимались зарядкой сегодня утром или вчера засиделись допоздна? Вы получили вчера повышение по службе или вас выгнали с работы? Вам не жмет ремень? Вам не хочется в туалет? Чувствуете ли вы ветерок, обдувающий вам лоб? Если вы ненадолго задумаетесь обо всем потоке эмоций, которые составляют в данный момент ваше настроение, а потом еще осознаете, что существует огромный массив данных, которые даже не получают сознательной обработки (например, данные о составе плазмы крови), вы сможете получить некоторое представление о том, что значит для вас ваша лимбическая система. Эмоциональный коктейль данного конкретного момента вашей жизни, когда вы читаете эту книгу, составлен из всех отдельных карт, создающихся в вашем мозгу в связи с этим конкретным опытом, и образует единую, сложнейшую и мастерски исполненную картину. Причем через несколько секунд или через несколько минут она обязательно изменится хотя бы слегка, потому что неизбежно изменится хоть что-то в вашем сложнейшем внутреннем и внешнем мире; ваш мозг составит тысячи новых, дополнительных карт, которые вольются в общий коктейль и изменят ваше настроение.

Большая часть базовых поведенческих реакций человека (не все, но очень важная их часть) представляет собой продукт обширных автоматически происходящих нейробиохимических цепных реакций, и наоборот. В ответ на поведенческие реакции также запускаются автоматические нейробиохимические процессы, которые тонко настраиваются опытом и генетикой, однако остаются мощными и непобедимыми.

Танец жизни

Остался один последний шаг: современная жизнь. Давайте пропустим сто миллионов лет медленной эволюции мозга млекопитающих и перейдем сразу к нам с вами. Примерно два миллиона лет назад мы начали постепенно отдаляться от природы и обгонять эволюцию. Наш головной мозг внезапно стал втрое больше. Создав совершенно новую, мыслящую, анализирующую, социальную, лингвистическую структуру — неокортекс, *мыслящий* мозг. Физический мозг общается на языке ощущений и движений; *эмоцио-*

нальный — на языке чувств и настроений. *Мыслящий* мозг, наше сознание, использует язык… *языка*.

Неожиданно, в дополнение к составленным нашим собственным мозгом картам окружающей среды, нам стали доступны и карты других людей. На самых ранних этапах человеческой коммуникации приоритет получили групповые виды деятельности — охота, собирательство, обмен знаниями и обучение. Быть частью стаи было хорошо, но стать частью племени, имея возможность общаться по-настоящему, оказалось просто превосходно: научившись общаться, человек стал иметь больше пищи, эффективнее охотиться, изобрел орудия труда, одежду, строительство и совместное воспитание детей. За два миллиона лет человечество распространилось по всем климатическим зонам. Этот эволюционный прорыв был обеспечен появлением языка и противопоставления большого пальца, но он смог произойти лишь потому, что мы уже знали, как любить и как принадлежать друг другу. Конечно, очень скоро человек научился обманывать, красть, строить коварные планы, но не эти темные стороны были первичной движущей силой. На первом месте всегда стояла взаимопомощь, любовь и забота о ближнем.

Теперь, обретя все три важнейшие части мозга, мы смогли вырваться из круга эволюции и вступить в ту жизнь, которую имеем сейчас. Мы получили свободу мысли и действия. Наконец-то, как может вам показаться, получили возможность вести исключительно рассудочное существование. Однако это не совсем так, поскольку ничего в природе не пропадает понапрасну. Не забывайте о том, что основополагающие биологические структуры не изменились. Мы просто узнали, как можно по-новому регулировать и использовать потоки поступающей информации. Сознание получило контроль над более древними отделами мозга, однако они сохранили ответственность за значительную часть наших действий и нашей сущности.

Мы одновременно низшие животные, млекопитающие и люди. И три части нашего мозга теснейшим образом переплетены между собой. Для лимбической системы это означает, что сознательные мысли и действия поставляют ей огромное количество новой информации. Мысли и эмоции — словно партнеры в вечном танце жизни, танце, который невозможно исполнять в одиночку. В этом танце ведет то один, то другой, однако исследования показывают, что все же, как правило, лидерство остается за эмоциями. А наш интеллект (которому мы обычно так слепо доверяем) частенько оказывается в положении ведомого. Может быть, все и «должно» быть наоборот, но пока мы имеем то, что имеем.

На уровне нервной системы эмоции в прямом смысле предшествуют мыслям. Поэтому положительные эмоции обычно служат причиной позитивных мыслей. А так как этот танец бесконечен, то позитивное мышление замыкается через лимбическую систему обратно на положительные эмоции. Та же самая «петля» работает и в случае негативных чувств и мыслей. Исследования показывают, что мы обладаем удивительной способностью создавать с помощью мыслей и чувств внутри себя более счастливое или более подавленное состояние вне зависимости от внешней реальности. Следовательно, *что бы ни происходило вокруг вас*, вы можете научиться жить с оптимистическим или пессимистическим настроем. Спустя шесть месяцев после выигрыша в лотерею большинство людей возвращаются к обычному или даже более низкому состоянию духа. А спустя шесть месяцев после травмы позвоночника большинство пациентов оценивают качество своей жизни выше среднего. Когнитивная поведенческая терапия — обучение более позитивному образу мышления — оказывается в лечении депрессивных состояний не менее действенной, чем фармакологические средства, при этом с меньшим процентом рецидивов. Это не совсем то, о чем писал Дейл Карнеги, однако близко к этому. То, что вы делаете и как вы это воспринимаете, очень сильно влияет на течение жизни, поэтому испытывать *положительные эмоции* очень важно. Могу вас обрадовать — вы можете управлять ими, создавая в своей жизни позитивную среду *сознательно*. Вы можете осознанно отгонять прочь современные версии львов и тигров — стрессы, одиночество и бессмысленное беспокойство о собственном статусе. Можете стремиться к полезным стимулам: физкультуре, здоровому сну, разумному питанию, любви и *игре*. Счастье в первую очередь зависит от взаимоотношений, от обмена любовью и дружбой, эта работа сложна, но приносит глубочайшее удовлетворение. Иными словами, чтобы дать толчок положительным эмоциям и не позволить себе разочароваться в жизни, вы должны общаться и интересоваться.

Танцы с незнакомцами

Принимая во внимание важность лимбической системы, нет ничего удивительного в том, что вы были так глубоко тронуты, когда взглянули в глаза странника у костра, услышали его слова, звучание его голоса. Но этот первый прием информации лимбической системой, тот шок, что вы испытали, взглянув незнакомцу в глаза, был только началом лимбического танца. То, что произошло потом, еще более примечательно.

Ваша реакция сразу же нашла свой путь к лимбической системе сказочника. С помощью зрения его мозг смог распознать все оттенки ваших эмоций, отразившиеся на вашем лице. Небольшое расширение зрачков с повышением уровня адреналина, смена позы, выражающая внимание, мельчайшие движения мимических мышц — все это тут же было проанализировано его лимбической системой. Он воспринимал подобные сигналы не только от вас, но и от всех членов племени, и каждый из этих сигналов заставлял слегка меняться его самого. Не забывайте о химической основе всего происходящего. Он не контролировал изменений собственной биохимии сознательно, но они имели место. Члены племени настраивались на его рассказ эмоционально, а он, в ответ, подстраивался под вас так, чтобы добиться еще более глубокой связи своих и ваших эмоций. Между всеми сидящими у костра образовался магический эмоциональный и биохимический круг. И у этого круга есть свое вполне научное название: лимбический резонанс.

Этот термин стоит запомнить. И саму идею, им обозначаемую, тоже, потому что этот замечательный процесс происходит вовсе не по каким-то исключительным случаям. Он идет постоянно, если вы общаетесь с другими людьми. Экспериментальной психологии уже достаточно давно известно, что настроение передается от одного человека к другому. Есть люди, которые поднимают нам настроение одним своим видом; теперь вы можете понять, почему так происходит. Вы всегда подстраиваетесь под окружающих и бессознательно заставляете их подстраиваться под себя, взаимно воздействуя на эмоции друг друга. И весь этот изумительный процесс воспринимается человеком как нечто положительное. Наша бессознательная реакция на него такова, что мы фактически не в состоянии без него обходиться. В отсутствие общения мы увядаем и погибаем. Так что ни в коем случае нельзя недооценивать эмоциональную сторону жизни. Сохраняйте связь с людьми и будьте молоды.

Общепризнано, что для женщин свойственно более эмоциональное отношение к жизни. Только вспомните обо всех книгах, телешоу и прочих культурных стереотипах, указывающих на это, не говоря уже о том, что мы знаем из собственного жизненного опыта. Так что нет ничего удивительного в том, что этот факт оказывается научно доказанным. Сотни исследований подтверждают, что женщины гораздо лучше, чем мужчины, могут создавать и поддерживать лимбический резонанс. Именно женщины обеспечивают сохранение семейных связей, им лучше удается завязывать долговременные отношения с людьми в самых разных сферах жизни. У каждой женщины обязательно есть подруги по школе и колледжу, по работе, по детской площадке, по уличному комитету, по добровольному оществу, по проведенному вместе отпуску и т. д. и т. п. Да, часть из этих связей со временем рвется — это естественный процесс перемен и движения вперед. Возникают новые связи, однако часть старых может сохраняться на всю жизнь.

Но я хотел бы сделать небольшое предупреждение. Женщины настолько привыкают к наполнению собственной жизни на 110 процентов подобными связями и обязательствами, которые они несут с собой, что на определенном уровне подразумевают, что так будет продолжаться всегда. Постоянно высокая степень вовлеченности в социальный контакт на уровне семьи, друзей, работы оставляет так мало времени для себя, что трудно понять, что может наступить такое время, когда нужно будет опасаться резкого падения этой вовлеченности.

Однако эта опасность вполне реальна, потому что мы можем пережить большинство наших связей. В нашем обществе стремительно растет доля женщин старше восьмидесяти лет, но сам *факт* такого долгожительства еще не устоялся в нашем сознании. Мы не рассчитываем на это, поэтому изоляция часто одерживает верх. А если это происходит, против нас все сильнее и сильнее работает течение. В эмоциональной сфере, точно так же, как и в физической, мы должны делать ежедневный выбор: рост или распад. Общение или жизнь. Рост и распад в социальном понимании — скорее культурное понятие, однако его влияние на наше тело и мозг вполне реально, и не исключено, что смертельно.

Ущерб, наносимый изоляцией, порой непросто заметить в процессе, потому что он постепенен. Это все равно что смотреть на старый сарай, на стенах которого постепенно тускнеет и облезает краска. Дети вырастают, карьера сходит на нет или меняется, друзья переезжают, мужья заболевают или умирают. Все это — настоящая опасность, упорное течение, разрушающее наши лимбические связи. Если вы не будете постоянно обновлять их, вы рискуете быть утянутыми далеко в море прежде, чем успеете что-то сообразить. И не надо думать, что с вами такого произойти не может. Социологические исследования показывают, что 60% пожилых американских женщин живут одни. Те из них, кто не запирается в четырех стенах и продолжают вести активную общественную жизнь, поддерживая контакты с соседями, друзьями, родственниками, живут неплохо; прочие поддаются распаду. Разговоры по телефону слегка улучшают ситуацию, но этого недостаточно. Мы предназначены для *настоящего* общения, для визуального и тактильного контакта, мы должны *действовать сообща*. Мы должны работать вместе и совершать что-то значимое для племени: собирать съедобные коренья, охотиться, заботиться о молодняке, болтать, играть, изготовлять одежду и инструменты. Нам нужна связь в реальном времени. Если это станет для вас новой работой — постройка мостов, новые задачи, новые проекты, новые друзья и новые общности, — вы сможете оставаться социально занятыми практически всегда. Это можно сделать в любом возрасте, но чем раньше вы начнете, тем легче вам будет.

Биология социальных связей

Сотни исследований подтверждают, что одиночество вредит нам, а общение — лечит; и это происходит через те же основные физиологические механизмы, что и действие упражнений и диеты. Показатели здоровья сердечно-сосудистой системы у пожилых людей, имеющих хотя бы одного близкого друга, оказываются лучше, чем у одиноких. У первых более эластичны стенки сосудов, выше работоспособность сердечной мышцы, ниже уровень белковых факторов воспаления, лучше показатели давления при нагрузках и т. д. Гораздо лучше у неодиноких людей и показатели уровня стрессовых гормонов в крови. Ниже уровень кортизола, воспалительных факторов, инсулина и сахара в крови. Исследования также показывают, что, чем ниже степень социальных контактов женщины, тем больше в ее артериях холестериновых бляшек. Также у одиноких женщин меньше циркулирующих в крови иммунных клеток, и, следовательно, у них слабее иммунный ответ на вакцины. В одном из экспериментов в нос подопытным впрыскивали вирусы, и те из добровольцев, кто имел больше социальных связей, существенно реже заболевали простудой.

Когда щенка забирают от матери, у него наблюдаются резкие нарушения сердечного ритма, пищеварения, уровня кортизола, кровяного давления, поведения и сна. То же самое верно и для человека. Чем больше прикасаются и берут на руки ребенка, помещенного в послеродовой инкубатор, тем выше его шансы на выживание; дети, вообще лишенные осязательных контактов, умирают гораздо чаще. Та же самая лимбическая биохимия действует и у взрослых. Когда в отделении реанимации сиделки прикасаются к пациентам с сердечными заболеваниями, уровень ненормальных сердечных сокращений сразу же падает. При звуках голоса другого человека у вас снижается артериальное давление. Химический маркер реакции «драться или бежать», электрическое сопротивление кожи, значительно падает при терапевтическом осязательном контакте или массаже. Этот список можно продолжать дальше и дальше, но мораль отсюда одна: общение — это биологическая необходимость.

Общение ради жизни

Увы, в своей врачебной практике мне приходится встречаться с людьми, которые отказываются от общения и перестают жить за много лет до того, как умирают. Этих мужчин и женщин перспектива выбраться из своей скорлупы и завязать новые знакомства настолько пугает, что они перестают и пытаться. И наше общество с его нацеленностью на семейные ячейки и профессиональные контакты на рабочем месте не готово помочь таким людям. Но последствия этого так ужасны, что вы не должны позволять себе оказываться в изоляции. Ставки слишком высоки. В исследовании, проведенном в округе Аламеда, Калифорния, в котором принимали участие 4000 женщин, была продемонстрирована прямая связь между размером социального круга и выживанием. Чем шире связи, тем длиннее жизнь. У женщин, имеющих менее шести постоянных контактов вне дома, значительно повышен риск закупорки коронарных артерий, ожирения и диабета, повышенного давления и депрессии. Смертность в этой группе участниц во время проведения эксперимента оказалась в два с половиной раза выше средней.

Как я уже сказал, чем шире круг общения, тем лучше; «всего лишь» удачное замужество или наличие хотя бы одной близкой подруги снижает смертность на треть. Надо отметить, что количество и качество контактов влияют на здоровье и продолжительность жизни независимо. У некоторых людей есть небольшое количество родных или близких, с которыми они связаны очень тесно; в то время как другие располагают многочисленными контактами в обществе. И то и другое неплохо, но всегда лучше их сочетание. В наше время становится все более очевидной тенденция среди пожилых американцев создавать себе новые семьи из друзей по мере того, как их собственная семья оказывается рассеяна по всей стране, а сами они, выходя на пенсию, также меняют место проживания. Интересно, что семейная жизнь у мужчин оказывает большее влияние на продолжительность жизни; вероятно, это происходит потому, что, по словам самих представителей сильного пола, в пожилом возрасте их основным другом становится именно супруга, а женщины более склонны к поддержанию более широких социальных контактов.

В одном из исследований было продемонстрировано, что выживаемость после инфаркта и у мужчин, и у женщин вырастает в три раза для тех, кто сохраняет социальные связи и имеет поддержку со стороны близких людей. Другое исследование, в котором принимали участие только женщины, выявило среди них двукратное увеличение шансов на выживание. Значение может иметь даже тесная привязанность к домашним животным. Например, владельцы собак менее подвержены гибели от сердечно-сосудистых заболеваний.

На социальные связи может серьезно влиять общий культурный фон, и в данном случае переезд в Америку может представлять опасность. Те, кто эмигрирует в США из Японии, в три раза чаще оказываются жертвами сердечно-сосудистых заболеваний, даже при вынесении «за скобки» фактора диеты и даже несмотря на то, что японцы в своей стране курят куда больше, чем американцы. Несмотря на низкий уровень жизни и высокое потребление табака, кубинцы и костариканцы живут дольше нас, американцев. Скорее всего, причина здесь именно в том, что в этих странах сохраняются традиционные семейные ценности и более разветвленная сеть социальных контактов между людьми. Получается, что *социальные связи влияют на здоровье и смертность больше, чем курение, употребление алкоголя, физическая активность, питание или возраст.* В одном из экспериментов пятьдесят одиноких женщин были вовлечены в программу групп общественной поддержки. Спустя год обнаружилось, что половина из них стали активными участницами программы, в результате улучшив свое здоровье и эмоциональное состояние, в то время как другая половина прекратила свое участие — и результат оказался вполне предсказуемым.

Интересно, что большая физическая активность повышает вероятность сохранения активности социальной. Научные данные говорят о прямой корреляции между этими двумя факторами.

В душе каждый из нас это знает, и мы можем наблюдать это на примере тех, кто нас окружает. Спросите у любой санитарки в больнице, как много значат посещения для больных. Вам наверняка авторитетно ответят, что благоприятных исходов гораздо больше среди тех больных, к которым не иссякает поток гостей, у кого над кроватью вся стена увешана открытками с пожеланиями скорейшего выздоровления, а тумбочка утопает в цветах. Но вы должны понять, что нельзя ждать, пока «грянет гром», чтобы начать строить новый круг общения. Вы должны трудиться над этим день за днем, год за годом; звонить, заходить в гости, брать инициативу в свои руки, — иначе говоря, посещать знакомых в больнице, не дожидаясь, пока будете нуждаться в этом сами.

Помимо разнообразных физических заболеваний одиночество ведет к депрессии. В нашей стране эта проблема достигла эпидемического масштаба вследствие сложного комплекса причин наследственно-культурологического характера. Около 15% населения Америки страдает от клинической депрессии; а у огромного числа людей можно выявить ее симптомы, не достигающие уровня клиники. При этом женщины в два раза больше подвержены депрессивным состояниям. Возраст сам по себе *не служит* фактором риска развития депрессии, а вот одиночество — служит. На протяжении десятилетий исследование за исследованием подтверждают, что низкий уровень социальных контактов может стать причиной депрессии; она же, в свою очередь, может приводить к инфарктам и раку.

Рассказать в этой книге о клинической депрессии не представляется возможным, к тому же я не говорю, что все случаи депрессии вызваны только лимбическими факторами или что лимбические взаимодействия могут защитить всех от этого заболевания. Но то, что их роль весьма существенна, — несомненно. Одиночество и подавленность открывают ворота нашествию врага, в то время как общение и оптимистический взгляд на мир оказываются весьма действенными оборонительными сооружениями. Не забывайте, что изоляция от мира — это преимущественно распад, а распад преимущественно *необязателен*; противоположный выбор, который вы должны предпочесть, — это рост.

Ваша новая работа

Сохранение связей с друзьями и родными требует постоянного труда. Мне повезло, что никто из моей семьи не стесняется подобных попыток, так что я и не представлял себе, что бывает иначе, пока не стал врачом и не увидел, как одиночество и распад становятся признаком старения в нашем обществе. Мои родители всегда очень заботились о построении и поддержании своих привязанностей и контактов. Они всегда стремились не терять связи с друзьями и продолжают играть огромную роль в жизни своих детей и внуков. Они превратили жизнь, общение и взаимодействие с другими в работу.

Я, естественно, благодарен им за это, но, кроме того, я вижу, как это обогащает их жизнь. Чтобы провести чудесные, но короткие десять минут с внуками в День бабушек и дедушек, они готовы проделывать четырехчасовой путь туда и обратно, а потом еще час сидеть на складных стульях в зале собраний. Возможно, десять минут лимбического взаимодействия в обмен на десять часов дороги и ожидания не кажутся вам выгодной сделкой, но они практически никогда не пропускают этот день, и их внуки все понимают и чувствуют. И теперь, становясь старше, они могут полноценно общаться с бабушкой и дедушкой. Они говорят с ними о друзьях, о школе и рэпе и о прочих подростковых интересах. Они в любом случае любили бы друг друга, но благодаря тому, что мои родители год за годом, кирпичик за кирпичиком выстраивали эти замечательные, глубокие, такие важные для обеих сторон взаимоотношения, они чувствуют себя вдвойне вознагражденными.

Секс и эмоциональная жизнь

Если с точки зрения лимбических процессов одиночество — это смерть, то секс с лимбической точки зрения — жизнь. Я говорю не только о сексе как таковом, но и о сопутствующих преимуществах, которые мы имеем от прикосновений, эмоциональных контактов и любви. Ничего удивительного, что секс — самое что ни на есть здоровое дело. Что интересно, согласно научным данным, продолжительность жизни у мужчин увеличивается пропорционально *частоте* сексуальных контактов, в то время как у женщин — пропорционально их *качеству*. Сексуальность как лимбическая составляющая прикосновений и эмоциональных взаимодействий более важна, чем просто сексуальный акт, и, если по каким-то причинам сам секс для вас недоступен, ласки вполне способны его заменить.

Показателем активной сексуальной жизни в пожилом возрасте может выступать то, насколько активной она была в период от сорока до шестидесяти лет. К этому времени во многих случаях секс перестает быть частью отношений в паре (при этом они могут оставаться любовными, если и не страстными), но по статистике, если к сорока годам ваша сексуальная жизнь продолжает быть насыщенной, то у вас имеются долгосрочные перспективы. Сексуально активные пожилые пары могут заниматься сексом примерно шесть раз в месяц, и такой режим нередко сохраняется до девяноста и более лет! Живут такие супруги дольше, и их брак оказывается более прочным. С возрастом секс может видоизменяться, однако практически все испытавшие это на собственном опыте утверждают, что удовольствия в нем меньше не становится.

Понятно, что потеря партнера наносит сильнейший удар по сексуальности того, кто остался. И шестидесяти процентам женщин — многим из которых придется пережить смерть супруга, который был слегка старше, в несколько более раннем возрасте (если они не развелись до этого) — в какой-то момент жизни суждено остаться в одиночестве. Однако как научные исследования, так и наблюдения простых граждан говорят о том, что все больше и больше женщин (и мужчин тоже) со временем заводят себе новых партнеров. Многие мои пациентки рассказывают, что в их жизни снова возникают старые знакомые-мужчины, когда им самим переваливает за шестьдесят, а то и за восемьдесят. Другие наслаждаются сексом или общением без секса в форме более свободного контакта. Есть женщины, которые после довольно продолжительного одиночества вновь влюбляются и выходят замуж. А есть и такие, кто находит счастье в отношениях с представителями своего пола; а еще больше тех, кто просто не встретил подходящей кандидатуры для этого, но ни в коей мере не отметает такую возможность. Здесь невозможно ничего предугадать. Вы сами не знаете, что может с вами произойти.

Допустим, у вас есть партнер, и ваша сексуальность сохраняется на приемлемом уровне. В таком случае единственный потенциальный барьер, на который вы можете наткнуться, — это физическая способность к сексу. Здесь дело обстоит так: если вы способны подняться на один этаж по лестнице, то вы способны заниматься сексом. Может быть, не чемпионским, но вполне приятным. Пока между вами существует нежность, притяжение и здоровое чувство юмора, никакие больные суставы и слабые конечности не будут вас останавливать. Помехой может стать сухость влагалища и болезненные ощущения при половом акте, но здесь практически во всех случаях вам сможет помочь ваш врач. Для увлажнения влагалища существуют весьма эффективные средства; если же и их оказывается недостаточно, то большинству женщин может помочь гормональная терапия. А если проблема — в нем, то «Виагра» работает прекрасно! Да, сегодня мы применяем гораздо больше лекарств, чем стоило бы, но в данной области они действительно способны значительно повлиять на качество вашей жизни.

Болезни бывают убийственны для сексуальности, однако не забывайте, что за сексуальным влечением стоят миллиарды лет эволюции. Существует крайне мало нарушений, абсолютно несовместимых с сексом; хотя справедливо, что переломы, рак, сердечные приступы или критическая степень ожирения выступают как антисексуальные послания. Вряд ли пациенту, проходящему химиотерапию, очень хочется секса, однако миллионы женщин восстанавливают свою сексуальность после инсультов, операций на молочной железе, эндопротезирования тазобедренных суставов и продолжительного пребывания в больнице. Секс в пожилом возрасте может быть непростой задачей, но невозможным он оказывается крайне редко. Нежное отношение друг к другу и здоровый юмор способны помочь весьма ощутимо, точно так же, как и упорство в достижении желаемого.

Если вы восприняли главную мантру этой книги — рост или распад, — то вы должны отчаянно сражаться за качество своей жизни. Это единственный приемлемый способ встречать старость и абсолютно единственный — сохранять сексуальность. Если вы не будете этого делать, то окажетесь очередной жертвой нашего культурного предрассудка, гласящего, что секс — синоним молодости. Что ж, это действительно может быть именно так, особенно если вы махнете на себя рукой, тем самым нанеся сокрушительный удар по собственному образу и сексуальности в том числе. К тому же распад в организме малоактивного человека — это скрытая форма физической слабости, которая влияет не только на либидо, но также и на сердечно-сосудистую и иммунную системы. Спад сексуальной энергии нельзя считать «нормой» только потому, что это явление так широко распространено. То, что нам приходится так часто с ним сталкиваться, — печально, но то, что мы воспринимаем его как «норму», — это настоящая трагедия. К счастью, этот фактор, подавляющий сексуальность, можно ликвидировать одинаково успешно в любом возрасте. Все сигналы роста, закодированные вами в режиме тренировок, питания и общения, несут и сексуальную составляющую; особо сильно сцеплен с либидо и сексуальностью ваш физический статус.

Дело в отношении

Превосходный, причем доступный всем лимбический ресурс — оптимизм. Почему доступный всем? Потому что оптимизму можно научиться. Достаточно *принять решение* быть оптимистом, и вас ждет успех. Вы на самом деле начнете смотреть на жизнь позитивно, не сквозь розовые очки, а так, чтобы видеть стакан наполовину полным. Это стоит усилий, которые вы можете затратить. Женщины, оптимистично смотрящие на перспективу материнства еще до беременности, реже становятся жертвами послеродовой депрессии. Женщины-оптимистки реже умирают от рака и сердечно-сосудистых заболеваний. Если вы будете оптимистично относиться к собственным болезням, у вас понизится артериальное давление и улучшится иммунный ответ. Вера в благоприятный исход поможет вам быстрее и полнее восстановиться после операции на сердце, раньше встать с постели после травмы, одолеть любое заболевание и вернуться к работе и активной жизни в кратчайшие сроки. Беспокойство и нытье удваивают риск заболеваний сердца. А если воспринимать свою жизнь как вполне удовлетворительную, эта опасность уменьшается вполовину.

В одном из моих самых любимых исследований оптимизма и социальных взаимодействий в качестве объекта наблюдения была выбрана группа пожилых монахинь. Оказалось, что те из них, кто в молодости был более оптимистичен (что отражалось в стиле написания автобиографии), с возрастом оставались более активны и жили дольше, чем их товарки с более мрачным взглядом на жизнь. Существенно реже у них наблюдалась и болезнь Альцгеймера. В возрасте от семидесяти пяти до девяноста пяти лет смертность в группе самых оптимистичных и самых пессимистичных монахинь различалась в два раза. Исследователи, основываясь на данных о среднем уровне оптимизма на протяжении всей жизни каждой из монахинь, смогли с 90-процентной точностью предсказать риск болезни Альцгеймера для каждой из них. Для примера возьмем сестру Мэри. Она всегда отличалась высоким уровнем оптимизма и вела активную общественную жизнь. После ее смерти в возрасте 101 года вскрытие показало обширные поражения головного мозга, характерные для болезни Альцгеймера, однако показатели когнитивных тестов у сестры Мэри до самого конца оставались в норме, и в повседневной жизни она не демонстрировала никаких признаков слабоумия. Получается, что ее оптимистичный взгляд на вещи и вовлеченность в общественную жизнь каким-то образом не дали болезни проявиться.

Еще одной из участниц этого эксперимента принадлежит одна из моих любимых мыслей по поводу старения. Сестре Эстер было 106 лет, она передвигалась на костылях, однако весьма бодро, и продолжала быть активной участницей всех дел общины. Вот что она говорила: «Порой я чувствую себя так, словно мне сто пятьдесят, но тогда я просто собираюсь с духом и принимаю решение не сдаваться». Ничего удивительного, что таким же оптимистичным было и ее автобиографическое сочинение, написанное восемьюдесятью годами раньше. По-моему, эта фраза достойна того, чтобы написать ее над зеркалом, в которое вы глядитесь каждый день: *«Порой я чувствую себя так, словно мне сто пятьдесят, но тогда я просто собираюсь с духом и принимаю решение не сдаваться».*

Какими бы жуткими не выглядели многочисленные истории о старении в нашей стране, на самом деле отношение сестры Эстер —

это все же скорее норма, а не редкостное исключение. Большинство пожилых людей расценивают собственную жизнь положительно; в одном из исследований большая часть опрошенных заявили, что лучшими годами жизни у них были годы *после* шестидесяти. Вам просто нужно присоединиться к большинству. Для этого необходимо повернуться к людям лицом; общение — наш лимбический императив, и соответствие ему — сверхсерьезная задача. Вам необходима связь с теми, кто нуждается в вашей помощи, вашей заботе и поддержке: пусть не в такой степени, как новорожденный младенец, но все же достаточно для того, чтобы ваши лимбические «мышцы» не атрофировались. При этом хотя бы малую часть того, чем вы делитесь с окружающими, вы должны получать обратно. Без такого двустороннего обмена вас настигнет распад.

Несколько поколений назад нам не пришлось бы ходить далеко в поисках иллюстрации этой мысли. Большие семьи и целые поселения поддерживали между своими членами прочные и постоянные лимбические связи. В эпоху, когда не было еще ни телевидения, ни телефонов, ни электрического освещения, ни автомобилей, ни круглосуточных магазинов, у людей просто не оставалось выбора. Им *нечего* было делать, кроме как существовать в группе! Не всегда это существование было веселым и легким. Деревенские и семейные общины могли быть жестокими и безжалостными, так что еще непонятно, стоит ли хотеть вернуть те времена. Но двигаясь вперед, мы должны сохранять лучшее, что досталось нам из прошлого. Великий дар, который оставили нам традиционные общества, — значимость и *незаменимость* каждого члена общества для всей группы. Причем на протяжении всей жизни. Наиболее высок процент долгожителей среди местного населения островов Окинава; в их культуре старики остаются неотъемлемой частью общества до самой последней своей секунды. Девяносто- и столетние мужчины и женщины пользуются всеобщим уважением за свой жизненный опыт, и общество ценит их, с почтением перенимая их знания. В более молодых поколениях, увы, эта модель стремительно исчезает под напором телепрограмм и бешеных скоростей нашего века и, кажется, обречена на полное искоренение. Если взглянуть на наше современное общество в целом, этому можно найти множество доказательств, однако это будет всего лишь обзорная панорама, не позволяющая увидеть детали. При ближайшем рассмотрении каждый человек может продемонстрировать свое уникальное восприятие ситуации. Оказывается, и в нашем обществе лимбические связи сохраняются, но их внешнее проявление стало сегодня менее подчиненным традициям и менее явным при взгляде со стороны. Поэтому вы должны самостоятельно найти эти связи для себя и построить из них собственную структуру лимбических взаимодействий. Для большинства из нас наиболее важными путями к этому оказываются профессиональная деятельность, хобби и участие в добровольных акциях.

Работа часто становится первостепенным источником связей и удовлетворения, и исследования показывают, что число американцев обоих полов, продолжающих работать и в пенсионном возрасте, неуклонно растет. Конечно, отчасти это объясняется финансовыми причинами, однако помимо этого в обществе растет понимание того, что мы трудимся не только ради зарплаты. Часть значимости профессиональной деятельности заключается в привнесении в жизнь структуры, повода встать с утра и выбраться из дома. Другая часть — это межличностные контакты, автоматически прилагающиеся к большинству видов деятельности; еще одно немаловажное преимущество, которое дает работа, — сохранение своего места в группе, фундамент для позитивной самооценки и уверенности в себе; что бы мы ни говорили, человек вряд ли способен прожить, не имея осознанного места в обществе.

Физкультурная компания

Социальные контакты можно налаживать при помощи физкультуры. Можете воспринимать компанию, складывающуюся в спортклубе или на стадионе, как объединение товарищей по игре, учитывая, что игра — это стопроцентно лимбическая деятельность. Понаблюдайте за детьми на школьной перемене или за кувыркающимися в траве щенками. Играя, они получают заряд лимбического по своему происхождению C-10, так что отдых должен быть как можно более веселым и увлекательным. Вы можете развлекаться и малоподвижным образом, но подвижные игры обладают двойной пользой. Тем не менее нельзя отрицать, что игра в бридж, рыбная ловля и гольф тоже способны творить лимбическое волшебство. Примеры физической активности с лимбической составляющей — групповые велокроссы, пешие походы и теннис.

Мы с Крисом недавно познакомились с Пэт, дамой, основавшей в начале 80-х клуб здоровья в Нью-Йорке. Сейчас в клубе 8000 членов, и в среднем каждый из них тренируется по два с половиной часа в день. Пэт создала не просто спортивный объект; она организовала группу людей, первым общим делом для которых была физкультура, а уже на этом фундаменте выстроилось и все остальное. Она открыла даже начальную школу, полностью одобренную государством, где каждый день начинается с йоги, а заканчивается полуторачасовым уроком физкультуры. Члены ее клуба нашли для себя в нем лимбическую общность. Такую, за которую можно расплатиться кредиткой и при этом обрести то, к чему стремился в сфере, достаточно далекой от материальной.

При любых занятиях — беге на лыжах, активной ходьбе, езде на велосипеде, йоге и многих других — биохимические процессы, запускающиеся в организме, — это процессы бодрости, оптимизма и растущего стремления к контакту. По моему субъективному опыту мне кажется, что «сидячие» занятия имеют свойство распадаться на возрастные категории, в то время как физкультура объединяет всех, было бы желание и базовая подготовка. Например, в лыжных клубах обычно делят спортсменов на две группы: в одну попадает одинокая молодежь, а в другую — все остальные. Таким образом, в ней оказываются собраны люди самых разных возрастов, вплоть до восьмидесятилетних. Единственное лимбическое условие участия в такой общности — готовность поддержать разговор на канатной дороге и по окончании занятия. В теннисных клубах пары подбираются по способностям. За исключением настоящих спортсменов, практически все мы испытываем ограничения по выносливости, а не по точности координации движений, так что в данном случае бодрая семидесятипятилетняя теннисистка вполне может играть в паре с тридцатилетней.

Добровольческая деятельность: восполнение социального капитала

Ученым удалось открыть биологические основы альтруизма, и теперь они усердно изучают его проявления у млекопитающих и птиц. Все эти исследования призваны разрешить одну загадку: зачем индивидуум делает что-то полезное для общества, не имея от этого непосредственной пользы для личного выживания? К примеру, зачем определенные виды птиц растят в своих гнездах птенцов-подкидышей? Ответ весьма прост: если каждый член общества запрограммирован на совершение хотя бы какого-то полезного дела, общество в целом получает большую выгоду и средний уровень выживания растет. Вы можете тратить силы на склоки с ближними по поводу того, сколько процентов от общего каравая досталось вам и им, а можете просто спокойно принять чуть меньшую долю, и направить свою энергию и время на изготовление пирога большего размера. В результате обязательно время от времени вам будет доставаться заметно больший ломоть, и природа уже сотни миллионов лет об этом знает. Вклад некоторой доли вашего личного времени, энергии и ресурсов в общественное здоровье — основополагающий природный императив, контролируемый лимбической системой; он так же необходим для вашего здоровья, как занятия физкультурой и чистка зубов.

Экономисты изобрели особое понятие для той густой сети лимбических взаимодействий, которая образуется в обществе: общественный, или социальный капитал. В него входит то время и усилия, которые мы вкладываем в общественное благо посредством самых разнообразных благотворительных программ: от помощи бездомным до охраны окружающей среды. Каждая общественная организация — всего лишь группа обычных людей, которые оказались вместе потому, что их волнуют одни и те же вещи, и потому, что они хотят заниматься ими вместе. Именно в совместной деятельности с общей целью рождается лимбическая магия. Подписав чек вашему любимому благотворительному обществу, вы совершите благородное дело, но вам от него будет мало пользы. Лимбическая сеть формируется в процессе совместной работы с другими людьми, разделяющими ваши интересы. Вы как будто возвращаетесь в родное племя. В вас нуждаются, и вы не одиноки. Вы купаетесь в волнах лимбического моря, уверенно выгребая против течения.

Другое значительное преимущество благотворительных организаций состоит в том, что они, как правило, привлекают в свои ряды добровольцев самых разных возрастных категорий. Это создает серьезный противовес опасно растущей возрастной сегрегации нашего общества. Дружба и общение с людьми разных поколений — это нормально. Именно так было всегда, до самого последнего периода времени. Возможно, ваш лучший друг приблизительно вашего возраста, однако вы проживаете жизнь в обществе, где вам приходится взаимодействовать с представителями любых возрастных категорий каждый день. Это — норма.

Итак, продолжаете ли вы работать за зарплату или вышли за рамки экономического мэйнстрима, вы должны искать возможности увеличивать общественный капитал. От этого зависит здоровье вашей лимбической системы. Вы должны иметь значение для группы. С возрастом вы все чаще будете ловить тонкие и не очень намеки на то, что вы больше никому не нужны. Но ведь это глупо, и вы это знаете, так что делайте то, что имеет значение. Если вы — верующий человек, вернитесь в храм вашей веры. Участвуйте в общих делах. Выполняйте обязанности добровольного работника. Читайте детям. Не исключено, что это не всегда будет доставлять вам удовольствие: порой ваше дело будет казаться вам скучным, противным или бесполезным. Но если честно, вашей лимбической системе все равно. Вам требуется значимость, вам требуется отдача, и вам требуется забота о ком-то. Это биологическое свойство человека.

Духовность: быть частью чего-то большего

Последний компонент лимбической жизни находится там, где нам каким-то образом удается воспарить над эволюцией и природой и стать чем-то большим, чем сумма составных частей. Вопросы духовной жизни слишком высоки и персональны, чтобы мы могли давать вам какие-то советы в этой области, одно мы можем сказать наверняка: этот путь стоит избрать хотя бы просто для пользы лимбической системы. Все больше и больше исследований подтверждают значимость духовности как для психического, так и для физического здоровья. Люди, небезразличные к смыслу собственного существования, лучше переносят потери, тяжелые заболевания — такие, как рак и инфаркт, — отличаются более крепкой иммунной системой, невысокими показателями уровня воспалительного С-6 и пониженным риском инсульта и болезни Альцгеймера. У глубоко верующих людей смертность понижена на треть по сравнению со средними показателями. У них ниже уровень артериального давления и сахара в крови, они реже попадают в больницу и заявляют о своем удовлетворении жизнью и эмоциональном благополучии гораздо увереннее всех прочих. Можете сами сформулировать для себя процентное соотношение пользы, которую вы получаете от общения в кругу единомышленников, и той, что нисходит на вас с небес, но вывод в любом случае один: искать смысл в собственном жизненном опыте — важно и нужно.

Лимбические «подставы»

Среди разнообразных трудностей лимбической жизни есть пара настолько часто встречающихся, что о них стоит поговорить подробнее. Первая проблема, с которой нередко сталкиваются пожилые люди, — нарушения здоровья, которые не позволяют им выделять достаточно энергии на укрепление и сохранение социальных контактов, о которых мы говорили ранее. Вторая — возникновение эмоциональных, физических или материальных трудностей, препятствующих проявлению заботы о ближних с вашей стороны.

К шестидесяти пяти годам практически у всех американцев уже имеется хотя бы одно хроническое заболевание. Каким-то образом мы умудряемся делать отсюда вывод, что это дает нам право не заниматься физкультурой и не заботиться о здоровье эмоциональном. Конечно же, на самом деле все наоборот: заболевания — не повод ничего не делать, а наоборот — дополнительный и настоятельный призыв к действию. Фундаментальный факт жизни состоит в том, что чем она труднее, тем больше внимания вы должны проявлять к ней. Именно в случае болезни или какой-то трагедии физические и эмоциональные силы оказываются наиболее необходимыми. Жизненно важно каждый день просыпаться и включаться в процесс забот о себе самом: физически, если это для вас возможно, и лимбически — в любом случае. Альтернатива просто неприемлема. Почти половина всех женщин старше шестидесяти пяти лет рано или поздно оказываются в доме престарелых. Ужасающая статистика. Однако (если взглянуть с оптимистических позиций «наполовину полного стакана») для большинства пребывание там оказывается лишь кратковременным периодом реабилитации. Если вы хотите быть одной из тех, кто выписывается из этого заведения и возвращается к жизни, вам нужно обзавестись двумя типами секретного оружия: физическими силами для того, чтобы встать и уйти, и лимбическим сообществом, которое вас ждет и тянет вернуться.

Второй значительный рубеж препятствий — ответственность, связанная с заботой о ком-то. Для поколения, зажатого между родителями, которых уже коснулась увеличившаяся средняя продолжительность жизни, и детьми, которые склонны дольше оставаться на родительском попечении, это все более и более насущная реальность. Уходу и заботе посвящен ряд замечательных книг, часть из которых мы упоминаем в конце книги; но итог снова тот же самый: чем сложнее жизнь, тем более важно заботиться о себе. Но, как я убедился, те, кто с наибольшей отдачей заботится о ком-то, каким-то образом всегда могут уделить время и заботе о себе. Часто это не более чем минимально необходимое время на физкультуру и общение с близкими друзьями — но и не менее, чем это. Вам уже наверняка понятно, почему это так важно и какие биологические основы это обуславливают. Если вы испытываете чувство вины за то, что делаете что-то ради себя, делайте это ради тех, кому вы нужны. Лучшая метафора здесь — то короткое предупреждение, которое получают все пассажиры авиарейсов: побыстрее надевайте кислородную маску, чтобы не потерять сознание раньше, чем сможете помочь тем, кто полагается на вас.

Отвага

Как гласит старинная поговорка, старость — не для слабонервных. Так как мы в любом случае стареем все, то, вероятно, было бы точнее сказать, что слабонервный не может рассчитывать на *хорошую* старость. Отвага — несколько старомодная добродетель, но в правильной старости она играет не последнюю роль. Это не та минутная отвага, которая помогает спасать людей из горящего дома, а основополагающая готовность в любой момент начать все сначала, включиться в реальность на любом этапе жизни. По моим наблюдениям, женщины в достатке обладают именно таким типом отваги, и это очень важный момент. Один мой дед умер в 1985 году, как раз когда я заканчивал медицинский институт, после долгих мучений от болезни Альцгеймера. Все это время бабушка ухаживала за ним дома, причем в последние несколько лет он не узнавал ни ее, ни других. К моменту его смерти их брак насчитывал пятьдесят семь лет, бабушке было уже восемьдесят, и почти десять лет непрерывного ухода за дедом изрядно вымотали ее. Она осталась одна в пустом доме сражаться с эмфиземой и одиночеством. Она заметно сдала, и кажется, все мы думали, что скоро она последует за дедом. Но не таков был ее характер. Она продала дом, в котором они жили все годы брака, переселилась в маленький одноэтажный коттедж по соседству и начала новую жизнь. Года через полтора моя сестра как-то зашла к ней в гости и застала ее делающей приседания.

«Бабуля, чем это ты тут занимаешься?» — спросила она.

«О! — подмигнув, ответила бабушка. — У меня появился поклонник, и надо избавляться от этого живота».

Через полгода, когда ей было восемьдесят два, она вышла замуж за вдовца на несколько месяцев моложе нее. В восемьдесят семь она скончалась от рака кишечника, но она не умерла в восемьдесят два от одиночества.

Достаточно справедливо будет заметить, что ей повезло встретить кого-то, но так же справедливо, что она в большой степени сама обеспечила себе это «везение». Она дала отпор лимбической смерти, которая часто предшествует физической. Ей хватило отваги вернуться к жизни в восемьдесят лет. Не обязательно для того, чтобы найти нового спутника, а просто для того, чтобы жить.

Держитесь крепче

Итак, вот что такое лимбическая биология по своей сути: свойственный млекопитающим императив любви и общения, пронизывающий всю нашу жизнь. Каждый человек на Земле нуждается в лимбических связях. Это значит, что возможность их создать есть у вас всегда. Мы окружены сплошной лимбической сетью. Для того, чтобы выстроить свои собственные конструкции, мы должны только каждый день открывать дверь в окружающий мир, и тогда предела росту нет. Лимбический распад настолько же необязателен, как и физический. Течение отторжения от социума — то есть лимбического распада — не так сильно, как может казаться. И итоговый совет здесь тот же самый, что и в сфере физической: плывите против течения, не поддавайтесь ему ни на один день. Возможные пути не нанесены на карты, но, так же как и с физкультурой, если вы будете упорно трудиться, вы практически обречены на успех.

ГЛАВА 20

Общайтесь и интересуйтесь

Едва ли не самое ценное, что я вынес из практики совместной работы с Гарри, — это понимание того, насколько реальна и вездесуща лимбическая составляющая человеческой личности и насколько необходима в жизни эмоциональная составляющая. Когда я был ребенком, и потом, в годы учебы и адвокатской карьеры, всеми принималось «по определению», что поступки человека должны направляться и обосновываться в первую очередь разумом, логикой. Рассудочная, рациональная схема существования и отдельных индивидуумов, и любых их объединений (от фирмы до государства) считалась единственно приемлемой. Пусть никто не формулировал этого вслух, но все знали, что для того, чтобы жизнь стала если не прекрасной, то во всяком случае более успешной, необходимо убрать с дороги эмоциональные помехи.

Возможно, таково было требование эпохи. В конце концов, моя юность пришлась как раз на тот период, когда разум нельзя было назвать главенствующей силой. Я был свидетелем расцвета нацизма в Германии, нагнетания безумных расистских настроений как в европейском, так и в американском обществе, эпидемии вооруженных конфликтов, охватившей весь мир, и в конечном итоге кульминационного взрыва Второй мировой и последующих сумрачных лет холодной войны. Я помню режимы Гитлера и Сталина, помню, какой бешеной, необъяснимой популярностью пользовались эти безумные вожди.

Хотите взглянуть на лимбический резонанс Гарри под несколько другим углом? Посмотрите запись речей Гитлера тридцатых годов и не упустите сияющих лиц толпы, внимающей ему. Или послушайте, как Геббельс спрашивает у стотысячного собрания: «Вы хотите ВСЕОБЩЕЙ ВОЙНЫ?» Он это делал постоянно. Прислушайтесь, как он выкрикивает эти слова: «*...den TOTALEN KRIEG?*» И как толпа орет ему в ответ: «Да!» Это тот же самый лимбический резонанс на уровне безумия. И не думайте, что вам ничего подобного не свойственно. И даже после того, как Гитлер и Сталин сошли со сцены, оставался серьезный шанс на то, что какой-нибудь маньяк развяжет атомную войну. Мы сейчас усмехаемся, вспоминая «Человека в сером костюме» — Эйзенхауэра, с его стремлением подходить ко всему исключительно с позиций здравого смысла и утвердить порядок и систему во всем. Но в пятидесятые это было не так уж нелепо. Общество тянулось к логике, потому что людям казалось, что лимбическими развлечениями они уже сыты по горло.

Но ничего подобного на самом деле быть не могло. Здесь действуют свои правила, и ни один лидер не в состоянии их изменить. Порядок и расчетливость, к которым мы стремились — и которые на время получили, — на деле оказались настолько же мучительными и подавляющими для человеческой индивидуальности. Почему так? Да по той простой причине, что все мы — эмоциональные существа, получившие новый отдел мозга и новую грань индивидуальности в результате длиннейшей цепочки эволюционных преобразований, и не в нашей воле теперь «выключить» эту систему. Да, мы и разумны, но при любой попытке хотя бы ненадолго подавить разумом эмоции нас неизбежно ждет нарушение психического благополучия. Вот головоломка: переизбыток эмоций превращают нас в безумцев; недостаток — в тупиц. То есть снова в безумцев, только по-другому выглядящих. Звучит слишком запутанно, но на самом деле все просто. Пока мы сознаем, что представляем собой в данном отношении, пока не пытаемся насильственно подавить какие-то проявления нашей человеческой природы, мы можем справляться с этой головоломной ситуацией и поддерживать необходимую гармонию. Но эта глава посвящена не этому. Главная ее цель — предупредить вас о невероятной важности эмоциональной жизни и социальной вовлеченности. О том, что чрезмерно полагаться в наш век (и в нашем возрасте) на разум и забывать об эмоциях, недооценивать их — не слишком разумная мысль.

Как убедительно показал Гарри, мы эмоциональны по своей природе; однако, себе же во вред, склонны игнорировать эмоциональную сторону жизни и особенно тот факт, что нам, как млекопитающим, жизненно необходимо существовать и действовать в парах и группах и постоянно поддерживать межличностные контакты. Лично для меня все это оказалось весьма удобно и приятно. Я наконец смог привести к единому знаменателю теоретические представления о мире и реальность, которую вижу вокруг. Я способен мыслить логически и даже действовать рационально, если требуется именно это, но я всегда признавал, что очень эмоционален; мне доставляет удовольствие знание о том, что эта сфера настолько важна. Помните, как все наперебой спешили осудить Билла Клинтона и его неоднозначный характер? Перестаньте! Лично я удивляюсь, почему все мы половину жизни не проводим, катаясь вместе по полу и облизывая друг другу лица. Мне бы это подошло. Да, примерно для половины жизни. Для другой, конечно, нет. Но я испытал неподдельное облегчение, узнав, что, отказываясь от эмоций, мы не становимся «лучше», как меня учили раньше, что стать «лучше» таким образом невозможно. Возможно только зачахнуть и умереть.

Наверное, это более пристало Гарри, но мне очень хочется тоже рассказать вам о некоторых популяционных исследованиях, которые произвели на меня наибольшее впечатление и которые имеют наиболее прямое отношение к нашему разговору. Таких исследований, кстати говоря, очень много. Если вы захотите узнать об этом побольше, могу посоветовать вам чудесную книгу кардиолога и диетолога Дина Орниша «Любовь и выживание» (Love and Survival). Он утверждает, что любовь спасает жизни. Он прав.

Вот один пример. Эта печально знаменитая попытка была предпринята в начале прошлого века, когда только зарождалась теория инфекций (и Шерлок Холмс учил, что логика разрешает любые загадки). Было задумано создать в приютах для сирот полностью стерильные условия. Маленьких детей помещали в инкубаторы, где никто не брал их на руки и не прикасался к ним без крайней необходимости. И они начали умирать. В 1915 году в десяти приютах, где проводился этот эксперимент, все дети моложе двух лет умерли. *Все.* Оказалось, что для жизни необходимо, чтобы кто-то брал ребенка на руки, баюкал и ласкал. Любовь спасает жизни.

В этом проявляется наша сущность как млекопитающих, как вы уже поняли. И для других млекопитающих, например для кроликов, это настолько же верно. В одном замечательном эксперименте кроликов помещали в тесные клетки и кормили пищей, богатой холестерином или чем-то вроде того, чтобы изучать образование бляшек в сосудах. Однако эксперимент дал неожиданные результаты. Почему-то те животные, что сидели в ниже расположенных клетках, чувствовали себя гораздо лучше, чем те, что сидели наверху. Оказалось, что ухаживающая за ними лаборантка любила животных. А роста она была невысокого. Она гладила и ласкала тех кроликов, до которых могла дотянуться. *И в результате отложения холестерина в сосудах у них были на 60% меньше, чем у кроликов, сидевших наверху!* Чтобы проверить эти результаты, ученые поменяли кроликов местами. И действительно, те, что теперь оказались внизу, стали здоровее. Не оставалось сомнений в том, что все дело было в ласке. Гарри по этому поводу заметил, что авторам при постановке эксперимента нужно было лучше следить за возможными побочными влияниями, но на мой взгляд, вывод стоит сделать другой: хотите меньше холестерина и прочей вредной грязи в организме — пусть вас кто-нибудь ласкает. А если этот кто-то — маленького роста, присядьте.

Раз уж мы говорим о млекопитающих, то нелишне вспомнить, что полезны *любые* контакты, даже между животными разных видов. Недавно, собирая клинические данные о пациентах, перенесших инфаркт, ученые специально обратили внимание на то, кто из них имеет собаку. Как уже упоминал Гарри в предыдущей главе, у «бессобачных» смертность от повторного инфаркта была *в шесть раз выше.* Энгус, наш крайне требовательный веймаранер, иногда просто выводит меня из себя. Но после того, как я узнал об этих исследованиях, я пошел и дал ему угощение, которое он принял как должное.

А вот следующий эксперимент, на мой взгляд, один из самых замечательных. Он проводился в Калифорнии с участием женщин, страдающих раком груди в запущенной стадии. Их разделили на две группы, и первая встречалась раз в неделю в течение шести недель. Женщины просто беседовали между собой, обсуждали свое состояние и так далее. Всего полтора часа в неделю! У контрольной группы таких встреч не было. Встречи группы поддержки были непродолжительными, однако между ее участницами возникли тесные связи. И что же оказалось? Женщины из этой группы в среднем жили в два раза дольше, чем женщины из контрольной группы. В два раза дольше. По-моему, нельзя не признать, что для такого небольшого вложения результат просто исключительный!

Продолжать можно очень и очень долго. Исследования показывают, что раком в два раза чаще заболевают одинокие мужчины. Они же в два, а то и в три раза чаще умирают от инфаркта. Для женщин это не имеет такого значения, вероятно, потому, что им лучше удается поддерживать тесные контакты с подругами и другими членами семьи. Однако вы все равно должны относиться к этому со всей серьезностью. Доказывать что-то, основываясь на популяционных исследованиях, довольно трудно. Можно найти подтверждения практически любым гипотезам. Но в целом нельзя не признать их логику. Нельзя не признать, что межличностные контакты, любовь и ласка необходимы для поддержания здоровья. А их отсутствие разрушительно. Любовь спасает жизни.

В нашем обществе это нелегко

Одиночество, представляющее собой одну из наибольших опасностей в Последней Трети жизни, — это тяжело. И в последние десятилетия наше общество серьезно потрудилось, чтобы это стало еще тяжелее. Для примера посмотрим на те социальные перемены, которые я застал на своем веку. Начнем с семьи. Когда я был ребенком, в тридцатые-сороковые годы, семьи были настоящими, большими, и имели очень, очень большое значение. Человек знал, кто он и где его дом, потому что он всецело принадлежал к семейной общности.

В моем случае в эту общность входили три любящие сестры и родители, которые всю жизнь прожили вместе без всяких разводов; плюс к тому прочие родственники, всегда готовые оказать поддержку. Некоторые из них в то или иное время жили в одном с нами доме. Долгое время с нами жили две моих бабушки. А во время войны к нам переехал дядя Бен со всей своей семьей, потому что они оказались в затруднительном положении. (Мой отец добился в жизни большего успеха, и само собой подразумевалось, что в случае чего он готов принять всех нуждающихся.) Позже с нами прожил последние пять или шесть лет своей жизни дядюшка Эсмонд, у которого была достаточно тяжелая судьба. Мои сестры проводили много времени в Кэстине с тетей Китти, писательницей, о которой я рассказывал в начале книги. Одной из ее осознанных целей было превратить свой дом в Мэне в «рай для детей и любовников», что ей и удалось. Она также специально стремилась соответствовать образу тетушки, как она его себе представляла, и возвела это в ранг искусства. Мои сестры и кузины обожали ее и продолжают говорить о ней до сих пор.

В нашем доме, точно так же, как в ее, открытость простиралась и за рамки семьи. Где-то в середине сороковых в нашем доме поселился друг дяди Бена, забавный парень из Нью-Йорка по имени Макс Швебель. Откуда он взялся и почему стал жить с нами, я до сих пор так до конца и не понял. Полагаю, что Бен был ему чем-то обязан, а папа души не чаял в Бене. Как бы то ни было, он присутствовал за нашим обеденным столом где-то около года. Мы так и шутили по его поводу: «Человек, который зашел пообедать». Тем не менее он был очень интересным собеседником. А еще был дальний родственник Эдвард, который появился у нас на пороге восемнадцатилетним двухметровым юношей тоже во время войны, и жил еще потом, когда учился в колледже. Живущие неподалеку родственники все время приезжали к нам в гости, а мы ездили к ним. Связи были очень тесными. Например, папина сестра Глэдис вышла замуж за маминого брата Фергуса. Думаете, мы нечасто виделись с ними и с их отпрыском? Ну-ну. О, а еще с их собаками! В какой-то момент их было шесть, и все они были огромными черными водолазами. А еще было много кошек, и некоторое время — одна свинья. Вы же понимаете, это было военное время. И это был настоящий лимбический праздник и настоящая человеческая радость для нас для всех.

Если бы я мог воскресить подобное домашнее общество, я бы сделал это тут же и никогда больше не переживал бы по поводу того, чем заниматься на пенсии. Я бы просто занимался всем этим домашним хозяйством. Готовил еду, устраивал развлечения и обеспечивал бы всем нужное количество тепла и ласки. Но я сознаю, что сегодня такая мысль мало соответствует моменту. Но я все равно очень хотел бы попробовать осуществить нечто подобное, пока не стало слишком поздно. Организовать небольшое домашнее общество пенсионеров для самых близких друзей и родных. Посмотрим. Мы с Хилари покупали наш большой старый дом в Беркшире, имея в виду что-то типа этого. Заполнить пространство людьми и домашними животными… и сидеть среди всего этого, круглыми сутками купаясь в лимбических волнах.

Еще одна перемена, которая делает жизнь на пенсии менее приятной и удобной, — это угасание общественной жизни небольших городов. Такие города, как Салем в штате Массачусетс, где я вырос, еще не исчезли с лица земли, но супермаркеты и закусочные фастфуда как будто высосали из них все соки. Во времена моего детства каждый такой городок был центром собственной маленькой вселенной. Там все было для своих и управлялось своими, ко всеобщему благу всех проживающих. Мы знали всех, по крайней мере папа знал. Полицейских, учителей, продавцов в магазинах и просто тех, кто встречался на улицах.

Люди не были настолько оторваны от своих корней, как сегодня. Мои предки жили в Салеме и его окрестностях с XVII века. Практически все, за исключением одного занятного ирландского дедушки, который двумя столетиями позже объявился в Денвере, чтобы прилить нам свежей крови. Сегодня я живу в Нью-Йорке, мои дети — на западном побережье, сестры переехали на юг, и только двое из всей моей родни остались жить в пределах ста миль от Салема. Я благодарен судьбе за то, что когда-то смог уехать оттуда и прожить ту жизнь, что у меня была. Это было замечательно и интересно. Но вот что я вам скажу, есть вещи, за которые нужно платить. И за некоторые из них — именно сейчас.

Может быть, моя семья была немного больше среднестатистической, но тем не менее семьдесят лет назад большинство людей жили в таких же городках и таких же семьях. И все мы разлетелись кто куда. Выросли и разлетелись. И изменили всю страну. Мы разъехались, чтобы создать свои «ячейки общества» и наводнить безличные большие города, вроде Нью-Йорка и Лос-Анджелеса. Там, вероятно, у нас была возможность завязывать отношения с чужими людьми и зарабатывать больше денег. Приобретать больше имущества. И не знать практически никого за пределами узкого круга коллег и немногочисленных приятелей. Это же так здорово, не правда ли?

Тогда нет ничего удивительного в том, как мы набрасываемся на книги о традиционном обществе вроде «Года в Провансе» (A Year in Provence) Питера Мейла, где описывается жизнь во французском уголке, где все всех знают и жизни всех тесно переплетаются друг с другом. И в том, что всем нам хочется побывать в доме Фрэнсис Майес «Под тосканским солнцем» (Under the Tuscan Sky) в сельской Италии, где люди настолько меньше привязаны к работе и настолько больше — к семье и местному обществу. Неудивительно, что мы готовы часами смотреть и пересматривать «Друзей» (Friends) или «Сайнфелда» (Seinfeld), где герои живут полной, интересной жизнью и все так глубоко и сложно связаны друг с другом. Нам не хватает дружеских и семейных связей, так что остается только следить за их имитацией на экране телевизора. Часто в одиночестве.

Телевидение и наше к нему отношение немного напоминает мне эксперимент, в котором детеныша шимпанзе помещали в клетку с зашитыми в подушку часами и смотрели, что он будет делать. И бедный малыш дни напролет прижимал к себе эту подушку, потому что слышал в ней биение «сердца» и думал, что, может быть, это его мама. И потому, что он был так страшно одинок.

Мы смотрим за жизнью героев сериалов точно так же, как этот шимпанзе с часами в подушке. Если задуматься об этом, действительно хочется плакать.

Ладно, хватит душещипательных историй. Что нам со всем этим делать? Я бы посоветовал вам просто не забывать о том, что всегда входило в привычный для женщины набор действий: ковать крепкие цепи, объединяющие возлюбленных, подруг и родных. Старайтесь больше участвовать в общественной деятельности. Если работа, семья и друзья не съедают все ваше время — а многие женщины продолжают работать большую часть Последней Трети, — займитесь какой-нибудь добровольческой деятельностью. Словом, будьте небезучастны. И, как говорил Гарри, речь здесь не идет о подписании чеков. Вы сами должны подавать миски в благотворительной столовой, заниматься организацией новых проектов, и так далее, предлагая в общую копилку социального капитала собственное время и силы.

Великаны Лимбической страны: роль бабушек и тетушек

В разговоре о возможных лимбических связях в Последней Трети невозможно пройти мимо едва ли не самой очевидной, важной и приятной: о возможности быть бабушкой. Пусть даже двоюродной. Если у вас есть внуки, вклад во взаимоотношения с ними — одна из наиболее разумных и приносящих наибольшее удовлетворение вещей. Во-первых, трудно найти что-то более значимое для *них*, для подрастающего поколения. В нашем обществе, где семьи становятся все меньше и разобщеннее, где дети больше времени проводят с игровыми приставками, чем с родственниками, крайне важно напоминать им, откуда они пришли, где их корни. Это невероятно важное чувство, которое вы должны помочь им испытать. Ни один человек не может быть полноценным без него.

Помните, в главе о «кеджинге» я рассказывал вам, как ребенком ездил с матерью в Стоу, штат Вермонт, повидаться с «девочками Бигелоу», пожилыми квакершами, которые когда-то давным-давно принимали участие в воспитании моей матери? Эта поездка случилась *шестьдесят пять лет назад*, но я все еще часто вспоминаю о ней. Как я говорил тогда, образ той старой вермонтской фермы — и прочих ферм, подобных ей, — постоянно вибрирует где-то на грани подсознания, помогая мне чувствовать себя увереннее в этом мире. В этом-то и состоит ощущение «корней». Ощущение связи с прошлым, какого-то постоянства… принадлежности к роду, уходящее далеко за рамки конкретно вашей жизни. И вы можете передать это ощущение вашим внукам, просто проводя с ними время и относясь к ним по-доброму. Это истинный дар.

Не знаю, какие у вас способности к «доброте»; о себе могу сказать, что мне еще есть к чему стремиться. Но со внуками быть добрым совершенно не сложно. Они не настолько «ваши», чтобы вы были обязаны думать об их дисциплине и всем таком прочем. Вы не должны *оценивать* их поведение: это забота родителей. Но они «ваши» в том замечательном смысле, что это ваши *потомки*, и им очень нужно общение с вами. Просто будьте рядом, и вы уже проделаете адскую работу. О, и конечно, будьте интересны и добры.

Моя мать была прекрасной бабушкой, одной из лучших, кого я видел. Все ее внуки просто боготворили ее. Одним из ее лучших трюков было то, что она никогда не осуждала их. Никогда. В Нью-Гемпшире все внуки целое лето каждый день бегали к ней повидаться. Обычно по несколько раз в день. Иногда они просто заглядывали, чтобы сказать: «Привет, бабуль!» И убегали. Иногда задерживались ненадолго, смотрели, как она рисует, или еще что-нибудь. Им была нужна ее компания… им было приятно знать, что она рядом. Это сохранилось в них до сих пор. Им приятно знать, что она *была* рядом, хотя ее нет вот уже двадцать лет. Благодаря ей они обрели лучшее понимание того, кто они и чего каждый из них стоит. Вы тоже можете сделать это для кого-то.

Но если вы не родная бабушка, а двоюродная, или тетя, оказывается, потенциал и важность взаимоотношений могут быть теми же. Я рассказывал о тете Китти, той, что написала «Маленького починщика замков». Да, она вышла замуж поздно, и у нее не было своих детей. Однако к роли тетушки она относилась более чем серьезно. Она считала эту роль одной из самых важных в жизни и вела себя соответственно. Я был еще слишком мал, но мои сестры много времени проводили с ней и совершенно ее обожали. Она обладала исключительным талантом обращаться с ними, как с равными (они были одного с ней роста, что помогало), и никогда не позволяла себе снисходительного обращения. В этом была главная хитрость. Сейчас моим сестрам за восемьдесят, и, если они собираются вместе, они обязательно вспоминают тетю Китти. И не думайте, что она сама получала от этого общения меньше, чем отдавала. Возможно, и больше.

Да, и не забывайте о прикосновениях. Помните историю про девушку, которая занималась с кроликами в лаборатории? Делайте то же самое для ваших внуков. Берите их на руки. Обнимайте их. Сажайте их на колени и треплите по головкам. Держите их за руки, когда читаете им книжки. Это лимбические контакты. И их поддержание — неплохое занятие. Тем более что детям оно нравится.

Не выходите на пенсию вообще

Вот еще кое-что, о чем мы постоянно слышим. Это идея продолжать работать, пока не свалитесь замертво на рабочем месте, или близко к тому. Особенно привлекает такой вариант мужчин: если работа — двигатель всей жизни, просто не нужно ее бросать. Но и для женщин это бывает актуально. Часто просто потому, что иначе средств на жизнь не хватает. Или не будет хватать потом, если вы не сделаете что-то сейчас. Занимательная или нет, по любому графику, даже нерегулярная, работа способна принести огромное удовлетворение даже очень старому человеку. Кажется, каждый, кто выбрал такой вариант, доволен им. Ну, может быть, не каждый, но подавляющее большинство — точно. При этом, кажется, неважно, что именно это за работа. Недавно мы пошли в ресторан, куда я хожу всю жизнь. Я поздоровался с Джимми, барменом, которого знаю вот уже двадцать лет. Сейчас ему слегка за семьдесят. Я рассказывал ему о книге и заметил, что он прекрасно выглядит и, по всей видимости, чувствует себя. Не дожидаясь моего вопроса, он сам в ответ на это замечание сказал: «Это все работа. Я даже не сомневаюсь. Я просто прихожу сюда три раза в неделю, хотя не должен этого делать, и это дает мне силы».

Уже не помню точно, где — кажется, в «60 минутах», — я видел сюжет о фабрике, где стали брать на работу пожилых людей. В том числе действительно *очень* пожилых. В выигрыше в итоге оказались и работодатели, и работники. Тест на пригодность к работе был очень прост: если человек мог подняться по ступенькам лестницы, значит, он мог и работать. На мой взгляд, администрация этой фабрики — настоящие гении, и их пример достоин подражания.

О том же самом говорил мне и человек, род деятельности которого совершенно иной. Начальник моей адвокатской конторы, который не переставал радовать меня на протяжении сорока лет и которому буквально вчера исполнилось девяносто пять лет. Как радовались и веселились сотни его друзей и родных! Он произнес речь, которой мог бы гордиться любой из современных адвокатов. А как насчет душевной теплоты? Ха! Он легендарный юрист, однако лимбической энергии у него больше, чем у целой стаи золотистых ретриверов. Вот везет-то!

Ни для кого не оказалось сюрпризом, когда одна из бывших коллег и давняя подруга произнесла тост, вспомнив о своем первом годе работы с ним. Она родила ребенка вечером после большого процесса, но дело есть дело, и спустя восемь дней она уже была в гостинице где-то в Утике или еще каком-то богом забытом месте с моим учителем, новорожденным и какой-то помощницей. Изучала материалы нового дела. Не забывайте, наш учитель родился в 1910 году, и она думала, что ему не слишком нравятся обстоятельства этой поездки, учитывая, насколько он нуждался в ней. Не тут-то было! Не задумываясь ни одной лишней секунды, он проникся лимбическим возбуждением, сам занялся делом, помогал коллеге с ребенком и заставил ее чувствовать себя просто восхитительно. Она прониклась обожанием к нему на всю оставшуюся жизнь. Я тоже.

Так вот, когда я начал работать над этим проектом, я спросил у него совета. Он ответил тут же, не задумываясь: «Работа! Это главное. Надо работать, или умрешь. Я ушел на пенсию в семьдесят, но я нашел, чем заняться. Это тот проект по охране природы [процесс против предприятий, загрязняющих Гудзон], моя маленькая библиотека [поиск средств, планирование и организация работ по постройке публичной библиотеки] и все прочее. Все это дает мне силы жить. Это еще и лодка. А тут, кстати, есть и твоя заслуга. Ты не представляешь, как она много для меня значит».

С лодкой была замечательная история. Мой начальник очень любил ходить под парусом, но на девятом десятке все-таки решил продать свою лодку. Ему казалось, что для него это уже слишком.

«Знаешь, — говорил он, — а вдруг я не справлюсь с воротом, поскользнусь и грохнусь за борт».

Я немножко помолчал и спросил: «И что?»

Он долго смеялся. И не продал лодку. И до сих пор продолжает очень часто выходить на ней в море под парусом. В девяносто пять. Так что хобби тоже имеет большое значение.

И вот еще кое-что о нем. Он едва не умер несколько лет назад, а когда выкарабкался, я спросил его, что он чувствовал и не было ли ему страшно. Он задумался на секунду, потом ответил: «На самом деле нет. Конечно, я был *озабочен*, но, как ни странно, особенно страшно мне не было. — Он пожал плечами. — Это было как-то… нормально. В этом не было ничего удивительного. Просто… не знаю, я не слишком много об этом раздумывал». Чуть позже, в конце нашего разговора, он сказал: «Обязательно расскажи о работе. Я понимаю, что мы с тобой спецы по физкультуре, но работа, дело, вот что самое главное!»

Одна из трудностей в ситуации с работой на пенсии в том, что даже не слишком высокопоставленные работники привыкают к определенной ответственности на рабочем месте, а в их теперешнем положении они, как правило, уже не могут ее иметь. Работа для пожилого человека уже не может быть такой же интенсивной и ответственной. Однако для очень многих замечательным вариантом оказывается регулярное участие в каких-то проектах в качестве добровольцев. Вот что говорят данные одного из исследований на эту тему: люди, которые на протяжении периода проведения эксперимента раз в неделю занимались каким-то благотворительным делом, имеют показатель смертности *в два с половиной раза* ниже. Еще одно исследование, где участниками были женщины более молодого возраста: 52% из тех, кто не участвовал ни в каких проектах в качестве добровольца, за время эксперимента перенесли серьезные заболевания. А из тех, кто участвовал? 36%. Доктор Орниш делает замечательный вывод: «В то время как хронический стресс может подавлять деятельность иммунной системы, альтруистическая деятельность, любовь и сострадание может улучшать ее функционирование». Вы уже читали главу Гарри, так что вы не должны этому удивляться. Но разве не удивительно, насколько лимбическая составляющая нашей жизни тесно переплетается с физическим здоровьем и с личным счастьем? Вот вам явное свидетельство огромной значимости работы лимбической системы!

Много можно сказать о работе за деньги. Если вам платят, вы *знаете*, что ваша работа оценена. Тем более что многие, выходя на пенсию, оказываются стеснены в средствах. Большая часть работы по сокращенному графику оплачивается достаточно скромно, и лично мне было бы трудно переступить через собственную гордость, согласившись на настолько меньший заработок. Но, наверное, в этом я не прав. Мой замечательный зять, выпускник Гарварда и бывший военный летчик и кавалер Креста ВМФ, сейчас живет во Флориде и в свои почти девяносто занимается тем, что доставляет продукты из магазина заказчикам. Ему нравится эта работа. Нравится общение с людьми и то, что у него есть реальное дело. И он доволен, что может заработать несколько лишних баксов. Один из самых замечательных, на мой взгляд, людей в Америке, настоящий герой, теперь развозит по клиентам продукты. В магазине его обожают. Понятно почему.

Вот, кстати, другое многообещающее место: школы. Там всегда необходимы помощники и просто наставники для детей. Пожилые люди всегда занимались воспитанием и обучением младшего поколения, это их естественная функция. Так что для любого из нас такое дело более чем достойно.

Вторая жизнь, другая сторона мозга

Лично мне кажется, что лучше не искать на пенсии какую-нибудь работу, а постараться сделать работой свое хобби или личное увлечение. Говоря более конкретно, я посоветовал бы перестать цепляться за свою бывшую карьеру и за того человека, кем вы были на рабочем месте, и заняться чем-то совершенно новым и не похожим на вашу профессиональную деятельность в прошлом. Например, если в вас есть хоть какие-то художественные задатки, разбудите их и попробуйте хоть немного пожить в совершенно ином мире.

Мне особенно симпатична идея о том, что на новом этапе жизни надо использовать другую сторону своего мозга, другие, доселе дремавшие, таланты. Достаточно многим приходится чем-то жертвовать, что-то подавлять в себе, ради успеха на определенном поприще. Многим из нас пришлось расстаться с какими-то увлечениями — сочинительством, живописью, музыкой, — чтобы стать юристами, бизнесменами или кем-то еще. Что ж, теперь самое время вернуться назад и посмотреть, осталось ли в вас еще что-то от этой вынужденно отброшенной стороны. Я, к примеру, знаю одного банкира, который оказался замечательным художником. Теперь он путешествует повсюду, пишет акварели и очень доволен своей новой жизнью. Еще один мой друг-юрист водит экскурсии в Метрополитен-музее в Нью-Йорке. Другие пишут, а кое-кто даже пошел учиться.

Обращение к другой стороне вашего мозга вовсе не обязательно означает уход в искусство. Это означает лишь занятие чем-то совсем *иным* по сравнению с тем, чем вы занимались раньше. Такой поворот способен придать вам новых сил. Так что не бойтесь стать другой. Это полезно.

Пусть вашей работой будет общение

Это тоже относится к тем вещам, которые по природе лучше удаются женщинам, но даже вам необходимо работать над этим. В пожилом возрасте искушение прикрыть лавочку и удалиться от общества всегда велико. Не делайте этого! Это нас убивает, Гарри уже объяснил, почему. Мы должны «тренировать» наш социальный дар точно так же, как тренируем нашу мускулатуру.

Как? Заводить новых друзей, включаться в новую деятельность, не сидеть сиднем в доме и интересоваться происходящим вокруг. (Если вам требуется вдохновляющий пример, откройте вторую главу и перечитайте историю про мою знакомую Джессику.) И беречь те дружеские связи, которые у вас уже есть. И родственные, конечно, тоже. Да, наверняка среди ваших близких есть люди, далекие от идеала, тем более что с возрастом мы становимся более придирчивы и раздражительны. Порой очень хочется всех послать к черту. Ни в коем случае не посылайте! В нашем возрасте разбрасываться связями преступно! Помните, как старина Фред всю жизнь обвинял вас в том, что вы чересчур долго «висите» на телефоне? Так вот, зря он это делал. Смело возвращайтесь к аппарату, поднимайте трубку и звоните всем подряд. А еще пользуйтесь электронной почтой. Общайтесь и интересуйтесь.

Просто скажи «да»

Да, с возрастом все чаще хочется сказать всему на свете «нет». Делать что-то так утомительно. Да и не нужно. Только на самом деле это не так. Нам необходимо делать все, чтобы не терять контактов с другими людьми. Потому что, как вы уже знаете, общение спасает жизнь. Поэтому, пока ваша жизнь не приобретет снова настоящей полноты — и может быть, потом тоже, — «по умолчанию» отвечайте «да» любому, кто предложит вам чем-то заняться или попросит о помощи. Отвечайте «да», если вас приглашают на обед, отвечайте «да», если вас просят помочь в организации «картофельных гонок», отвечайте «да» всему, что только подвернется.

Простой пример: недавно меня попросили возглавить комитет подготовки пятидесятилетнего юбилея нашего школьного выпуска. Скучная и неблагодарная работа. К тому же я никогда не считал годы, проведенные в средней школе, лучшими в моей жизни и с бывшими одноклассниками практически не общался. Но я все равно ответил «да». И влез в это дело с головой. Писал кучи бумажных и электронных писем, звонил в разные концы страны и так далее, и тому подобное. Даже организовал шесть предварительных встреч в разных городах. Я заинтересовал сам себя всем этим. Я познакомился с рядом интересных людей и наладил отношения со старыми приятелями. Словом, работы было много, а отдача, может быть, не столь и велика, однако мне понравилось.

Стеснительная дама

Если вам свойственна застенчивость, то не исключено, что сейчас вы думаете примерно следующее: «Ну ладно, это ему хорошо рассуждать о том, как говорить "да" по умолчанию, он из тех, кто всегда готов скакать, словно радостный пес, при первой возможности выбегает из дома и мало задумывается над тем, что делает. Но я-то так не могу! Быть среди людей мучительно для меня. Так же мучительно говорить "да", принимать приглашения на обеды и вечеринки. Так что же мне делать, если я такая?!»

Знаете, не имею ни малейшего понятия, поскольку, как вы верно подметили, я — радостный пес, и перспектива у меня соответствующая. Тем не менее, мне кажется, что для вас должны действовать те же правила. Я считаю, что вы должны говорить «да». Со временем вы обязательно «преодолеете комплексы», как любят говорить жестокие мужчины вроде меня. При соответствующей возможности вы должны вдохнуть поглубже и принять приглашение… или сама пригласить кого-то, какой бы ужас ни вызывала в вас подобная идея. И постарайтесь иметь в виду, что для радостного пса ваша застенчивость бесконечно занимательна, бесконечно удивительна и необычна. Вы не поверите, сколько времени я провел, общаясь с застенчивыми дамами, не переставая восхищаться их неприступным очарованием, их отстраненностью и инаковостью.

Я помню, как много лет назад заметил знакомую, стоявшую перед дверями зала, где шумела вечеринка. Было видно, что она в прямом смысле набирается смелости. Как будто для кого-то было крайне важно, зайдет она в конце концов туда или нет. Я был сражен… и тут же пригласил ее пообедать. Мы до сих пор друзья. Правда, в последние годы мы уже не так близки, но я готов согласиться с тем, что это к лучшему. Старайтесь любыми способами включаться в общество. Пригласите пообедать подругу. Сходите на ужин церковной общины, где «шлагбаумы», вполне вероятно, не настолько непреодолимы. Пойдите с кем-нибудь в кино. Не воспринимайте себя жалкой, на самом деле вы — храбрая женщина. Для вас общение так же ценно, как и для всех остальных… может быть, даже ценнее. Так что отвечайте «да» всему, что к вам стучится. Или *сами* стучитесь куда-нибудь, если можете это сделать.

Когда-то у меня была знакомая, Хитрая Барбара, которая называла себя «официально стеснительной». Эту шутку придумали мы с ней, когда познакомились ближе. Мы постепенно преодолели застенчивость, которой она страдала, и провели вместе замечательное время. Она была на редкость умна, и столько всего происходило в то время, и столько было тем для разговоров и возможностей для действия… Не забывайте о том, что для кого-то ваша стеснительность может послужить самым возбуждающим средством. Так что, пусть вначале с мучениями, но вы должны привыкнуть говорить «да», и относиться к этому даже серьезнее, чем ваши более смелые товарки. Вот вам мой совет беззастенчивого самца. Просто делайте это. А если кто-то вам откажет или о вас забудет, тем лучше. Перешагните через обиду и попробуйте еще раз. Вы — живое существо, млекопитающее, человек, и вы не имеете права игнорировать свои природные потребности.

Станьте организатором

Пойдите дальше, и не просто отвечайте «да» на предложения других людей, но предлагайте что-то сами. У вас есть на это время, так что ничто не мешает вам придумать что-то и постараться занять этим других людей. Не расстраивайтесь и не сердитесь, если вам ответят «да», а потом забудут об этом. Таковы уж люди. Будьте настойчивы, гните свою линию. Вы же строите свою собственную жизнь! И почему это должно быть легко? Вспомните, каковы ставки…

Для запуска любого, даже весьма масштабного проекта обычно достаточно одного или двух организаторов. Помните, я рассказывал о группе любителей велокросса? Ей уже десять лет, и все члены с удовольствием участвуют в организации и проведении мероприятий. А началось все с идеи и упорного труда одной семейной пары. Они все придумали; они обзвонили всех, кого надо; они организовали питание, проживание, транспорт. И мы отправились в свое первое путешествие. Люди, с которых все началось, совсем не походили на волшебников и не делали ничего сверхъестественного. Они просто проявили инициативу и старались изо всех сил. Ну, может быть, они обладали некоторым очарованием, которое помогло им убедить нужных людей. Но значит, вы тоже можете совершить нечто подобное. Куда еще вам девать свое время? Неужели у вас есть что-то, что отбирает его у вас целиком? Можно, попробую догадаться сам? Мне кажется, ничего такого нет.

Кстати, подобные затеи не требуют больших затрат. Организация велогруппы — или лыжной, или группы по плаванию — не слишком разорительное дело. Организовать все можно по-разному, в соответствии с любым бюджетом. Ведь главное, что вам нужно, — дело и увлеченность им, а это нельзя купить. В целом нет особой связи между имеющимся количеством денег и богатством общественной жизни. Ведь если подумать, самый широкий круг общения и интересов — у молодежи, только что окончившей колледж и не имеющей, как правило, ни гроша. Зато у нее есть огромное стремление встречаться, знакомиться, влюбляться. И вам это тоже необходимо. Может быть, вы уже не будете искать секса, как в молодости, зато вы можете заняться формированием групп единомышленников — построением тех самых связей, которые дальше будут поддерживать и спасать вашу жизнь. Так что вперед. Организуйте группу велосипедистов, книголюбов, игроков в покер, в гольф, или политический клуб. Да все равно что. Главное — не частные детали, а сам факт.

Помимо общественной деятельности есть еще одна вещь, которая имеет значение. Это ваша духовная жизнь. Мы с Гарри прекрасно понимаем, насколько это серьезный предмет, поэтому решили не обсуждать здесь эту тему. Во-первых, мы не чувствуем в себе достаточно уверенности и компетентности, чтобы это делать, а во-вторых, это тема не для главы в этой книге, а для отдельного труда. Скажем лишь, что не исключено, что значимая для вас, глубокая духовная жизнь может оказаться практически всем, что вам необходимо. И благодаря ей все остальное может оказаться существенно легче и осмысленней.

Ну вот, я накидал вам кое-каких кусочков, может быть, вы сумеете выбрать из них что-нибудь полезное. Единственное, что я вам гарантирую: основная идея этой главы о том, насколько необходимо общаться и интересоваться другими, причем с возрастом не меньше, а только *больше*, абсолютно верна и незыблема. Любовь спасает жизни. Мы — млекопитающие. Не отказывайтесь от близости.

ГЛАВА 21

Клинический оптимизм

Гарри

Мы представили вам глубоко оптимистичный и при этом глубоко обоснованный взгляд на старение. Выбор модели жизни в предстоящие годы предоставлен вам, и она может быть действительно замечательной. Главная идея проста, как все гениальное: интенсивно занимайтесь физкультурой — и станете моложе. Заботьтесь об окружающих — и станете счастливее. Постройте значимую жизнь — и вы станете богаче.

Крис с оптимизмом глядит в будущее, и он совершенно прав. Новые научные перспективы, обрисованные здесь, радикально отличаются от тех взглядов, что существовали десять лет назад. И они дают нам именно такой ответ: занимайтесь физкультурой и не теряйте интереса к жизни. Мы постарались объяснить вам, почему это настолько важно и почему именно такой биологический выбор мы должны делать ежедневно. Если даже человек и отделился от природы, его организм все равно остается ее частью, и его путь развития так же предопределен, как путь поезда по рельсам. Поезд все равно будет двигаться по определенному пути, однако мы можем управлять его скоростью и переводить стрелки. Мы можем повернуть направо или налево, к росту или к распаду. Выбор образа жизни в ваших руках, а определяется он несколькими основными факторами: в первую очередь это степень физических нагрузок и ваша открытость окружающему миру. Каждый вечер, отправляясь спать, задумайтесь, какой выбор сделали вы в этот день, стали ли вы ближе к росту или к распаду, и не забывайте, что завтра вам предстоит выбирать снова.

Лично меня успокаивает знание принципов эволюционной биологии, стоящих за всем этим. Мне приятно думать о том, что у меня есть свое место в природе и что мое тело функционирует по давно установленным правилам, так что можно предугадать, что ждет впереди. А еще мне нравится, что я сам в значительной степени могу контролировать процесс моего старения. Но самое замечательное — смотреть на окружающий мир природы и замечать в самых разных существах отзвуки моей собственной биологии. Когда мы писали эту книгу, Крису приходилось постоянно сокращать мои главы, потому что я чересчур увлекался и не мог остановиться, углубляясь в биологию кальмаров, лосей, червей, улиток, плодовых мушек или бактерий. Но, по сути, единственное, что я хотел до вас донести, — что каждый из нас является частью чего-то намного большего. Вы не одиноки, и не останетесь в одиночестве даже на закате жизни. На вашей стороне все ваши предки: фамильная галерея длиной в три с половиной миллиарда лет ободряюще глядит на вас и вдохновляет на новые шаги. От них вы получили огромный генетический «пенсионный вклад», которым теперь можете воспользоваться.

Крис

Да, я оптимист, и я этого не скрываю. Когда мы дописывали эту книгу, мне пошел восьмой десяток, и именно с оптимизмом я смотрю в предстоящее десятилетие — а если повезет, то и в следующее за ним.

Можно сказать, что это настроение — главное, что должны вынести наши читатели из этой книги. Мы надеемся, что Последняя Треть жизни больше не будет их пугать. Я сам когда-то воспринимал старость так же, как большинство прочих, и мрачно ожидал неизбежного одиночества и телесной немощи. Но сегодня, обретя опыт последних нескольких лет и поддержку современной науки, я категорически поменял взгляд на вещи. Я невероятно оптимистичен в отношении себя, и еще более — в отношении вас; не только потому, что вы, скорее всего, проживете дольше, хотя и это само по себе замечательно. Ваши перспективы представляются мне еще более радужными потому, что женщины обладают природным талантом общения и заинтересованности, которые нередко оказываются такой сложной задачей для мужчин. Да, и для меня, кстати, тоже. Если сложить этот талант с теми рекомендациями, которые перевернули мою жизнь, вы превратитесь в настоящую ракету! А если к этому еще добавится то ощущение собственной силы и значимости, которое посещает многих женщин после пятидесяти-шестидесяти лет, то перед вами раскроется удивительная перспектива.

Только ради бога, не думайте, что у вас уже все есть и вам не нужно заниматься физкультурой, раз у вас есть столько врожденных талантов. Эта сторона дела оказалась очень важной для меня, и она станет такой же для вас, вам просто надо правильно к ней относиться. Я всегда говорю, что именно физическая подготовка — ваш паровой котел, без которого поезд не поедет. А если он на месте и работает, то все остальное возможно. И для меня, и для вас.

Сегодня я в лучшей физической форме, чем был двадцать лет назад. Моя жизнь стала более полной и увлекательной. У меня появилось огромное количество интересных дел и людей, совместно с которыми их можно осуществлять. Я действительно потратил много времени и сил на то, чтобы придумать и осуществить такие проекты, как эта книга и формирование нового дружеского круга. Но в результате теперь у меня больше замыслов, чем я в состоянии осуществить. И я понимаю, какая это роскошь, потому что знаю, что бывает по-другому.

И вот он я перед вами, на восьмом десятке лет жизни, полный замыслов, любопытства и оптимизма. Я искренне верю, что в последние годы моей жизни меня ждет много таких дел, которые, может быть, будут не только увлекательными для меня, но и имеющими какое-то значение для других людей. Я совершенно не намерен проводить это время в праздности, брюзжании и тревоге, которые какое-то время назад казались мне единственным вариантом. Что ж, я делаю успехи.

Да, я знаю, что однажды утром могу проснуться с опухолью в мозге. Или врезаться в дерево на горном склоне, катаясь на лыжах. Ладно. Зато я точно уверен, что если ничего такого не случится и я проживу еще десять лет, то буду практически в такой же форме, как сегодня. Конечно, какие-то процессы распада все же будут проявляться, но незначительно. И уж точно не настолько, чтобы сделать меня идиотом. Эти страхи меня больше не преследуют. Их место заняли оптимизм и интерес. Могу поклясться, что вы найдете немного людей, которые в моем возрасте смотрят на жизнь так же. И всем переменам, произошедшим со мной и с моим телом, я обязан упорным занятиям физкультурой. Оказывается, это единственный разумный способ добиться того, чего добился я.

Гарри

Физкультура — это самое главное послание этой книги, потому что движение — это жизнь, и потому, что программу тренировок очень легко сделать неотъемлемой частью вашего существования. Просто надо воспринимать ее как работу. Крис отнюдь не был спортивным человеком всю свою жизнь, но в последние несколько лет он каждый день выбирал для себя рост, а не распад. Он уверенно выгребает против течения, с каждым годом становясь моложе. Сейчас ему семьдесят один, но он говорит о себе, что ему уже «очень давно шестьдесят». Пусть говорит, я-то знаю, что тесты показывают: его организм — это организм здорового мужчины сорока девяти лет. Все биологические основы этого омоложения и все советы, которые я даю пациентам (Крису в том числе), нисколько не зависят от пола. Вместо Криса моим соавтором могла оказаться Кристина, но в содержании книги, скорее всего, почти ничего не изменилось бы. В мире множество бодрых, сильных пожилых дам, идущих той же дорогой. Пол здесь ни при чем. Значение имеют только рост и распад.

Запомните навсегда: большая часть старения — это процессы распада, а распад вовсе не является обязательным. Все здесь в ваших руках. Не все в жизни подчиняется нашему сознательному контролю, но данная область к этому не относится. Если вы будете чувствовать ответственность за собственную жизнь, как физическую, так и эмоциональную, и поступать в соответствии с этим, вы сможете преодолеть стандартное старение.

А начинается здесь все с физкультуры. Она вступает в спор с нелепым правилом, установившимся в нашем обществе, — что пожилой человек должен выходить на пенсию, и не только в прямом смысле, а и в смысле изоляции от любых проявлений жизни. Почему-то считается, что человеку в возрасте неприлично заниматься тем же, чем обычно занимается молодежь, и быть сильным, подтянутым, интеллектуально и сексуально активным, эмоционально подвижным. Так вот, это неправильное «правило»! Самые естественные, а значит, приличные, вещи в мире — это рост и жизнь. А распад неестественен. Крис так оптимистичен потому, что, восстановив форму, смог выбраться из ловушки всеобщего заблуждения. А освободившись от него, смог найти достаточно энтузиазма и задора для построения новой, физически и эмоционально богатой жизни в лежащие перед вами годы Возрождения.

Крис

Я всецело поддерживаю Гарри в отношении физкультуры, но, по-моему, не меньшее значение имеет и эмоциональная сторона, общение и интерес к жизни. Теперь, вспоминая о себе шестидесятилетнем, я понимаю, что больше всего боялся не того, что рассыплюсь на кусочки (хотя и это порядком меня волновало), а того, что буду никому не нужен, заброшен и бездеятелен. Когда я только вышел на пенсию и ходил средь бела дня абсолютно без цели по улицам Нью-Йорка, я чувствовал себя так, как будто только что вышел из порнографического кинотеатра. Я боялся, что случайно встречу кого-нибудь из друзей, потому что они обязательно должны будут понять, что у меня теперь нет работы, что я ничем не *занят*. Меня долго мучил этот нелепый стыд. Да, теперь он кажется нелепым, но тогда очень сложно было отделаться от ползучего, липкого ощущения потери места в мире и неотвратимо надвигающегося одиночества. Слава богу, женщинам, кажется, это не свойственно. Они, насколько я понимаю, проще и спокойнее совершают поворот от карьеры — или от опустевшего гнезда — к важнейшей задаче расширения и углубления дружеских контактов, поиска новых видов деятельности и построения жизни по-новому. Везет. Им действительно везет. Но даже для женщин найти нечто новое и значимое после того, как привычные схемы перестают работать, бывает нелегко.

А на самом деле все это не так уж и трудно, просто непривычно, а незнакомое всегда кажется нам трудным. Гарри придумал великолепную метафору: в молодости наши жизненные дороги похожи на скоростные шоссе с большими указателями: КОЛЛЕДЖ, РАБОТА В PROCTER & GAMBLE, ОСТАНОВКА С ЦЕЛЬЮ РОЖДЕНИЯ РЕБЕНКА, КОНЕЦ ДВИЖЕНИЯ или ПРЕСТИЖНОЕ МЕСТО В АМЕРИКАНСКОЙ ЭКОНОМИКЕ... Можете выбирать. Но, по его же определению, на пенсии шоссе превращаются в проселочные дороги, где нет никаких знаков и совершенно непонятно, куда ехать. И кем быть. Вам становится не на кого ориентироваться, не у кого узнать правила движения и не у кого просить помощи в случае непредвиденной ситуации. Со временем, если вам удается более-менее приспособиться, вы начинаете любоваться окружающим пейзажем и радоваться его тишине и покою — и тому, что здесь вы можете делать все, что заблагорассудится. Но такое привыкание требует определенного времени. И сил.

Вам нужно осознать, что такие дороги прокладывают не столько для того, чтобы быстрее добираться откуда-то куда-то, а для того, чтобы отдохнуть от шума и пыли больших автострад и просто хорошо провести время. На пенсии мы должны переосмыслить свое отношение к успеху. Вернее, совсем перестать мыслить такими категориями. Большинство из нас слишком многим жертвуют ради успеха и при этом получают слишком незначительную отдачу в отношении качества жизни. Постепенно вы сами начнете удивляться, как могли столько времени провести на этом шумном беспокойном шоссе. Сбавьте скорость, любуйтесь пейзажем и не переживайте сверх меры о том, что вам обязательно надо куда-то попасть.

Гарри

Крис замечательно все сформулировал; действительно, главная цель наших рекомендаций — именно построение цельного комплекса здорового тела, разума и духа. Мне представляется целое новое поколение пожилых людей, не имеющих ничего общего с предыдущими, поколение, живущее полной жизнью, со всеми трудностями, успехами, печалями и радостями, которые она подразумевает. На самом деле уже сегодня очень многие живут именно так, но мы не замечаем этого, потому что эти люди вынуждены справляться со всем в одиночку. Каждый из них смог свернуть с шоссе и найти свою собственную тихую и живописную дорогу. Теперь им не грозят пробки и часы пик. Если вы присоединитесь к ним, вероятно, поначалу вы будете чувствовать себя странно, вас будет тянуть обратно на шоссе, в сплошной поток мчащихся куда-то автомобилей. Вам будет серьезно не хватать чего-то, оставшегося в прошлой жизни, но надо понять, что вас ждет новое приключение. И какую бы дорогу вы ни выбрали, с вами все будет в порядке.

Для этой новой «проселочной» жизни вам понадобится всего несколько необходимых вещей. Во-первых, транспортное средство, то есть ваше же тело. О нем нужно заботиться, потому что иного способа передвижения для вас не существует. Во-вторых, в дороге не обойтись без компании. Как уже говорил Крис, уезжать в одиночестве на закат умеют только киногерои. Если вам повезло и у вас есть постоянный спутник, значит, вы будете исследовать новые пути вместе с ним (с ней). Если же нет, то постарайтесь обязательно захватить с собой друзей. И не беспокойтесь о том, куда именно вы направляетесь. Если ваша спутница или друзья думают по этому поводу что-то свое, дайте им порулить и посмотрите, что из этого выйдет.

И наконец, вам нужна старомодная отвага первопроходца. На проселочных дорогах без карты бывает страшновато. Вы можете заблудиться — и *обязательно* заблудитесь, причем неоднократно. Последняя Треть вашей жизни обычно непредсказуема. Вы лишаетесь привычной структурированности и постоянства старой жизни, но при этом исчезают и очень многие ограничения и условности. Перед вами открывается бесконечность новых возможностей.

Наш совет очень прост. Забудьте о пенсии в кресле-качалке со всем, что к нему прилагается. Это безумие. Вы должны продолжать активно чем-то заниматься, и теперь вы вольны выбирать себе действительно любое занятие. Физкультура поможет вам поддерживать форму и уверенность в себе. А имея все это, вы сможете идти куда угодно и рискнуть попробовать что-то абсолютно новое. Знакомьтесь с новыми людьми. Уделяйте максимум внимания взаимоотношениям, принимайте участие в общественной жизни или осуществлении каких-нибудь проектов. Может быть, на первых порах это не будет казаться вам слишком увлекательным или стоящим делом. Вы будете сворачивать не туда и влетите в парутройку выбоин. Но вас ждут и настоящие приключения.

Так что в любой ситуации берите все в свои руки. Станьте организатором. Не останавливайтесь перед некоторым риском. Наводите мосты. Часть из них обрушится, часть, как выяснится, соединят вас не совсем с теми, кто вам нужен, но и в этом нет ничего плохого. Среди них обязательно будут мосты, благодаря которым вы обретете настоящую дружбу. Да и вообще, даже если вы не любите по-настоящему никого из своей стаи, стая вам все равно необходима.

Стройте свои увлечения. Мы говорили о поиске увлечений, но, на мой взгляд, «построение» здесь более точное слово, чем «поиск». Если у вас уже есть в жизни какая-то страсть, тем лучше. А если ничего такого нет, вначале просто придумайте ее себе. Я серьезно. Сделайте вид, что вам нравится заниматься чем-нибудь, и со временем на самом деле втянетесь и прочувствуете все прелести выбранного занятия. Судя по результатам многочисленных научных исследований последних тридцати лет, счастье в жизни — по большей части сознательный выбор. *Вы* решаете своей лимбической системой, быть ли вам счастливой, и окружающие обстоятельства крайне мало влияют на это решение, а денежный вопрос не влияет на него вообще. Решение быть счастливой — вероятно, наиболее значительное решение, которое вы должны принять, вступая в годы Возрождения.

Одна из дорог, которую вы должны обязательно исследовать в эти годы, если она еще не была знакома вам раньше, — это дорога альтруизма. По этой дороге идут многие, и *все* они призывают следовать за ними. Они просто делают что-то, чтобы помочь другим людям: чаще всего это небольшие акты бескорыстия, которые накапливаются со временем, создавая ценнейший фонд. Так что обязательно отдавайте что-то окружающим. Это естественное стремление человека, и вы сами получите от этого удовлетворение.

Мы с Крисом осторожны в обсуждении вопросов духовности. Не потому, что они менее важны, но потому, что это сугубо личное дело каждого. Тем не менее мы твердо уверены, что наше путешествие по жизни обязательно связано с духовностью в очень значительной степени, причем эта составляющая с возрастом только растет. Как говорил выше Крис, полная жизнь — это жизнь, как можно более полно изученная. Мы больше не будем останавливаться на этом вопросе, просто советуем вам обращать пристальное внимание на глубокие мысли, когда они станут приходить к вам.

Крис

Да, все верно, только Гарри, ради бога, давай не будем заканчивать на такой патетической ноте! Пусть лучше нашим последним посланием читателю будет добрый совет *жить в свое удовольствие*. Пусть, закрыв книгу, они *веселятся*, как большие дети. Им сейчас это очень нужно.

Игра — одно из самых замечательных изобретений млекопитающих, очень для нас полезное. Полезное само по себе, без всяких обоснований и оправданий. Потому что наш организм создан для игры, и игра помогает нам чувствовать себя лучше. Ни пресмыкающиеся, ни рыбы, ни птицы небесные, как бы они ни были красивы и умелы, не умеют играть. Гарри уже говорил об этом. Игра — наше уникальное достижение и достояние. И мы не должны отказываться от него; должны, даже в преклонном возрасте, кувыркаться, как молодые выдры, и возиться, как щенята. Что в этом плохого?

Пожалуй, самая впечатляющая картина, которую мне довелось увидать за последний год, предстала передо мной как-то вечером во время велопробега по Айдахо. Я смотрел, как женская половина нашей группы веселится на лужайке после трудного дня. Первыми начали показывать акробатические трюки маленькие девчушки. Но, посмотрев, как они ходят на руках и катаются по траве «колесом», кое-кто из наших подруг (обратите внимание, среди них не было ни одной моложе пятидесяти) решил, что им негоже отставать. И они не опозорились. Они кувыркались, катались, влезали друг другу на плечи и демонстрировали прочие умопомрачительные трюки, радостно смеясь и не обращая внимания на мигом позеленевшие брюки. Вот такие «щенячьи игры» необходимы каждому из нас на долгом и живописном закате жизни. Почаще кувыркайтесь в траве!

Большая часть наших советов сводится к тому, что нужно научиться «соответствовать» тем эволюционным задаткам, которые даны нам природой. Игра полезна в самом что ни на есть подлинном и глубоком смысле. Она развивает и тело, и разум в самых значимых аспектах. Она большая награда сама по себе. Так что кувыркайтесь, вставайте на голову, кидайте тарелку, играйте с прибоем и обязательно каждый год устраивайте себе любимой незабываемую вечеринку в день рождения.

В общем, *делайте* что-нибудь. Обязательно, по умолчанию — делайте. Научитесь готовить. Займитесь каким-нибудь новым спортом. Займитесь чем-нибудь. Да, Гарри, тьма неизбежно сомкнется. Каждый из нас рухнет в пропасть, оставшись, с конечном итоге, один. Но еще не на этой неделе. И, весьма возможно, не в ближайшие десять лет. Так что пока не мешайте нам *играть*.

Ну вот и все. Кто последний, тот тухлое яйцо.

ПРИЛОЖЕНИЯ

Правила Гарри

1

Отныне и до конца жизни вы должны заниматься физкультурой по шесть дней в неделю.

2

Интенсивно занимайтесь аэробикой по четыре дня в неделю до конца жизни.

3

Занимайтесь интенсивными силовыми упражнениями с весом два дня в неделю до конца своей жизни.

4

Тратьте меньше, чем получаете.

5

Перестаньте есть всякую гадость.

6

Не будьте безразличными.

7

Оставайтесь связанными с людьми.

Примечания авторов

Крис

К главе 1

«Вместо того, чтобы становиться старой, толстой и нелепой в те тридцать или сорок лет после наступления менопаузы, вы можете остаться точно такой же, как сегодня».

Когда мы рассылали предварительные варианты книги близким друзьям, чтобы узнать их мнение, я был озадачен, получив почти возмущенные комментарии по поводу одной и той же фразы от двух людей, которых уважаю больше всех на свете: моего наставника и близкого друга, девяносточетырехлетнего Хазарда Гиллеспи, и моей восьмидесятидвухлетней сестры Рэйни. Видите ли, книга показалась им чересчур консервативной. «Крис, — сказал Хазард, — по-твоему получается, что в восемьдесят лет все заканчивается, а это ведь не так. "Правила Гарри"… — и тут его голос набрал почти ту же силу, ритм и убежденность, перед которыми содрогались залы судов на протяжении пятидесяти лет: — …"Правила Гарри" одинаково справедливы и для восьмидесяти… и для девяноста… и, осмелюсь предположить, для ста лет, точно так же, как и для шестидесяти. — Он выдержал эффектную паузу. — Ты просто *обязан* объяснить это людям». Моя сестра выразилась столь же определенно. Я, конечно, обеими руками «за» то, что говорят Хазард и Рэйни. Конечно, «Правила Гарри» с возрастом становятся только *более* важными и обязательными к исполнению. Хазард и моя сестра — прекрасное тому доказательство.

«Встреча с Гарри и перемены»

Я говорил о женщине — пластическом хирурге по имени Дезирэ. На самом деле в тот день, когда мы встретились впервые, в кабинете было двое врачей, и более молодая из коллег, доктор Робин Гимрек, и сегодня остается моим личным дерматологом. Она тоже была знакома с Гарри и рекомендовала мне его. Он читал ей какие-то курсы в медицинском институте. А самое главное — она стала источником замечательных советов по поводу старения и ухода за кожей. Некоторые из них мы включили в книгу. Робин — превосходный врач, при этом на удивление мила для человека, который проводит рабочее время, обрабатывая «огороды» на лицах граждан.

К главе 2

«Джессика в одиночестве»

Я не знал, как найти наследников «Джессики», поэтому вывел ее под псевдонимом. Но поверьте, больше я ничего не придумывал, и очень и очень многие люди восхищались ею. И не потому, что она соответствовала образу «старушки — божьего одуванчика». Такой она не была. Однажды, когда ей было уже глубоко за семьдесят, на горнолыжном склоне в нее врезался сзади какой-то идиот, и она упала, потеряв сознание. Когда на нее наткнулся служащий лыжного патруля, он был слегка обеспокоен. «Сейчас, мисс, не двигайтесь, пожалуйста! Просто… просто ляжьте и лежите, мисс!» Она приоткрыла недобро сверкнувший глаз и заметила: «Вы, вероятно, хотели сказать “лягте”!» — После чего спокойно поднялась и поехала прочь. Мне *все* время ее не хватает.

К главе 4

«Отсутствие ванны — не повод…»

Спустя недели после того, как книга была завершена, я сидел в ванне в нашем нью-гемпширском домике на озере и читал автобиографию непревзойденного Владимира Набокова «Память, говори» (Speak, Memory). Там он упоминает о том, что его отец, богатый русский дворянин с демократическими взглядами, в 1905 году был брошен царским режимом в тюрьму. В одиночную камеру. Набоков говорит, что отец не возражал против такого режима заключения, так как проводил дни «со своими книгами, складной резиновой ванной и копией руководства Д.Р. Мюллера по домашней гимнастике». Складная ванна вызвала у меня в голове какой-то вначале неясный отклик. Я, мокрый, направился к книжной полке в спальне и убедился, что мой дед и отец Владимира Набокова сто лет назад занимались под руководством одного и того же усатого датчанина. Мне было страшно приятно обнаружить такую связь с Набоковым, которого я очень люблю. Жаль только, что программа Мюллера не смогла сделать наших предков неуязвимыми: мой дед умер от рака в Салеме в 1904 году; отец Набокова был убит в Берлине в 1922-м.

К главе 8

«То, чем вы сейчас заняты, — это самый важный аспект всей программы. Не построив прочной базы аэробного метаболизма, вы не сможете двигаться дальше».

Хочу еще раз упомянуть о том, что «построение базы аэробного метаболизма» творит чудеса. Вот еще одно доказательство тому. Как раз тогда, когда книга была уже почти закончена, я отправился в ту велосипедную поездку по Скалистым горам. Прошу обратить внимание: мне было семьдесят, я весил на десять фунтов больше нормы, а моей единственной подготовкой была описанная здесь программа упражнений. В этой в целом нелегкой поездке были особо трудные дни, например тот, в который мы проделали сто миль по дороге через два перевала. Эту дистанцию мы с приятелем преодолели на сумасшедшей скорости в пятнадцать миль в час. Путь занял восемь или девять часов, включая короткие остановки и обед. Раньше я бы выдохся до предела, если бы проехал сто миль даже со значительно меньшей скоростью. Когда мы в тот вечер наконец окончательно слезли с велосипедов, я не чувствовал ни усталости, ни боли. Мне захотелось пойти куда-нибудь поужинать, осмотреть город… покрасоваться перед бедными местными жителями. Скажу без преувеличения: я вполне мог бы проехать еще миль пятьдесят. И снова причина та же — прочная база аэробных нагрузок и крепкие суставы. То, чего можно добиться, день за днем следуя нашей программе.

Да, она работает, работает по-настоящему. И овладеть ею легко, ведь вам придется двигаться постепенно, поэтапно, день за днем. А потом вы приобретете эту самую «прочную базу», и вам, в вашем возрасте, будут завидовать ваши же дети.

К главе 10

«Привет, давай, я тебе все здесь покажу…»

Материалы, составившие часть этой главы, впервые увидели свет (в более ранней версии) в виде заметки «Потогонные местечки Аспена» (The Sweat Shoppes of Aspen) в *Aspen Magazine* Джанет О'Грэди. Ланс уже фигурировал там.

К главе 13

Мои друзья наперебой твердят, что, когда такой безответственный человек, как я, разглагольствует о личной экономии, это выглядит нелепо до неприличия. Да, я потратил в свое время кучу денег. И теперь мне очень, очень стыдно. Ну, может быть, не очень; вообще-то, это *было* весело. Но я более-менее с этим справился. А если вам есть что сказать по этому поводу — как жить по средствам, выйдя на пенсию, — советую вам обратиться к нашему сайту. Помощь никогда и никому не помешает. Не Гарри, конечно же; он в этом отношении святой. Но я-то могу в любой момент сойти с катушек.

К главам 14–16

Нам с Гарри очень нравится тема еды и выпивки, может быть, потому, что существует огромное множество плохих книг на эту тему и очень мало действительно хороших. Я особенно люблю

«Ешьте, пейте — и будьте здоровы» (Eat, Drink, and be Healthy)[1] Уолтера Уиллета и «Постнее — значит вкуснее» (Thinner Tastes Better) Стивена Галло. На мой вкус, не *так* уж постное вкусно, однако все-таки вкуснее, чем может казаться вам. Особенно после первых двух недель. Помучаться придется, но это того стоит.

Коротенькая история: там, где находится наш нью-гемпширский домик, полно белок, которые готовы съесть все, что не прибито накрепко к поверхности. Однако, как оказалось, у них тоже есть свои принципы. Знаете эти пресные ржаные крекеры, которые вам со всех сторон советуют есть? Я как-то закупил их сразу несколько коробок. И в конце концов белки разнюхали их и разорвали весь картон и бумагу в клочья... И не съели ни одного печенья! Ни кусочка.

Что знают эти белки такого, что неизвестно ни мне, ни даже Стивену Галло?

К главе 20

«Пусть вашей работой будет общение»

Как выяснилось, для мужчин, прочитавших нашу первую книгу, одним из наиболее сильных факторов мотивации оказалась именно идея тренировок как работы, которая после выхода на пенсию занимает место профессиональной деятельности. Те, кто признавался, что книга действительно изменила их жизнь, говорили о том, что при таком подходе гораздо проще заставлять себя заниматься, поскольку режим тренировок заменяет график работы в офисе. Если же считать тренировки формой досуга, не возникает необходимого чувства ответственности и понимания серьезности поставленных целей.

Я надеюсь, что женщины будут воспринимать физкультуру и общение именно как работу. Многим женщинам свойственны разные социальные таланты и умения, но я боюсь, что они часто склонны относиться к этому как к развлечению и, может быть, отчасти капризу. Но это не так. В Последней Трети вашей жизни

[1] Уолтер Уиллет, Патрик Дж. Скеррет. Ешьте, пейте — и будьте здоровы. — М.: Попурри, 2006.

общение приобретает настолько критическое значение, что относиться к нему легкомысленно непозволительно.

Гарри

Наука о росте и распаде пока никем не выделена в отдельную дисциплину, и ее положения разбросаны по различным разделам естествознания. Отсюда понятно, что ни одного справочника по этому предмету также пока не издано, так что все сведения, приведенные в этой книге, собраны из сотен отдельных статей, научных работ и сборников. Чтобы научные данные были доступны и понятны каждому, мы отбросили все лишнее и сложили остаток в единую связную картину. Несмотря на то, что материал пришлось настолько ужать и упростить, он остался научно корректным; по крайней мере, если ошибки к нем все же имеются, то это исключительно *мои* ошибки.

Я вовсе не хочу сказать, что Крис не несет ни за что ответственности, потому что, честно говоря, это именно он заварил всю кашу. Он здесь рассуждает так, как будто «Правила Гарри» были полностью сформулированы к тому моменту, как мы с ним впервые встретились, и он просто подписался на роль демонстрационной модели. На самом деле все было совсем не так. Я уже достаточно долгое время объяснял своим пациентам, какое значение имеет образ жизни, и занимался собственными научными изысканиями, но и Крис еще до нашего знакомства самостоятельно постигал те же самые идеи применительно к своей жизни. И это именно он во время того самого первого визита ко мне заговорил о том, что мы можем написать вместе книгу. Потребовалось еще несколько лет, чтобы идея окончательно сформировалась, но именно тот день можно считать днем «зачатия» книги. Научная сторона была в моей компетенции, практические советы мы давали вместе, однако личный опыт всецело принадлежит Крису.

Существует не одна сотня хороших книг, посвященных здоровому образу жизни, и еще не одна тысяча тех, что похуже. На нашем сайте www.youngernextyear.com есть краткий обзор литературных источников, который постоянно пополняется. Вы тоже можете нам в этом помочь, если найдете что-то действительно стоящее, что мы пропустили, и сообщите нам.

То же самое касается и всех идей, которые могут прийти вам в голову по поводу стартового путешествия, снаряжения, комплексов упражнений. Просто черкните нам пару строк, и все лучшее будет размещено на сайте.

Программа занятий физкультурой *«Моложе с каждым годом»* для всех и каждого

Мы надеемся, теперь вам уже точно ясно, что эта книга — не пособие по физкультуре. Это пособие по изменению всей вашей жизни. Но нас так часто спрашивают, с чего начинать, что мы решили наконец дать этот краткий свод основных рекомендаций, касающихся физкультуры. Это ни в коем случае не жестко установленный стандарт. Пусть он просто поможет вам начать, а дальше вы можете менять его по своему усмотрению или вообще придумать собственную программу.

Уровень I

Ваша первая цель — в течение сорока пяти минут выполнять упражнения из раздела «долгой и медленной» аэробики, не испытывая трудностей. Другими словами, вы должны научиться поднимать свой уровень сердечных сокращений до 60–65% от максимального и удерживать его все время сорокапятиминутной поездки на велосипеде или прогулки бодрым шагом, при этом будучи в состоянии разговаривать. (Если вы забыли, как вычисляется максимальное число сердечных сокращений, то это очень просто. Отнимите ваш возраст от 220. Это приблизительное значение, но для начала его достаточно.)

В самом начале делайте только то, что в состоянии сделать. Попробуйте позаниматься на тренажерах — велосипедном, беговой дорожке, «лесенке», эллиптическом. Поплавайте в бассейне. Просто походите. Может быть, вы выдохнетесь уже через десять минут, а может быть, и через пять. Ну и ладно. Остановитесь. Может быть, ваше сердце вдруг начнет колотиться с сумасшедшей скоростью. Остановитесь. Это тоже нормально Просто на следующий день вставайте и снова делайте, что можете. Продолжайте в том же духе, пока не достигнете сорокапятиминутной отметки. Если окажется, что вы не выйдете за пределы первого уровня до конца жизни, ну и прекрасно. Главное — обязательно заниматься шесть дней в неделю, тем, на что вы способны.

Уровень II

Этот уровень совсем не сложен. Четыре дня в неделю занимайтесь тем же самым, что и на уровне первом. А еще два дня посвятите сорокапятиминутным тренировкам с весом. Только не забывайте вначале размяться. Первое время, пока не будете хорошо ориентироваться в «качалке», занимайтесь с тренером. А потом просто не забывайте приходить туда.

Уровень III

А тут начинается настоящее веселье. Вы продолжаете заниматься шесть раз в неделю, но чередуете разные варианты тренировок. Один или два раза в неделю занимайтесь «медленной» аэробикой. В оставшиеся «сердечные» дни (не забывайте, что аэробике вы в любом случае должны уделять по четыре дня в неделю) выкладывайтесь полностью, доводя уровень сердечных сокращений до 70–85% от максимума. Может быть, вам захочется попробовать прерывистые тренировки, и даже рискнуть разогнать свое сердце до 85–100% максимума на пару минут, просто чтобы узнать, что это такое. Два дня в неделю продолжайте поднимать тяжести. Можно сочетать аэробику и силовые тренировки в один день. Придумывайте, что хотите, главное — занимайтесь.

В качестве особого дополнения к третьему уровню хотя бы раз в месяц предпринимайте особо долгие «медленные» тренировки — двухчасовую бодрую прогулку к любимой рыбной заводи или трехчасовой велокросс по проселочным дорогам. Или еще что-нибудь. Что хотите.

Занимайтесь. Радуйтесь жизни. «Работайте» шесть дней в неделю.

Об авторах

Перу Криса Кроули и доктора медицины Генри Лоджа принадлежит также книга «Моложе с каждым годом: Как дожить до 100 лет бодрым, здоровым и счастливым». Помимо того, что они просто пациент и врач, они создали и зарегистрировали как торговую марку программу «Моложе с каждым годом». Мистер Кроули — выпускник Гарварда и школы права Университета Вирджинии, до выхода на пенсию в 1990 году был практикующим адвокатом и партнером в Davis Polk & Wardwell на Манхэттене. Женат на художнице-портретистке Хилари Купер. Доктор Лодж, выпускник Пенсильванского университета и медицинской школы Колумбийского университета, — врач-терапевт, живет и работает в Нью-Йорке. Руководит коллективом из 23 врачей и преподает на клиническом факультете колледжа терапии и хирургии Колумбийского университета.

Кроули и Лодж предлагают достоверную информацию о том, как реально сделать преклонные годы здоровыми и активными, и все это — с оптимизмом, вдохновением и добрым юмором.

— Аллен Розенфилд, доктор медицины,
декан Школы общественного здоровья Колумбийского университета

Написана с чувством юмора, в разговорном стиле, так что читать [ее] очень легко... Эта книга предлагает необходимые рекомендации, которые помогут вам сохранять здоровье и бодрость долгие годы после выхода на пенсию.

— *The Detroit News*

Это мощная книга... для всех, кому хочется жить долго и счастливо. Написанная языком, понятным каждому, она сплетает воедино самые современные научные данные и предельно конкретные советы на каждый день, предлагая хорошо продуманную перспективу.

— Герберт Мардс, доктор медицины, президент
и генеральный директор Нью-Йоркского пресвитерианского госпиталя.

Это книга-прорыв... написанная в живом, наполненном добрым юмором стиле. [В ней] замечательные практические советы подкреплены серьезнейшей теорией.

— *Frequent Flyer*

Старость может быть здоровой, этот выбор — в наших руках. Эта книга как раз об этом. Прочтите обязательно!

— Джон Рид, бывший член правления Нью-Йоркской фондовой
биржи; бывший член правления и генеральный директор Citicorp

...то, чего нам всем не хватало. Здесь развенчиваются многочисленные мифы, касающиеся старения, и убедительно доказывается, что все так называемые «неизбежные» возрастные проблемы на самом деле совершенно не неизбежны.

— Дэвид Демко, доктор медицины,
главный редактор *AgeVenture News*

Кроули Крис
Лодж Генри, **доктор медицины**

СЛЕДУЮЩИЕ 50 ЛЕТ

Как обмануть старость

Руководитель проекта *И. Серёгина*
Технический редактор *Н. Лисицына*
Корректор *В. Муратханов*
Компьютерная верстка *Е. Сенцова*
Художник обложки *И. Южанина*

Подписано в печать 08.04.2011. Формат 70×100 1/16.
Бумага офсетная № 1. Печать офсетная.
Объем 26,0 печ. л. Тираж 2000 экз. Заказ № 3232

Альпина нон-фикшн
123060, г. Москва
ул. Расплетина, д. 19, офис 2
Тел. (495) 980-5354
www.nonfiction.ru

Отпечатано с готовых файлов заказчика
в ОАО «ИПК «Ульяновский Дом печати».
432980, г. Ульяновск, ул. Гончарова, 14